Le mystère français

Hervé Le Bras
Emmanuel Todd

Le mystère français

LA REPUBLIQUE DES IDEES

Seuil

Collection dirigée par
Pierre Rosanvallon
et Ivan Jablonka

ISBN 978-2-02-110216-1

www.seuil.com

INTRODUCTION

La France ne se sent pas bien. Pour comprendre son mal, nous l'avons passée au scanner de la cartographie la plus moderne. Cent vingt cartes nous permettent de poser un diagnostic : notre pays souffre d'un déséquilibre entre les espaces anthropologiques et religieux qui le constituent. Son cœur libéral et égalitaire, qui fit la Révolution, est affaibli. Sa périphérie, autrefois fidèle à l'idéal de hiérarchie, et souvent de tradition catholique, est désormais dominante. Nos dirigeants, parce qu'ils ignorent tout du mode de fonctionnement profond de leur propre pays, aggravent sa condition par des politiques économiques inadaptées.

Nous avions mis en évidence en 1981, dans *L'Invention de la France*[1], la diversité et l'activité des systèmes de mœurs dans l'Hexagone. Cette pluralité culturelle nous semblait garantir l'attachement de la France à l'idéal de l'homme universel, seul capable d'assurer sa cohésion. Notre optimisme n'a pas varié sur ce point. Nous avions toutefois noté, avec une certaine malice, le caractère aléatoire de la distribution des systèmes anthropologiques et de leurs reflets idéologiques. La vie politique, structurée au niveau conscient par des affrontements d'intérêts et de classes, était en réalité déterminée, dans les profondeurs de la Nation, par des traditions religieuses et familiales agissant à l'insu des

1. Paris, Hachette Littératures, 1981, rééd. Paris, Gallimard, 2012.

acteurs. Nous pensions cependant à l'époque saisir une France en cours de disparition.

Constater en 2013 la persistance de déterminants anthropologiques et religieux pourrait être inquiétant. La population agricole est statistiquement insignifiante. La société industrielle rejoint elle-même le monde des villages dans le passé. Entre 1980 et 2010, la France a basculé, trop vite sans doute, dans l'âge postindustriel. Elle a davantage changé dans les trente années qui viennent de s'écouler que durant les trente années précédentes. Le discours purement économique sur les « Trente Piteuses », succédant aux Trente Glorieuses, oublie cette accélération du changement social.

Affirmer que la transformation n'a pas effacé la diversité des mœurs régionales serait un constat insuffisant. Nous montrerons que la crise de la société postindustrielle a réactivé, renforcé l'action des systèmes anthropologiques et religieux que nous supposions disparus. Mieux, le changement social lui-même a été guidé, à chaque étape, par les systèmes anthropologiques et religieux anciens. Nous allons voir, sur les cartes qui constituent ce livre, le décollage de l'éducation secondaire et supérieure s'appuyer d'abord sur certaines structures familiales inconscientes puis, plus étrangement encore, sur une religion catholique qui n'est désormais pratiquée que par une infime minorité. Ni l'émancipation des femmes, ni la croissance du secteur tertiaire ou de l'État, ni la montée des inégalités économiques, ni finalement le hollandisme, le sarkozysme ou le lepénisme n'ont échappé à la main puissante du passé.

Il s'agit ici d'étudier la France et la façon dont elle change, en détail, dans sa diversité, ses irrégularités et parfois même ses bizarreries. Son exceptionnelle hétérogénéité en fait toutefois un terrain d'expérimentation idéal – c'est-à-dire moins éloigné que d'autres de l'universel – pour saisir dans sa généralité l'action souterraine des forces anthropologiques et religieuses. Son étude autorise donc une conclusion qui dépasse son cas unique et particulier. L'accélération du changement social dans l'Hexagone durant les trente dernières années, par son insertion dans l'espace, suggère qu'aucune rationalité postmoderne n'est concevable dans l'absolu, indépendamment des structures anthropologiques et religieuses définies par une très longue histoire.

Le changement que nous décrivons englobe et détermine celui postulé par les économistes. Il admet la primauté des mentalités et place l'éducation avant le produit intérieur brut dans la séquence du développement. Une telle approche va avoir pour effet, assez surprenant dans un livre qui démontre la présence indestructible du passé, de donner une vision moins pessimiste, plus dynamique, de la société française. Sans oublier la récente entrée en stagnation éducative, les nouvelles inégalités culturelles et économiques, la dérive à droite du système politique, la déroute industrielle, nous allons faire l'inventaire de l'immense acquis humain des années 1980-2010. C'est l'ultime paradoxe : une approche anthropologique contraint à une vision complète et positive du processus de modernisation.

Dans cette introduction générale, nous allons d'abord résumer le mouvement accéléré de la société française entre 1980 et 2010, à l'échelle nationale. Nous définirons ensuite la méthode cartographique qui permet de saisir simultanément, dans une société urbanisée à 80 %, permanences anthropologiques ou religieuses et impact des villes.

Dans le corps du livre, nous montrerons comment la révolution mentale des années 1980-2010 s'est déployée dans l'espace, et pourquoi, partout, une mémoire des lieux guide toujours l'action des hommes, en commençant par une description des fonds anthropologiques et religieux qui définissent cette mémoire.

1. L'accélération du changement social : 1980-2010

La représentation aujourd'hui dominante de l'histoire économique et sociale de la France est celle d'un ralentissement depuis la fin des « Trente Glorieuses », époque bénie dont la position dans l'inconscient national évoque désormais un âge d'or. Si l'on s'en tient à la série statistique favorite des économistes, la progression du produit intérieur brut (PIB), le ralentissement ne fait aucun doute. En moyenne supérieure à 4,5 % par an avant 1973, la croissance annuelle du PIB par tête a ensuite chuté régulièrement, pour tomber à 1,8 % dès 1984, puis rester nettement en dessous de 2 % jusqu'à la crise de 2007-2008. Mais si nous passons du plan de l'économie à celui des mentalités – éducation, religion, mœurs –, c'est au contraire l'évidence d'une accélération qui s'impose.

Le moteur du mouvement : le décollage éducatif

La progression du niveau éducatif est stupéfiante. Elle avait été réelle, sans être rapide, durant les années de croissance économique maximale, avec un taux d'obtention du baccalauréat général par génération qui avait augmenté de 5,3 % en 1951 à 12,6 % en 1966. Une première accélération est intervenue entre 1966 et 1971, de 12,6 % à 17,3 %. Nous sommes toujours ici dans le cadre théorique des Trente Glorieuses. Mais une seconde accélération, véritable décollage, a bouleversé l'équilibre éducatif et culturel de la France entre 1981 et 1995, avec une proportion de bacheliers qui s'est envolée de 17,8 % à 37,2 %.

À la croissance ralentie du PIB par tête correspond donc un saut qualitatif du niveau éducatif des Français. Il a été rendu possible par la conjonction de deux facteurs : une aspiration au progrès des individus et des familles, et une libération de cette poussée spontanée par l'arrivée de la gauche au pouvoir en 1981.

Il semble bien qu'un plafond ait été atteint vers 1995, peu après le retour au pouvoir de la droite. Employant un terme anglais, on peut même parler d'*overshooting* : la proportion s'est stabilisée aujourd'hui à un niveau légèrement plus bas que le maximum un instant atteint, autour de 35 % jusque vers 2010. N'oublions pas pourtant que l'arrivée, année après année, de générations nouvelles obtenant le bac général à un taux stable de 35 % continue de faire monter le niveau éducatif moyen. Vers 2005-2010, dans les tranches d'âge supérieures à 60 ans, la proportion de bacheliers est très faible, toujours inférieure 5 %. La disparition des générations anciennes rapproche inexorablement le pays du taux de 35 % atteint par les plus jeunes.

La diffusion du bac général ne représente pas la totalité du progrès éducatif. Nous devons ajouter aux 35 % de titulaires du bac général les jeunes ayant obtenu des bacs technologiques et professionnels. En 2009, 15,9 % d'une génération a réussi le bac technologique, 14,4 % le bac professionnel. Abandonnant le préjugé bourgeois qui ne prend en considération que l'éducation classique, littéraire ou scientifique, nous constatons que les bacs technologiques et professionnels mènent souvent à des métiers plus utiles à la société française que bien des bacs généraux. Ils peuvent aussi ouvrir la voie à des études supérieures, particulièrement le bac technologique. Nous atteignons ainsi un total de 65 % de bacheliers par classe d'âge dans les générations les plus récentes.

L'inversion de la stratification éducative : une nouvelle inégalité

Jamais dans l'histoire la population française n'avait atteint un niveau éducatif aussi élevé. Modérant l'optimisme de cette constatation, nous devons ajouter que l'ascension des trente dernières années n'a pas mené à la démocratie culturelle. Elle a produit une inversion de la pyramide éducative et un retournement du concept d'inégalité.

Les flux annuels ne nous permettent pas d'obtenir une vision claire de la stratification éducative ultime des générations, car certains jeunes poussent au-delà du bac et d'autres non. Le recours au recensement, qui décrit l'ensemble de la population à une date donnée, permet de donner, pour chaque génération, un bilan éducatif final.

Le recensement de 2009 a enregistré, pour tous les Français âgés de plus de 15 ans, le plus haut niveau de diplôme atteint. La statistique résultante nous permet de décrire ici non pas une, mais deux stratifications éducatives. La première représente la population des plus de 65 ans, ceux qui ont eu 20 ans avant 1964, c'est-à-dire à l'époque de la société industrielle. La seconde pyramide décrit la population des 25-39 ans, ceux qui ont atteint 20 ans entre 1990 et 2004, à l'ère postindustrielle[1]. Une synthèse distinguant seulement trois niveaux – 1) certificat d'études ou moins, 2) BEPC

1. Les chiffres concernant les diplômes supérieurs, qui découlent de simples déclarations au recensement, nous paraissent un peu trop élevés si on les compare aux seulement 35 % de titulaires du bac général des générations les plus récentes, et ce même si l'on tient compte des individus qui sont passés dans le supérieur après obtention du bac technologique. La statistique éducative n'est pas ici absolument cohérente. L'ampleur du mouvement générationnel est cependant suffisamment importante pour que ces imperfections ne posent pas de problème pour l'interprétation du résultat de la comparaison.

et bacs technologiques ou professionnels, 3) bac général ou plus – met en évidence la morphologie sociale d'ensemble définie par l'éducation et son mouvement entre 1964 et 2000.

TABLEAU 1
Niveau de diplôme en fonction des groupes d'âges (%)

	Plus de 65 ans	25-39 ans
aucun diplôme et certificat d'études	57,7	12,4
BEPC, CAP, BEP bac technologique	29,0	38,3
bac général et plus	13,1	48,6

Source: recensement de 2009.

Le monde éducatif des Trente Glorieuses avait l'allure d'une pyramide normale : une base large, avec 58 % de citoyens certes capables de lire, d'écrire et de compter, mais qui n'avaient pas obtenu plus que le certificat d'études ; au-dessus, un étage moyen de 29 % de formations intermédiaires ; enfin, une couche supérieure étroite de 13 % de titulaires du baccalauréat général ou plus. Nous sentons dans cette forme la virtualité d'un équilibre démocratique, dans lequel la force de domination d'une minorité de privilégiés, certes plus éduqués, est néanmoins contrebalancée par la masse considérable des citoyens qui ont bénéficié d'une instruction primaire.

Chez les jeunes de l'âge postindustriel, cet équilibre est rompu : les éduqués supérieurs frôlent la majorité absolue, avec 49 % d'individus qui ont obtenu le bac ou plus, 38 % d'éduqués moyens, secondaires et techniques, et seulement 12 % des citoyens restés au stade de l'instruction primaire. Les masses éduquées sont en haut, la minorité des simples alphabétisés en bas : la pyramide est inversée, elle repose sur sa pointe. Bien entendu, la coexistence des générations brouille la simplicité du modèle. Mais les jeunes générations ne représentent pas qu'elles-mêmes. Elles définissent aussi l'avenir, la forme de la stratification éducative future. Ici, cas rare, on peut dire que l'avenir anticipé agit sur le présent, en étendant à l'ensemble de la société le pressentiment d'une stratification éducative inversée.

Un tel monde n'est ni plus ni moins inégalitaire que celui du passé. Il est inégalitaire autrement. Il élargit d'une manière prodigieuse la masse des citoyens capables d'une activité culturelle autonome, différente de la réception passive de ceux qui savaient seulement lire. Il crée aussi une frange inférieure de « laissés-pour-compte » culturels, bloqués au niveau de l'instruction primaire. À l'époque industrielle, la majorité alphabétisée de la société regardait vers le haut les éduqués supérieurs et contestait leurs privilèges. À l'époque postindustrielle, une majorité d'éduqués supérieurs et moyens regarde vers le bas ceux qui sont restés bloqués au stade de l'instruction primaire, pour les oublier dans le cas des premiers ou pour craindre de leur ressembler dans celui des seconds. À la contestation succède l'indifférence ou la peur. Nous sommes ici fort près d'une explication simple du glissement du corps électoral de la gauche vers la droite.

L'arrêt du progrès éducatif entre 1995 et 2005 a conforté dans la population la représentation subconsciente d'une société stratifiée. La proportion de jeunes sortant du système scolaire sans aucun diplôme, les vrais exclus, est tombée de 35 % à 11 % entre 1965 et 1990, puis à 6 % en 2005. La courbe semble se stabiliser le long d'un plancher de 5 %, tout comme celle du bac général semble arrêtée par un plafond de 35 %. L'immobilité suggère l'horizon d'une société stratifiée de manière stable. Dans cette représentation réside une part importante du pessimisme culturel latent qui domine, non seulement chez les élites, mais aussi dans la population.

Révolution des mœurs

Deux paramètres démographiques, la fécondité et la proportion des naissances hors mariage, permettent de suivre la transformation des mœurs entre 1980 et 2010. Dans leurs cas, les mouvements s'amorcent dans la phase finale des Trente Glorieuses pour s'amplifier régulièrement dans les décennies qui suivent.

L'indicateur conjoncturel de fécondité plonge de 2,9 enfants par femme en 1966 à 1,9 en 1975, 1,6 en 1990, pour remonter et se stabiliser à 2 vers 2010, un peu parce que les femmes ont moins d'enfants, et surtout parce qu'elles les ont plus tard. Les moyens modernes de contraception ont très sérieusement réduit les grossesses non désirées, mais c'est surtout la hausse de l'âge moyen des femmes à la maternité qui a donné son caractère spectaculaire à la baisse de l'indicateur conjoncturel, semant un instant la panique chez les natalistes. À aucun moment, en réalité, la descendance finale des femmes qui avaient achevé leur vie féconde n'est tombée au-dessous de 2 enfants, première indication que la mutation mentale n'est pas une désorganisation. Les femmes ont simplement leurs enfants plus tard, évolution qui accompagne l'allongement de la durée des études.

La progression du nombre des naissances hors mariage – des enfants illégitimes ou, plus joliment, « naturels » aurait-on dit autrefois – est plus spectaculaire. Un premier frémissement était perceptible entre 1965 et 1970, avec une augmentation de 5,9 à 6,8 % du total des naissances. Suit un envol, régulier, presque linéaire, apparemment sans limites : 11 % en 1980, 20 % en 1986, 30 % en 1990, 40 % en 1997, 50 % en 2008, 54 % en 2010. Cet indicateur nous permet d'affirmer que le mariage traditionnel a vécu : une majorité d'êtres humains naissent en France sans cet encadrement juridique, l'enfant naturel devient la norme sociale.

Terminus pour l'Église

Dans ce contexte de révolution des mœurs, il aurait été étonnant que les choses s'arrangent pour l'Église. Le catholicisme actif reprend au milieu des années 1960 un déclin amorcé dès les années 1950. Il avait alors commencé sa régression, passant de 27 % à 20 % d'assistance à la messe dominicale entre 1952 et 1966. Stable à 20 % entre 1966 et 1972, la proportion de messalisants[1] chute à 14 % dès 1978, à 6 % en 1987, et à 4,5 % en 2006. Si nous tenons compte de la surreprésentation des gens âgés dans la pratique religieuse, nous constatons la disparition presque totale de la religion dans sa dimension rituelle. Nous allons montrer dans ce livre sa survie massive en tant qu'agent de structuration des comportements éducatifs ou politiques.

Liberté pour les femmes

L'évolution de la fécondité et des naissances hors mariage reflète, sur le plan démographique, l'émancipation des femmes, tendance sociologique fondamentale de la période. En 2011, si le taux d'activité des hommes de 25 à 49 ans est de 94 %, celui des femmes atteint 84 %, niveau très élevé si l'on garde à l'esprit qu'elles assurent aussi la reproduction biologique de la société.

Dès la fin des années 1960, les filles avaient dépassé les garçons dans l'obtention du baccalauréat. En 2009, elles obtiennent 57 % des baccalauréats généraux, 52 % des bacs technologiques, et seulement 43 % des bacs professionnels. Aux échelons supérieurs, 59 % des licences, 57 % des masters, 45 % des doctorats reviennent à un sexe qui n'apparaît décidément plus si faible. Toutefois, malgré les progrès importants des filles, une forte spécialisation

1. Individus assistant régulièrement à la messe dominicale.

des garçons persiste dans les filières scientifiques et techniques, que celles-ci mènent ou non vers les grandes écoles. Cette résistance masculine dans un secteur intellectuel et professionnel particulier, repérable dans l'ensemble du monde développé, va poser à nouveau à la société la question de l'équivalence des sexes, mais dans le contexte révolutionnaire d'une prédominance féminine dans le domaine de l'éducation.

Détermination culturelle, conséquences économiques

La société industrielle des Trente Glorieuses était paradoxalement un monde stable. Certes, l'exode rural continuait de nourrir l'industrie, et la croissance du secteur des services à la vider. L'effet global de ces mouvements complémentaires était toutefois de maintenir le secteur secondaire à un niveau stable. Si l'on s'en tient à l'industrie proprement dite (sans la construction), la proportion d'actifs employés a oscillé entre 1950 et 1968 autour de 25 %, avec une marge de variation incroyablement faible de plus ou moins 0,5 %.

Entre 1950 et 1965, les mentalités aussi étaient pour l'essentiel stables avec, on l'a vu, deux exceptions capitales, l'une éducative, l'autre religieuse. Nous saisissons dans cette période les prémices du bouleversement de la société française. La séquence historique elle-même nous révèle une primauté du culturel sur l'économique.

L'histoire présente en effet sur la sociologie l'avantage technique d'ordonner les variables dans le temps – c'est sa routine de base. Le sociologue, partant de tableaux croisés synchroniques mettant en relation les phénomènes, cherche d'abord les interactions, à un moment donné, entre le métier, le revenu, les attentes politiques, les préférences sexuelles ou artistiques exprimées dans des sondages d'opinion. Il bute alors pour ainsi dire automatiquement sur le sempiternel problème de « la corrélation qui n'est peut-être pas une causalité ». L'historien, en revanche, place d'instinct les phénomènes « avant » ou « après ». Nous avons certes noté la façon dont la stratification éducative des jeunes générations permettait à la société d'anticiper la forme de ses inégalités futures, c'est-à-dire à un futur fantasmé d'agir sur le présent. Mais en général, nous devons l'admettre, ce qui est « après » est rarement la cause de ce qui est « avant ». C'est la raison pour laquelle la routine de l'historien permet souvent un diagnostic simple sur la séquence des déterminations sociales.

C'est le cas pour l'identification des forces qui ont fini par entraîner la société française dans une évolution accélérée entre 1980 et 2010. Chute des taux de croissance du PIB, décrue des effectifs industriels, baisse de la fécondité, augmentation des naissances hors mariage, baisse de la pratique religieuse, progrès de l'éducation… Où sont les causes, où sont les effets ? Sans négliger la forte probabilité de déterminations en boucle et de rétroactions positives, nous devons constater que les premiers mouvements, significatifs sans être massifs, sont intervenus dans deux domaines : l'éducation et la religion.

La proportion de bacheliers par génération s'élève de 5,3 % à 11,2 % entre 1951 et 1961 ; le taux d'assistance à la messe dominicale baisse de 27 % à 20 % entre 1952 et 1966. Après, seulement, commencent à chuter la fécondité et la proportion d'enfants nés dans le mariage, tandis que s'accélère la poussée éducative et que s'achève l'histoire du catholicisme.

La décrue relative du secteur secondaire hors BTP ne commence qu'en 1969. Elle sera régulière, pour ainsi dire linéaire : 23,3 % des actifs en 1980, 18,5 % en 1990, 15,4 % en 2001, 12,1 % en 2010. Nous vivons peut-être depuis cette dernière date une rupture de tendance avec l'effondrement résultant d'une gestion particulièrement incompétente de la crise économique qui a commencé en 2008.

Le taux de chômage, qui touche spécialement les ouvriers d'industrie, n'a amorcé sa dramatique croissance qu'à partir de 1975, mais il s'est élevé alors par paliers successifs de 3,4 % en 1974 jusqu'à 10,7 % en 1994, puis à nouveau en 1997. Sa retombée ultérieure à 7,7 % en 2001, puis à 7,4 % en 2008, a été suivie d'une remontée à 10 % en 2012, amorce de nouveaux records à venir.

La proportion d'ouvriers dans la population active a chuté moins vite que le secteur secondaire parce que certains des ouvriers qui ont disparu avec la grande industrie ont été remplacés par des travailleurs d'un genre nouveau : emplois externalisés, dispersion géographique, atomisation sociale, perte de conscience collective caractérisent le nouveau monde ouvrier. Nous sommes ici aux frontières de l'économique et du mental. Le reflux de la classe ouvrière est-il un phénomène fondamentalement économique ou le résultat d'une évolution des mentalités ?

L'optimisme des démographes

Il ne serait pas trop difficile de donner une interprétation réactionnaire du progrès éducatif et de la révolution des mentalités en leur attribuant la baisse du taux de croissance. La recherche de la culture et du plaisir aurait détourné de l'effort économique. Rappelons quand même que le ralentissement de la croissance est intervenu dans le contexte d'une richesse et d'une efficacité inédite dans l'histoire. L'urgence du développement était passée.

Les démographes n'ont d'autre choix possible qu'une interprétation optimiste. Car, pour eux, le progrès s'est accéléré dans les années de stagnation économique relative, du fait de la chute de la mortalité. L'espérance de vie est probablement un meilleur indicateur d'efficacité technologique et sociale que le PIB par tête.

La mortalité infantile a poursuivi son reflux. On ne peut évoquer dans son cas qu'une grande régularité d'évolution, sans accélération. Mais les niveaux atteints sont tellement bas que leur décrue en devient même difficilement concevable. Les taux semblent décrire depuis 1950 un arc qui tend asymptotiquement vers une limite à peine supérieure à 1 décès avant l'âge de 1 an pour mille naissances vivantes. La Suède est à 2,1 pour mille, le Japon à 3. La France fait à peine moins bien que ces références obligées, à 3,4 en 2011 contre 52 pour mille en 1950. Elle réalise cette performance tout en absorbant une immigration souvent venue de pays à mortalité infantile élevée. Son système de santé est décidément solide. Les États-Unis sont à 6 décès avant l'âge de 1 an pour mille naissances vivantes, presque au même niveau que la Pologne.

C'est l'espérance de vie des adultes qui s'emballe à partir de 1974. Ses progrès avaient été modestes durant les Trente Glorieuses. Un examen de la longue durée permet de sentir l'ampleur de la rupture positive intervenue dans les années de ralentissement de la croissance économique. Vers 1800, l'espérance de vie à 65 ans des hommes était de 10 années, en 1974 de 12 années, en 2000 de 16,5 années. À deux années de lente progression en 170 ans succède un brusque gain de quatre années et demie en 25 ans.

L'optimisme inconscient de la société

Philosophes, psychanalystes et moralistes s'inquiètent aujourd'hui de l'état mental de l'individu postmoderne. Hyper-individualisme, obsession de la jouissance immédiate, recherche de l'excès, déréglementation morale et financière produiraient des hommes et des femmes égarés, une société en perte de sens. Peut-on vérifier statistiquement que notre société est moralement détraquée ? On peut surtout montrer facilement qu'elle ne l'est pas.

Il existe en sociologie un indicateur officiel de dérèglement des mentalités. *Le Suicide* d'Émile Durkheim avait constitué en 1897 le bulletin de naissance de la discipline en tant que science. Durkheim y définit le suicide « anomique » comme effet et expression d'un dérèglement des valeurs et des mœurs. L'individu, libéré du carcan des croyances et des attentes traditionnelles, ne sait plus quoi attendre de sa vie. Perdu, déçu, il peut se suicider. La sociologie américaine des années 1940-1960 a plutôt utilisé le concept d'anomie pour décrire un état d'atomisation de la société de masse, cette « foule solitaire » de David Riesman[1]. Il n'y a pas contradiction mais complémentarité entre la vision américaine d'un individu crevant de solitude et la représentation durkheimienne d'un homme anomique proche du maniaco-dépressif.

L'évolution récente du taux de suicide n'évoque pas le développement en France d'un état d'anomie généralisée. Du début des années 1950 au début des années 1970, le taux de suicide était proche de 15 décès annuels pour 100 000 habitants. Nous retrouvons ici la stabilité mentale des Trente Glorieuses. Ce niveau apparaît historiquement bas si on le compare au 25 des années précédant la guerre de 1914-1918, ou même au 20 de l'entre-deux-guerres. Entre 1971 et 1985, lorsque s'est amorcé le bouleversement des mentalités, le taux de suicide s'est tout d'abord élevé brutalement, de 15,3 à 22,7, retrouvant un instant son niveau de crise d'avant guerre. Mais il a baissé ensuite assez régulièrement pour revenir à 16,8 en 2009. Les gens âgés, beaucoup plus touchés en général par le suicide, ont été les grands bénéficiaires de cette chute. Nous saurons bientôt si la crise économique entraîne une remontée du taux, comme le suggère la presse. Dans le contexte de la décrue des années précédentes, nous ne pouvons toutefois considérer l'augmentation comme allant de soi. Une étude récente pour les années 2000-2006 signale une très légère hausse chez les 45-54 ans, et une baisse chez les individus plus âgés ou plus jeunes. Il n'existe pas pour l'instant une tendance de fond à l'accroissement du niveau d'anomie en France. L'homme postmoderne isolé et déséquilibré cher à la philosophie morale contemporaine n'est pas le type général.

1. *La Foule solitaire*, Paris, Arthaud, 1964.

TABLEAU 2
L'évolution récente du taux de suicide selon l'âge

	15-24 ans	25-34 ans	35-44 ans	45-54 ans	55-64 ans	65-74 ans	75-84 ans
Hommes							
2000	12,1	26	40,3	37,1	31,2	42,7	71,4
2006	10	22	34,5	40,1	30,1	36,7	60,4
variation	-17,4 %	-15,7 %	-14,4 %	**+8,0 %**	-3,6 %	-14,1 %	-15,4 %
Femmes							
2000	3,6	6,9	11,8	14,8	13,8	15,2	17,2
2006	3,2	6,4	11,0	15,1	13,6	13,9	13,4
variation	-11,7 %	-8,2 %	-6,7 %	+2,2 %	-0,9 %	-8,4 %	-22,4 %

Source : Albertine Aouba, *et al.*, « La mortalité par suicide en France en 2006 », *Études et Résultats*, n° 702, septembre 2009, CépiDc/INSERM, Direction de la recherche, des études, de l'évaluation et des statistiques (DREES).

À l'encontre de l'idée que diffusent les médias, nous devons aussi admettre que le contrôle des pulsions agressives se renforce et que nous vivons dans un univers de plus en plus paisible. La civilisation des mœurs chère à Norbert Elias continue de progresser. Le taux d'homicide a baissé, d'une manière frappante, en parallèle avec le taux de suicide. Marseille et la Corse sont ici des exceptions. Au terme d'une comparaison méthodique des statistiques de la police, de la justice et de l'INSERM, Laurent Mucchielli conclut que « les trois sources convergent sur les tendances générales et dessinent, durant la période sous examen, un mouvement en deux temps : une hausse globale sur la période 1970-1984 suivie d'une baisse globale de 1985 à nos jours[1] ». Un exemple : le nombre des homicides constatés par

1. « L'évolution des homicides depuis les années 1970 : analyse statistique et tendance générale », *Questions pénales*, XXI, 4, septembre 2008.

la police et la gendarmerie est passé de 1 119 en 2002 à 682 en 2009[1].

La crise existe et l'on peut effectivement observer dans la phase la plus récente un profond malaise dans l'éducation, une baisse de la production industrielle, une nouvelle souffrance au travail, une peur généralisée du chômage et une résignation à la baisse des revenus. La conscience sociale pessimiste n'est pas coupée de la réalité. Mais si nous glissons des plans de l'économie et du sondage d'opinion vers certaines données démographiques objectives, comme nous venons de le faire avec le suicide, c'est souvent une autre France qui apparaît, aussi optimiste dans ses comportements inconscients qu'elle apparaît consciemment pessimiste.

Le taux de suicide définit un rapport au présent, perçu comme acceptable ou tragique. La fécondité nous révèle le rapport des Français à l'avenir. Décider d'avoir un enfant, c'est s'engager pour vingt ans au moins, c'est faire le pari qu'une vie nouvelle a un sens. Les démographes, il est vrai, ne sentent pas toujours ce poids métaphysique des indicateurs qui décrivent la reproduction, spécialement dans les sociétés qui mettent à la disposition des femmes des moyens de contraception absolument sûrs. Alors, l'indicateur conjoncturel de fécondité et la descendance finale mesurent simplement des choix individuels agrégés : donner ou ne pas donner la vie. Les chiffres deviennent l'expression directe des mentalités.

La fécondité relativement élevée de la France – 2,0 enfants par femme, comme en Suède ou au Royaume-Uni – n'évoque en rien une population ravagée par le doute existentiel. Les chiffres de 1,4 enfant par femme de l'Allemagne, du Japon, de l'Italie ou de l'Espagne inviteraient plutôt à se poser la question pour ces quatre nations, qu'elles aient aujourd'hui le statut de modèle ou d'antimodèle économique.

L'effet le plus immédiat de la fécondité française, à laquelle s'est ajoutée une immigration de niveau moyen, a été une croissance

1. Direction centrale de la police judiciaire, *Le Figaro*, 1er août 2010.

démographique importante durant la phase de transformation mentale. Entre 1981 et 2011, la population de la France est passée de 55 à 65 millions d'habitants. Cette augmentation de 10 millions en trente ans a été nettement plus importante que celles de l'Allemagne (3 millions), de l'Italie (4 millions) ou même du Royaume-Uni (6 millions). Les bouleversements culturels des trente dernières années et les difficultés économiques aggravées des dix dernières n'ont pas empêché un développement démographique qu'il ne serait pas absurde de qualifier d'harmonieux.

Une nouvelle culture urbaine ?

Cette poussée démographique a nourri l'expansion urbaine, phénomène focal de la période dont on ne peut dire s'il relève conceptuellement de l'économie ou de l'anthropologie. Le développement du commerce ou de l'industrie ne peut se concevoir sans la ville. Mais la ville est aussi, comme le village, un lieu de vie total avec son système familial, sa pratique religieuse, son niveau éducatif, sa tradition politique.

La croissance urbaine, en territoire comme en population, fut l'élément réellement dynamique des Trente Glorieuses, indissociable du début du décollage éducatif et de l'extinction de la pratique religieuse. Entre 1960 et 1974, la part des agglomérations dans la population est passée de 62 à 73 %. Entre 1974 et 2012, la progression des villes a continué, mais à un rythme plus lent qui mène cependant à 78 % de population urbaine en 2012.

La ville, même si elle continue à accueillir des migrants (souvent des jeunes), et à en voir partir d'autres (souvent des vieux), devient un monde en soi, aussi massif et autocentré que les campagnes d'autrefois, mais avec une structure caractéristique en couronnes. Dès qu'elle dépasse une certaine taille, elle a son centre historique, sa banlieue immédiate, où se mélangent gros immeubles et maisons individuelles, puis son périurbain, dont le pavillonnaire se disperse dans la campagne en un milieu diffus.

Si la mémoire des villages et hameaux de l'ancienne France explique toujours la modernité, c'est *forcément* parce qu'elle a pénétré les villes, et nous devons nous attendre à retrouver dans les agglomérations, quelle que soit leur taille, les valeurs familiales et religieuses de leur région environnante. Mais nous devons quand même nous demander si ces villes, démesurément enflées, n'ont pas fini par constituer elles-mêmes un terrain anthropologique spécifique, avec sa propre sensibilité, ses souvenirs, et se construisant année après année une mémoire déconnectée de celle des milieux ruraux environnants. La réponse à cette question ne pourra être que négative dans l'ensemble, puisque nous constatons, en 2013, que le passé anthropologique est toujours présent. Comment concevoir autrement la persistance des valeurs anciennes si la population est urbaine à près de 80 % ? Mais nous devons saisir les spécificités de la ville, même si elles sont secondaires. Le territoire urbain est désormais tellement vaste et différencié que sa structuration interne – culturelle, démographique, économique ou politique – devient une problématique majeure. Notre cartographie nous permettra de regarder à l'intérieur des départements, à l'intérieur des villes, sans toutefois perdre de vue la permanence des grandes zones anthropologiques.

2. Une cartographie plus fine et plus synthétique

La carte statistique la plus fréquente représente, par le moyen d'une échelle de tons gradués, des quantités relatives dans des espaces géographiques et administratifs. Le procédé avait été imaginé par Charles Dupin dès 1826. Sa *Carte figurative de l'instruction populaire* présentait les départements en teintes d'autant plus sombres qu'ils scolarisaient moins les enfants. Elle mettait en évidence un écart de développement entre la France du Nord et celle du Midi ou de l'Ouest, de part et d'autre de la ligne Saint-Malo/Genève. Ce premier résultat est toujours un point de départ indispensable, ainsi qu'on le verra dans le chapitre 2, consacré à l'étude du décollage éducatif. C'est le type de carte que nous avions systématiquement utilisé dans *L'Invention de la France* en 1981. L'exode rural s'achevait. L'axiome de cultures départementales associant leur campagne et leur préfecture gardait sa pertinence, y compris dans et autour des grandes métropoles régionales comme Marseille, Lyon, Toulouse, Bordeaux, Strasbourg, Nantes ou Rennes. L'agglomération parisienne apparaissait directement grâce à sa taille puisqu'elle couvrait plusieurs départements – ville proprement dite, petite et grande couronne. Pour une part lieu de fusion des cultures régionales, la capitale reste pour l'essentiel caractérisée par les valeurs familiales libérales égalitaires et par le tempérament peu religieux du Bassin parisien, sa matrice anthropologique.

Bien que de nombreuses cartes départementales décrivent avec efficacité certains phénomènes – nous en utiliserons –, on peut soupçonner qu'elles ne rendent pas compte d'importantes interactions entre phénomènes dans le centre des agglomérations, dans les espaces périurbains et dans la zone intermédiaire de la banlieue proprement dite. Dans le centre des villes se concentrent des cadres supérieurs, des jeunes très éduqués mais en voie d'appauvrissement, des immigrés de fraîche date. Dans le périurbain se trouvent dispersées des quantités encore plus importantes d'ouvriers et d'employés.

Une nouvelle méthode cartographique permet de plonger à l'intérieur du cadre départemental, de briser sa frontière, de voir plus finement la répartition des phénomènes dans l'espace sans que les cartes apparaissent à l'œil plus compliquées ou difficiles de lecture.

Les données statistiques sont obtenues pour les 36 570 communes plutôt que pour les 96 départements de la France métropolitaine. Elles ne sont pas alors projetées sur la carte

« commune par commune » mais « lissées », chaque commune étant affectée d'une valeur tenant compte de celle des communes non seulement contiguës mais proches, selon une pondération prenant en considération la distance. Au lieu de placer la population de chaque commune exactement dans ses limites administratives, nous l'étalons, mimant la façon dont le sable s'étale en tas quand on le verse à un endroit donné. Nous répétons l'opération pour toutes les communes – ou, plus exactement, l'ordinateur le fait pour nous –, si bien que les tas de sable se chevauchent. L'opération est effectuée séparément pour le numérateur du taux recherché (nombre de titulaires d'un baccalauréat par exemple) et son dénominateur (nombre total d'individus du groupe d'âge considéré). Une fois tous les tas de sable accumulés, on connaît la quantité de sable numérateur et la quantité de sable dénominateur en chaque lieu. En divisant l'une par l'autre, on a le taux recherché en chaque point. L'opération est analogue au lissage d'une courbe par une moyenne mobile[1].

1. La carte de France est convertie en un quadrillage de 1 000 lignes par 1 000 colonnes. Chaque commune occupe une case. Pour chaque commune, on dispose d'un taux, donc d'un numérateur (par exemple le nombre de bacheliers du groupe d'âge 25-34 ans), et d'un dénominateur (par exemple le nombre des 25-34 ans). On ajuste d'abord la répartition du dénominateur (ici le nombre des 25-34 ans) au voisinage de la commune par une ellipse (par exemple très étirée si l'on est sur une côte, une rivière ou dans une vallée, mais presque circulaire autrement) et cela pour chacune des 36 570 communes. Ensuite, on répand le nombre de personnes du numérateur et du dénominateur de chaque commune dans les carrés avoisinants en utilisant des courbes de niveau concentriques à l'ellipse. La formule utilisée est dite « gravitaire » car la proportion de personnes envoyées dans la tranche d'ellipse à la distance *d* est proportionnelle à une puissance inverse de *d*, plus exactement à l'inverse de $(A+d^n)$ où *n* est une puissance voisine de 2 (2,2 dans la plupart des cas). Une fois que cette opération a été effectuée pour toutes les communes, on somme les effectifs numérateurs et dénominateurs dans chacun des 1 000 × 1 000 carrés élémentaires et l'on reconstitue ainsi le taux dans chaque carré élémentaire. Il ne reste qu'à les dessiner tous en utilisant des couleurs proportionnelles aux taux, ce qui n'est pas le plus dur.

Les grandes agglomérations deviennent visibles, représentées par des espaces qui, sans être exactement proportionnels à leurs populations, permettent de repérer des effets éducatifs, démographiques, professionnels, politiques respectivement centraux ou périurbains.

Le lecteur doit garder à l'esprit que la méthode est un compromis : montrer le poids spécial des villes sans qu'il déforme complètement l'espace physique. Donnons l'exemple capital, c'est le cas de le dire, de l'agglomération parisienne. Elle apparaîtra par exemple, avec sa spécificité, telle une étoile massive au cœur de la France du Nord, sur les cartes du niveau éducatif, de l'immigration, du vote pour le traité constitutionnel européen de 2005, du vote pour François Hollande ou pour le Front national, s'opposant alors à son environnement suburbain ou rural. Elle sera bien visible, mais sa masse ne sera pas proportionnelle à celle de sa population. Si cela avait été le cas, elle aurait tout simplement écrasé son espace régional. À l'intérieur d'un Bassin parisien constitué par le bassin de la Seine et quelques départements immédiatement périphériques historiquement associés – régions Île-de-France, Haute-Normandie, Picardie, Champagne-Ardenne, auxquelles nous ajoutons les départements de l'Yonne, du Loiret, du Loir-et-Cher, de l'Eure-et-Loir, de la Côte-d'Or et de la Meuse –, l'agglomération parisienne condense 60 % de la population. Elle représente désormais à elle seule la majorité de sa région et de sa culture. Une représentation à l'échelle rendrait invisibles les spécificités des régions picarde et champenoise, par exemple, dont

L'opération est très semblable au lissage d'une courbe par moyenne mobile, mais a une dimension de plus : dans la moyenne mobile, on répartit la valeur de chaque point en conservant la moitié de la valeur sur le point et en reportant un quart de la valeur sur chaque point encadrant, ce qui est équivalant à deux dimensions du tas de sable à trois dimensions ou d'une coupe de ce tas. On remarque que, aussi bien dans la moyenne mobile que dans le lissage spatial, les nombres totaux (d'ouvriers) du dénominateur et du numérateur (actifs) sont conservés.

le comportement s'oppose souvent à celui de la capitale, à l'intérieur d'un système anthropologique et religieux commun.

Les cartes obtenues par cette méthode vont nous permettre de voir, directement et simultanément, si le bouleversement de la société française est guidé par la rémanence des espaces anthropologiques et religieux préindustriels ou par le nouveau système urbain postindustriel. La méthode met en concurrence visuelle les deux déterminations, sans préjugé. Prenons un exemple. La carte indiquant la proportion d'individus âgés de plus de 65 ans nous offre l'archétype d'une forme et d'une détermination « anthropologiques anciennes » (carte 0.1), avec un immense Sud-Ouest âgé de couleur rouge, poussant des extensions jusqu'à la Provence et à la Bourgogne, et seulement deux poches rouges isolées en Bretagne intérieure et au pied du Cotentin. La basse fécondité des régions de famille complexe explique pour l'essentiel cette carte du vieillissement, phénomène accentué par la migration de retraités allant de la région parisienne et du nord-est vers les côtes méditerranéennes ou atlantiques. La carte de la proportion des 20-24 ans en revanche (carte 0.2), si elle laisse transparaître des effets régionaux nord et sud diffus, met surtout en évidence la constellation, rouge sur fond bleu, du système urbain. Les jeunes, attirés par les universités et par les nouveaux emplois tertiaires, constituent aujourd'hui l'une des composantes fondamentales de la ville. Une comparaison fine de cette carte des 20-24 ans avec celle du système urbain global, tenant compte de l'ensemble de la population, schématisé par la carte 0.3, révèle cependant que certaines villes ont presque disparu de la carte des jeunes : Nice, Toulon, Perpignan, Avignon, Saint-Nazaire, Le Havre, Calais, Annecy, Mulhouse, villes ouvrières ou de retraités dont la dynamique démographique n'est pas animée par une université ancienne et importante.

La puissance de détermination cartographique du système urbain est forte. Nous verrons cependant que, pour l'instant, la mémoire anthropologique et religieuse des régions traditionnelles l'emporte toujours pour la définition des équilibres politiques.

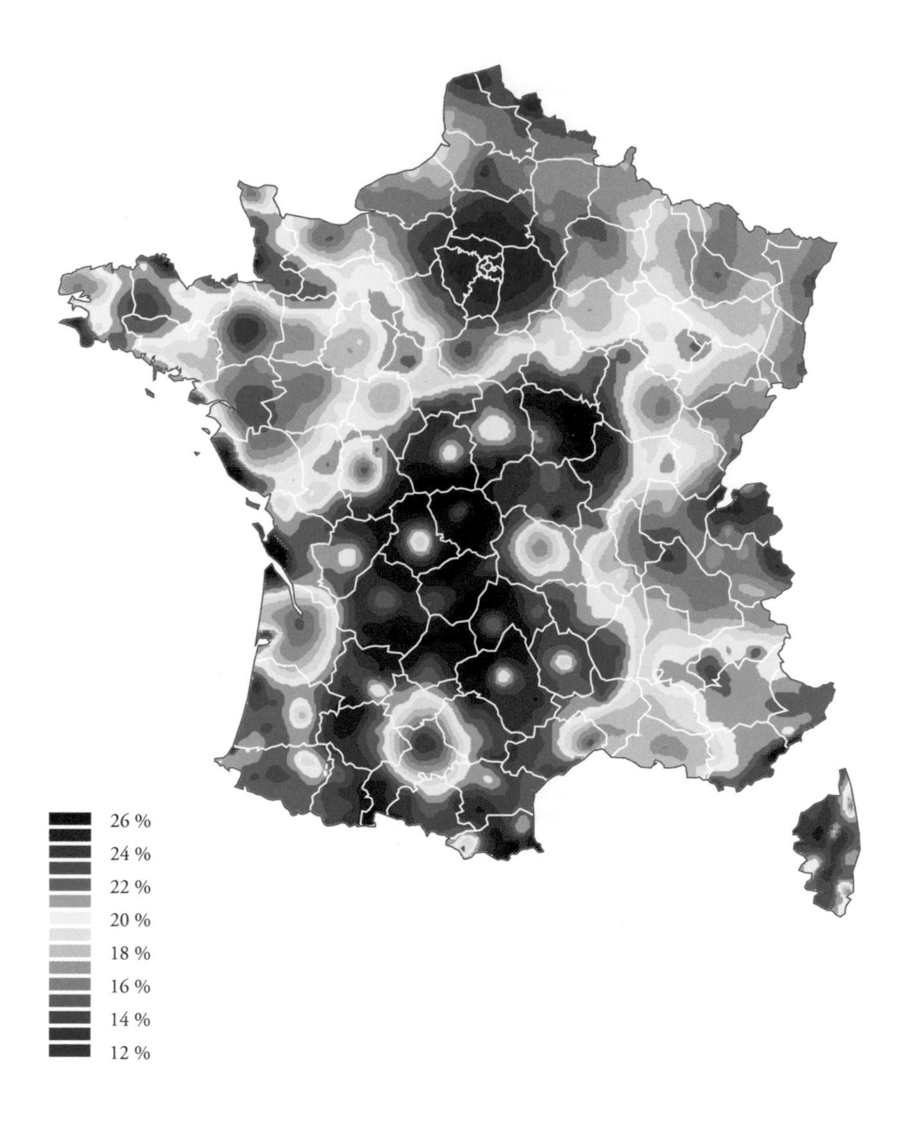

0-1 Personnes âgées

Pourcentage de personnes âgées
de plus de 65 ans en 2008

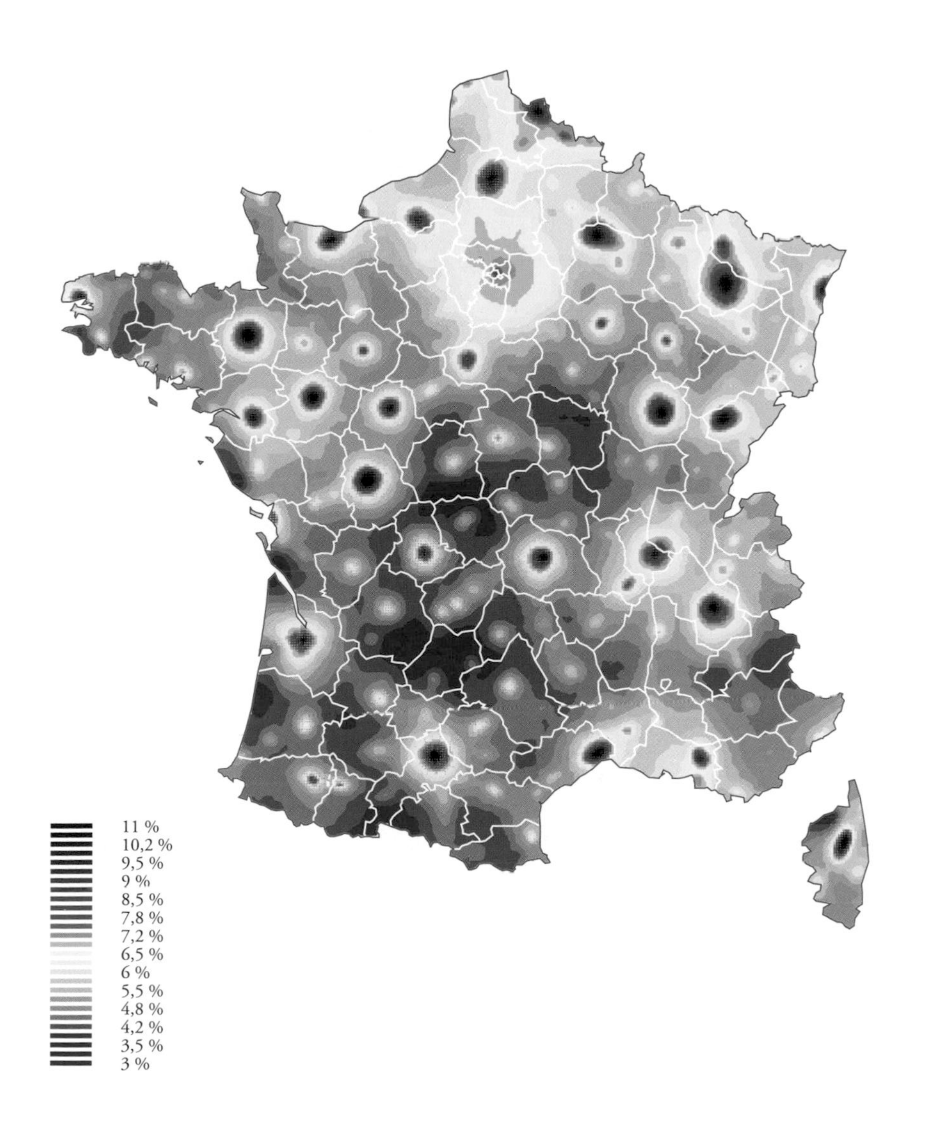

0-2 Jeunes

Pourcentage de personnes jeunes
(âgées de 20 à 25 ans en 2008)

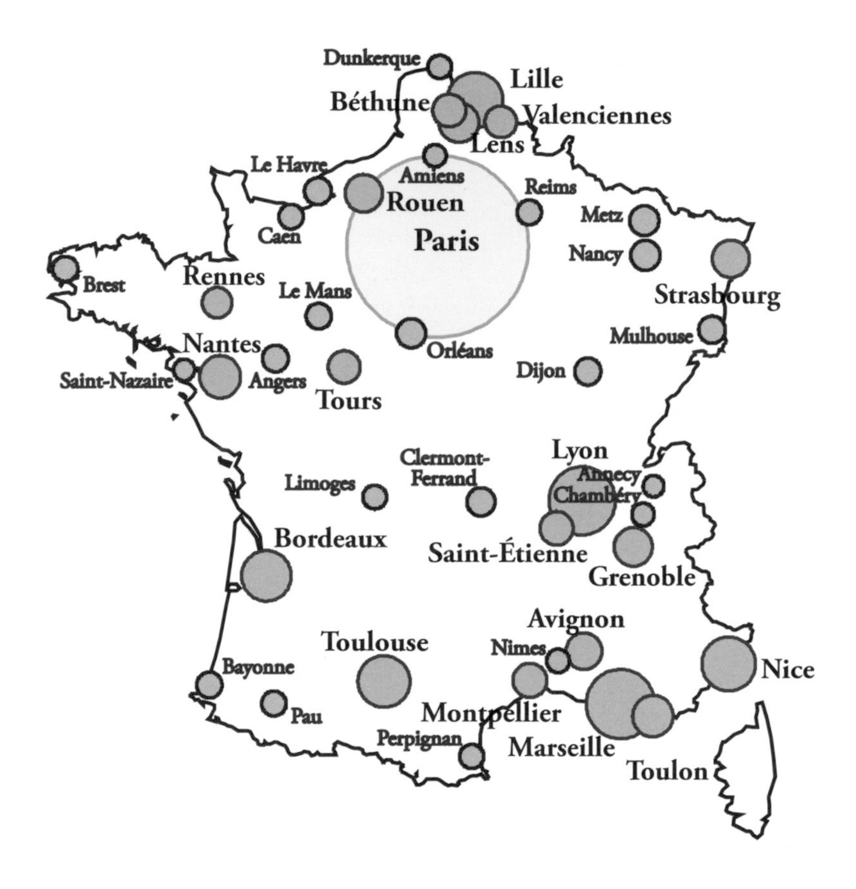

0-3 Les grandes agglomérations

En jaune Paris, en rose, au-dessus de 300 000 h., en bleu, entre 150 000 et 300 000 : surface proportionnelle à la population

Notre méthode cartographique permet d'opposer avec efficacité deux types de forme : grandes zones anthropologiques d'une part, constellation urbaine d'autre part. Elle conduit donc à identifier des coïncidences structurales entre phénomènes. Mais elle a d'autres vertus. Parce qu'elle définit pour chaque variable des courbes de niveau, elle permet aussi la perception directe de vagues de diffusion des phénomènes sociaux.

Nous proposons pour finir dans cette introduction, prélude nécessaire à une étude de la dynamique sociale française, trois cartes qui présentent la croissance de la population durant les trois dernières décennies : entre 1982 et 1990, entre 1990 et 1999, entre 1999 et 2006 (cartes 0.4, 0.5 et 0.6). Leur examen permet de percevoir le mouvement d'une région parisienne devenue immense, très puissant entre 1982 et 1990, poussant un tentacule vers l'Ouest selon l'axe de la Loire. Cependant, durant les deux décennies suivantes, la dynamique de la capitale semble captée par la façade atlantique, par la frontière Est et par l'ensemble du Midi, trois ensembles régionaux que nous retrouverons dans ce livre à de multiples reprises.

Sur les deux premières cartes de la croissance de la population, nous voyons les agglomérations s'étendre par cercles concentriques à partir de leur centre. Dans la période la plus récente, entre 1999 et 2006, villes et zones rurales croissent uniformément. Au contraire de ce que l'on pourrait penser, ce mouvement n'exprime pas un renversement du rapport de forces en faveur des campagnes, mais la victoire finale de la ville. Les modes de vie régionaux sont unifiés par la facilité des communications. Tous peuvent effectuer leurs achats dans des centres commerciaux, regarder des films dans des multiplex, travailler et prendre leurs loisirs loin de leurs domiciles. Internet achève l'unification géographique. Dans cet espace social nouveau, la puissance des villes devient redoutable car la facilité de déplacement permet un tri fin des localisations selon le patrimoine et le revenu. Centrifugeuses d'un genre un peu particulier, elles rejettent loin du centre tout ce qui est faible. C'est à ce stade actuel

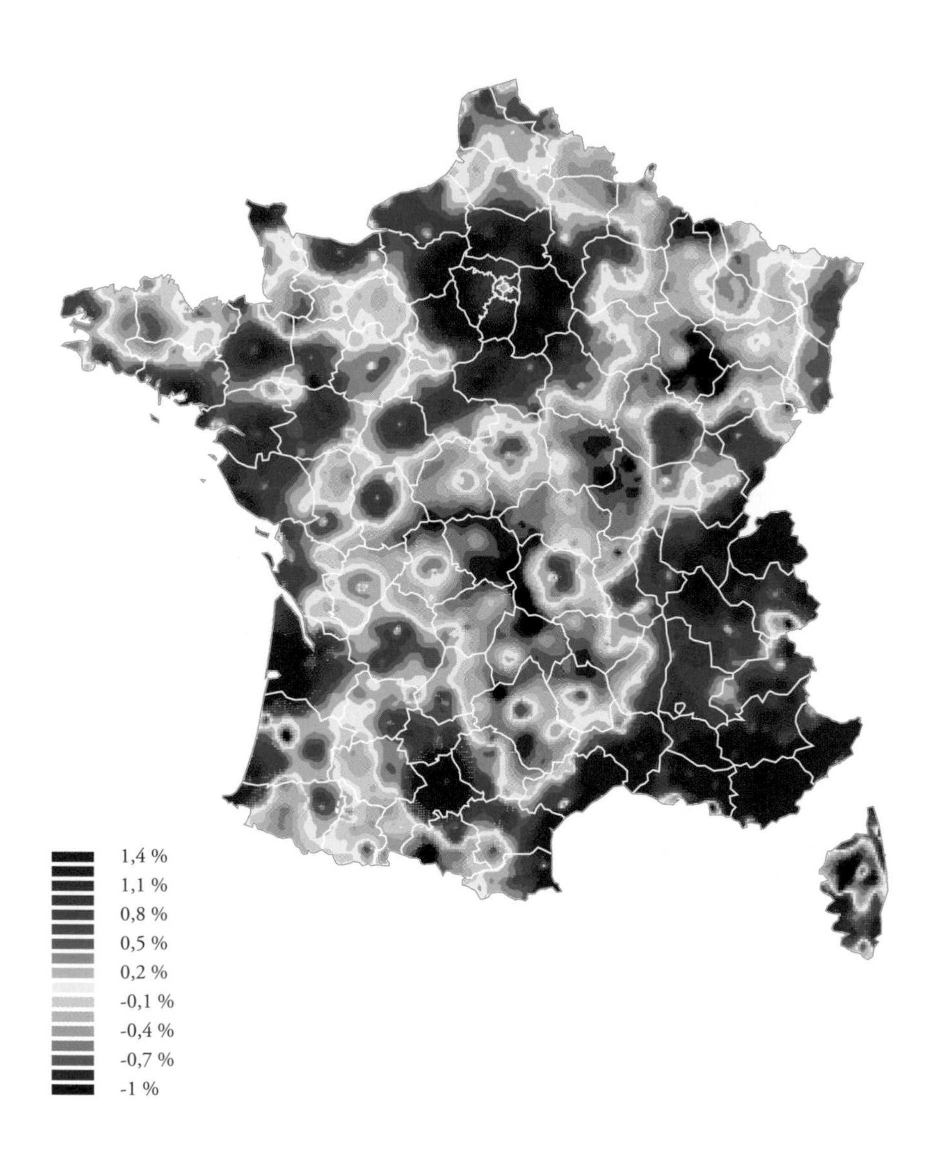

0-4 Croissance de la population entre 1982 et 1990

En pourcentage annuel de croissance

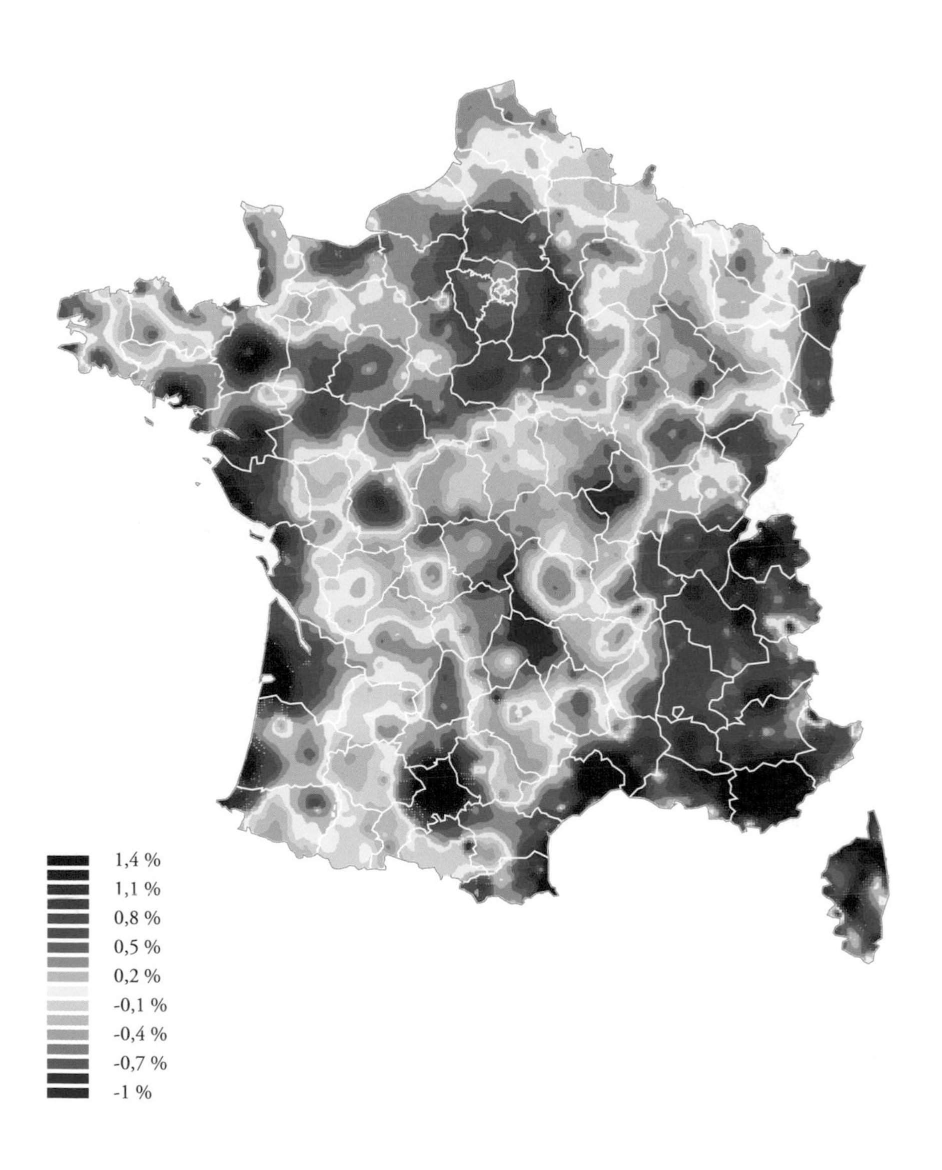

0-5 Croissance de la population entre 1990 et 1999

En pourcentage annuel de croissance

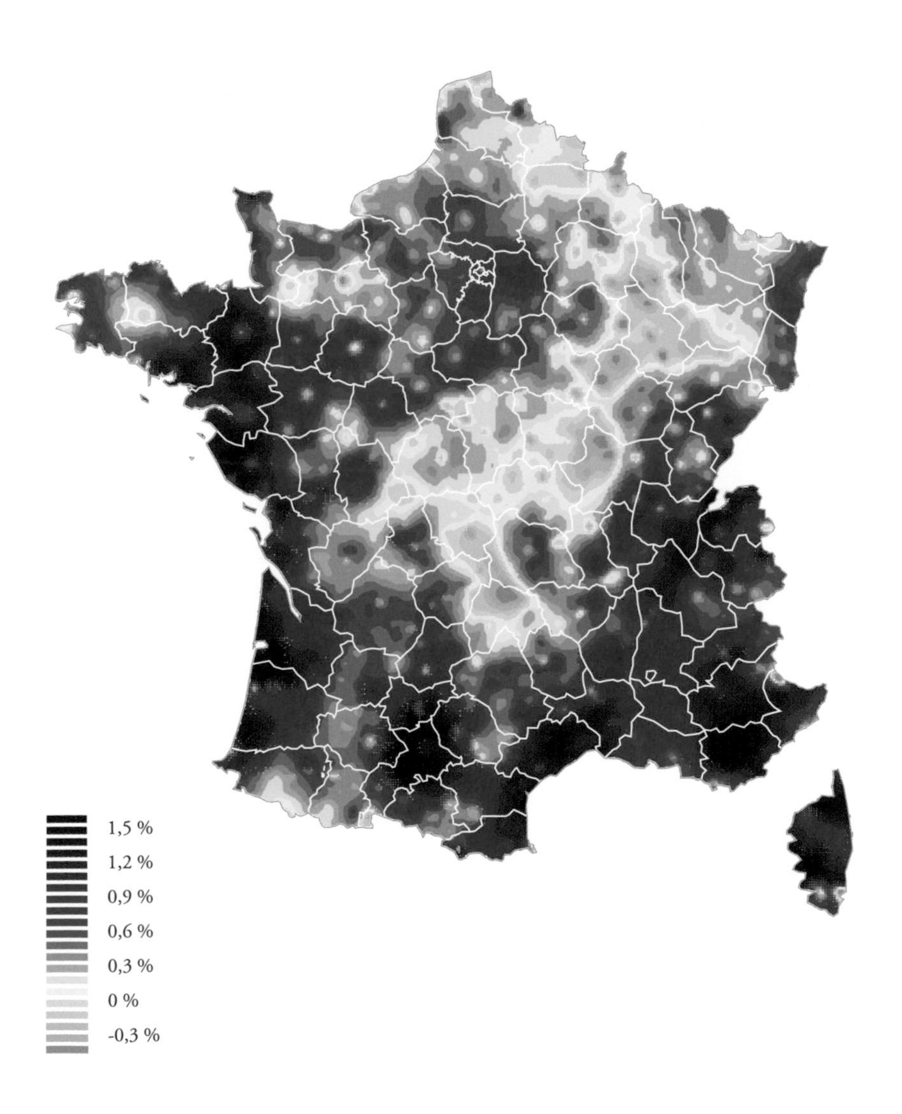

0-6 Croissance de la population française entre 1999 et 2008

En pourcentage annuel de croissance

d'une croissance démographique en apparence homogénéisée que l'opposition entre cœur et périphérie des villes devient la plus forte, et qu'elle peut se manifester le plus clairement sur nos cartes. La structuration interne aux régions n'abolit cependant pas la détermination anthropologique régionale, désormais portée par l'ensemble urbain.

Pour comprendre le déploiement dans l'espace des grands paramètres de la modernité des années 1980-2010, nous devons décrire, dans un premier chapitre, ces fonds anthropologiques et religieux qui se partagent l'espace français depuis des siècles.

CHAPITRE PREMIER

Fondements anthropologiques et religieux

Les cartes décrivant l'obtention du bac, les difficultés scolaires, la fécondité, les catégories socioprofessionnelles, la richesse, le vote PS, celui de l'UMP ou du Front national vont faire apparaître, dans les chapitres qui suivent, plusieurs formes, dont la diversité cependant n'est pas infinie. Le système urbain sera visible sur la plupart d'entre elles mais il ne sera que rarement maître du jeu. Quelques formes types dessinant des espaces plus vastes et diffus, venus du passé préindustriel de la France, vont nous permettre de comprendre le déploiement dans l'espace de la nouvelle modernité.

Certaines cartes saisissent le kaléidoscope anthropologique français, telle celle de la distribution des formes de ménage, nucléaires ou complexes, ou celle de l'habitat ancien, groupé ou dispersé. D'autres montrent la coupure religieuse qui s'était établie à partir du milieu du XVIIIe siècle, opposant les régions détachées du catholicisme à celles qui étaient restées fidèles aux prêtres, dualité qui avait fait de la France à la fois la fille aînée de l'Église et sa meilleure ennemie. Ce clivage reste aujourd'hui plus important, on va le voir, que l'opposition entre musulmans et chrétiens que tentent, jour après jour, de nous imposer les médias.

Concurrentes mais complémentaires, les cartes du système anthropologique et de la religion seront finalement combinées à la fin du chapitre pour définir le rapport initial de chacune des régions de France à l'individualisme égalitaire, cœur de la culture nationale.

La polarité fondamentale : famille nucléaire et famille complexe

Les recensements les plus récents continuent d'enregistrer l'opposition entre une France de la famille nucléaire et une France de la famille complexe. Bien sûr, les ménages sont désormais, partout dans l'espace national, simples dans leur écrasante majorité, contenant rarement plus qu'un couple et ses enfants. L'un des indicateurs officiels du nouvel individualisme est d'ailleurs l'augmentation du nombre des ménages constitués d'une seule personne, dont tous ne représentent pas des veuves solitaires. Il serait toutefois abusif de considérer que ces ménages expriment sans ambiguïté une nouvelle radicalité individualiste. L'individu nouveau, affilié à la Sécurité sociale et encadré par son système de retraite, existe par la grâce d'un État qui n'a jamais été aussi étendu et puissant. Il n'est surtout pas certain que l'uniformité nucléaire, ou même postnucléaire, du ménage signifie la disparition d'interactions familiales s'exprimant par des relations de proximité plutôt que de cohabitation.

Une analyse fine des cohabitations qui subsistent dans les recensements montre cependant la permanence des cartes les plus anciennes. En 1999, 0,57 % seulement des ménages comprenaient encore plus d'une famille, au sens INSEE de couple avec ou sans enfants, ou d'adulte seul avec enfants (carte 1.1). La distribution

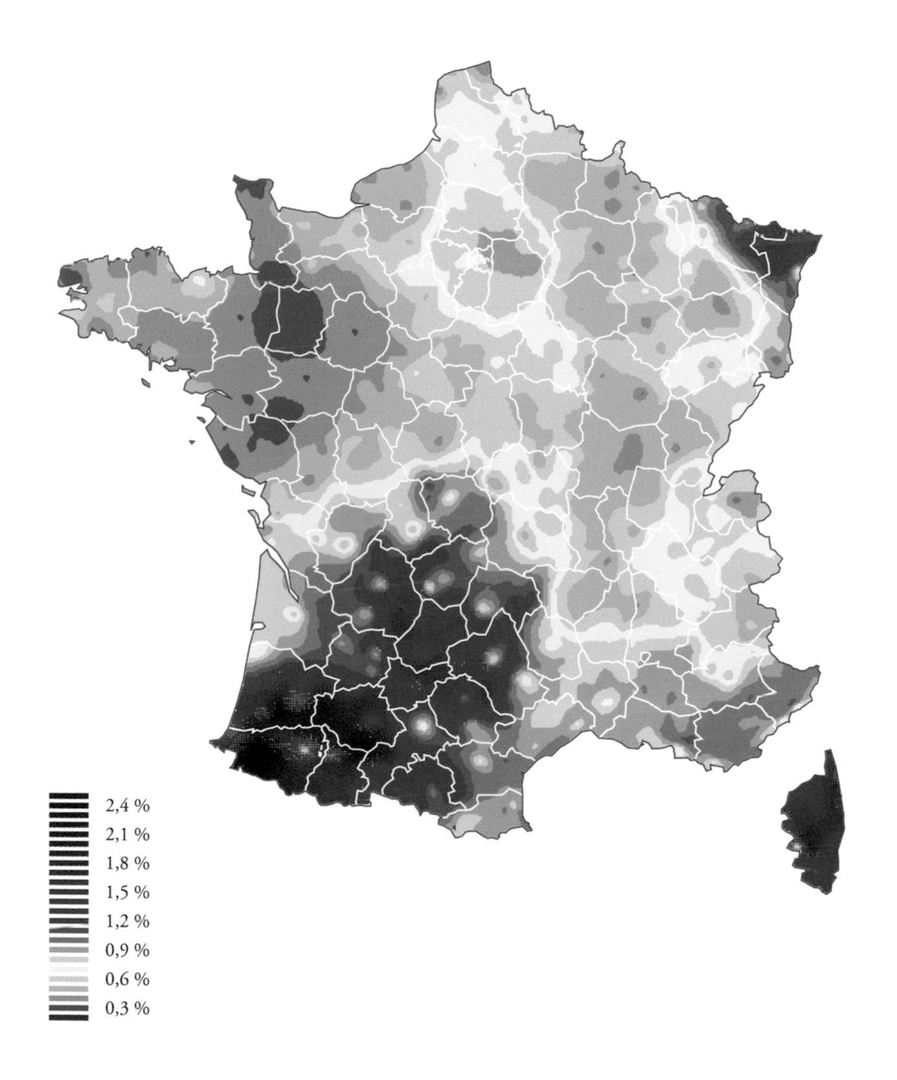

1-1 Familles complexes 1

Proportion de ménages comprenant plus d'un couple avec ou sans enfants parmi l'ensemble des ménages comprenant un couple avec ou sans enfants (au recensement de 1999)

dans l'Hexagone de ces ménages complexes résiduels fait apparaître, en rouge, orange et jaune (proportions allant de 0,6 à 2,4 %), l'Occitanie et l'Alsace-Lorraine, les deux grandes régions de famille souche, ce système à héritier unique qui associait les générations dans une ferme ou dans une échoppe. La Savoie apparaît à sa place, mais avec des types souche moins nets que ceux du Sud-Ouest profond. Les recherches de Dionigi Albera ont montré le caractère tardif et imparfait de la famille souche dans les Alpes françaises, région où le droit d'aînesse n'a jamais supplanté complètement un principe agnatique considérant les frères comme équivalents[1].

La complexité familiale de la façade méditerranéenne ne renvoie pas à la famille souche. Dans les cantons les plus proches de la mer, le principe agnatique, association du père et de ses fils, incluait une nuance égalitaire, qui ne débouchait d'ailleurs que sur une cohabitation temporaire et minoritaire du jeune couple et des parents du marié[2].

La vaste tache orange indiquant une complexité familiale en région parisienne n'est pas une trace du passé : elle signale la présence de familles en difficulté de logement et donc incapables de réaliser la norme sociale de l'indépendance du jeune couple.

Un examen attentif révèle l'existence, en bleu, dans l'Ouest intérieur, d'une zone que l'on peut qualifier d'*hypernucléaire*. Dans la Mayenne, la Manche, l'Ille-et-Vilaine, le Maine-et-Loire, la Loire-Atlantique, la Sarthe et la Vendée, la proportion de ménages complexes tombe à 0,1 %, valeur qui exprime, encore plus qu'une préférence nucléaire, une véritable phobie de la cohabitation des générations. Deux types au moins de familles nucléaires occupent donc le Nord de l'Hexagone, sans oublier les types intermédiaires qui constituent le liant de l'espace français.

1. Dionigi Albera, *Au fil des générations. Terre, pouvoir et parenté dans l'Europe alpine (XIVe-XXe siècle)*, Grenoble, PUG, 2011. Voir notamment la quatrième partie : « Continuités et transformations dans les Alpes françaises ».

2. Les travaux de Dionigi Albera semblent mettre sur la piste de ce système mal étudié mais qui pourrait être proche de celui de l'Italie du Nord.

Une autre carte actuelle, celle des modes de résidence aux grands âges, statistiquement moins résiduelle, permet d'affiner l'analyse et d'atteindre les formes les plus subtiles de cohabitation du passé, notamment dans le Nord-Pas-de-Calais et en Bretagne occidentale (carte 1.2). La proportion de personnes de plus de 80 ans qui cohabitent avec au moins une personne autre que leur conjoint reproduit en gros la carte précédente de la complexité familiale occitane et alsacienne-lorraine, avec toutefois un affaiblissement sur les côtes varoise et niçoise. Le système hypernucléaire de l'Ouest intérieur est à nouveau présent. Les écarts entre régions sont ici substantiels puisque la proportion de cohabitation varie entre à peine plus de 0 % dans la Mayenne et près de 20 % dans les Pyrénées-Atlantiques, où l'archétypale famille souche basque ou béarnaise n'en finit décidément pas de mourir.

La carte des modes de résidence aux grands âges met aussi en évidence, au contraire de la précédente, des taches jaunes ou orange au nord immédiat du Bassin parisien et dans le Finistère, qui correspondent à des modèles spécifiques chti et breton.

Qu'est-ce qu'un système familial ? Les villages, les hameaux et l'égalité

Nous provenons tous d'une famille et nous pensons instinctivement qu'un système familial, c'est un mode de transmission assurant la succession des générations dans le temps. C'est cela, mais c'est aussi autre chose. Une famille ne se reproduit pas seule, elle doit trouver à l'extérieur d'elle-même des conjoints pour ses enfants, y compris dans les systèmes décrits par les anthropologues comme endogames. Dans le monde arabo-persan ou en Inde du Sud, la majorité des conjoints n'est pas, en dépit de la préférence affichée par la coutume, des cousins du premier degré. Un système familial, c'est donc en réalité un ensemble de familles échangeant

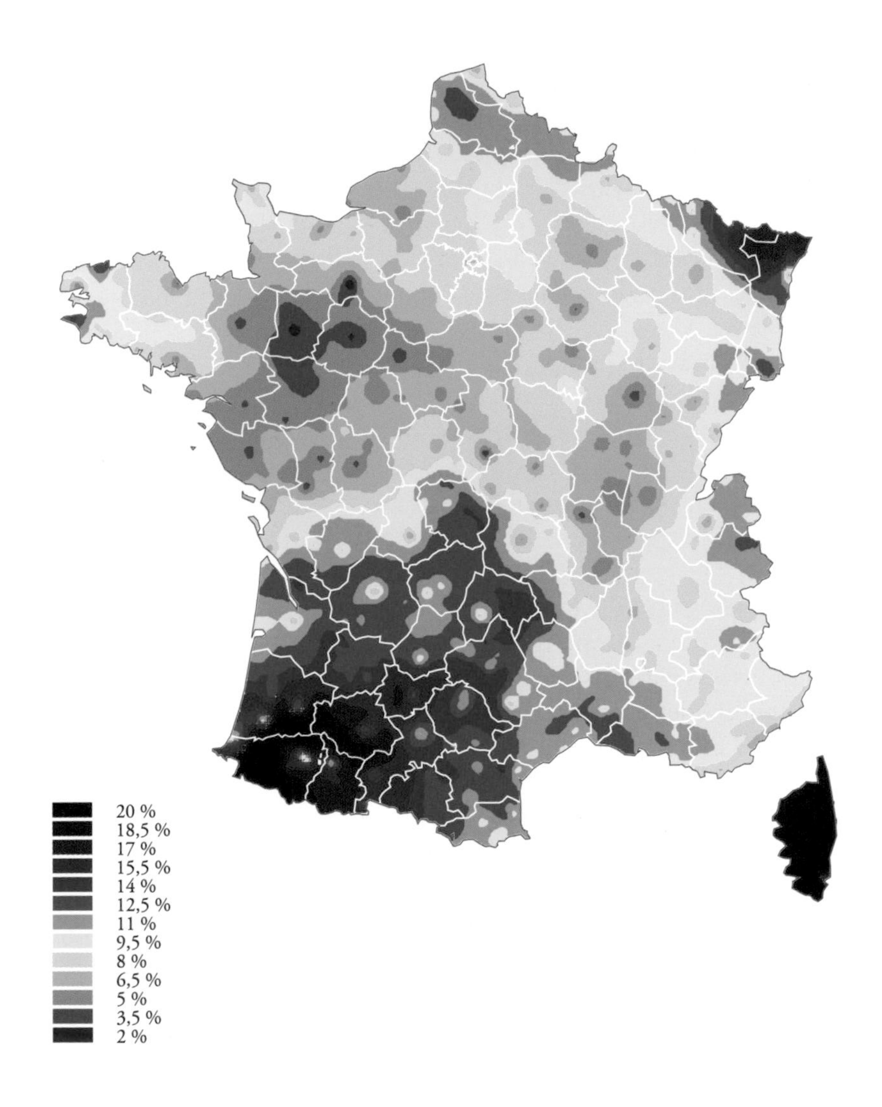

1-2 Familles complexes 2

Proportion de personnes de plus de 80 ans qui cohabitent avec au moins une autre personne que leur conjoint (au recensement de 1999)

des conjoints sur un territoire: son inscription dans l'espace est aussi importante que son rapport au temps. Les règles qui guident son fonctionnement – égalité, inégalité ou liberté testamentaire des règles d'héritage, préférence pour ou refus d'une cohabitation des générations adultes – expriment les valeurs du lieu, non celles de telle ou telle famille. C'est d'ailleurs la raison pour laquelle on peut cartographier des coutumes d'héritage ou des modes de résidence. C'est aussi la raison pour laquelle le type d'habitat, que l'on constate groupé en villages ou dispersé en hameaux, est inextricablement lié au modèle familial. Frédéric Le Play nous fait sentir à quel point la famille nucléaire, l'habitat groupé, le terroir divisé en trois « soles » sur lesquels se succèdent cultures et jachères, et l'égalitarisme des coutumes d'héritage formaient en Champagne (et dans l'ensemble du Nord-Est) un système global :

« Un village champenois est ordinairement bâti au centre d'une banlieue rurale de 800 à 1 000 hectares, subdivisée par d'incessants partages, en plusieurs milliers de parcelles [...]. Cette instabilité des champs peut se comparer à celle des valeurs de la bourse. Elle explique la monotonie de ces vastes plaines où, en dehors des villages, l'œil ne saurait se reposer sur un arbre, sur une haie ou sur toute autre clôture [...].

Les divers membres d'une même famille ne sont point unis par l'esprit de solidarité. Ils poussent séparément leur fortune et parfois ils se combattent. Là, comme partout, les parents se dévouent au bonheur de leurs enfants ; mais ils sont rarement payés de retour. La stérilité des unions, la convoitise des héritages, la rivalité des héritiers sont les traits caractéristiques de cette forme de société. Dans ces conditions, les fils et les gendres se montrent souvent enclins à mépriser, à dépouiller et à maltraiter leurs vieux parents[1]. »

1. Frédéric Le Play, *L'Organisation de la famille*, Tours, Mame, 1875, p. 21-25.

L'habitat groupé signifie que la forme nucléaire des ménages n'implique pas l'isolement des individus, dont la liberté familiale s'exprime à l'intérieur d'une communauté locale dense[1].

L'hypothèse d'un « système anthropologique » incluant famille et habitat résout, dans le cas de l'Hexagone, l'un des problèmes techniques les plus difficiles pour qui s'intéresse à la famille du passé : le fonctionnement réel des règles officielles d'héritage. L'existence d'une coutume de division égalitaire, telle que décrite par Alexandre De Brandt ou Jean Yver, ne garantit pas qu'elle ait été vraiment appliquée[2]. De belles études nous montrent certes que, dès le XVIIe siècle, les paysans du Bassin parisien pratiquaient effectivement la plus maniaque des conceptions égalitaires, divisant jusqu'aux biens meubles, ce qu'aucune clause juridique ne demandait[3]. Mais nous savons aussi que dans l'Ouest, l'égalité inscrite dans les codes pouvait laisser la place à bien des accommodements. L'inventaire général de ces accords et désaccords entre règle et pratique n'a pas encore été fait. Sans que l'on puisse confirmer une correspondance terme à terme entre village groupé et égalité réelle, il est possible de dire que le caractère groupé

1. Voici quelques citations tirées des *Caractères originaux de l'histoire rurale française* de Marc Bloch (Paris, Pocket, 2006) sur les villages groupés des pays d'openfield : « Les détenteurs du fonds n'avaient qu'une propriété restreinte et subordonnée aux droits de la communauté » (p. 43) ; après la récolte : « La terre devient commune à tous les hommes, riches ou pauvres également » (p. 48).

Sur l'importance de la distinction population éparse/population agglomérée dans la description des relations humaines typiques, voir Hervé Le Bras : « I costumi in Europa occidentale », in *Storia d'Europa*, Paul Bairoch et Eric J. Hobsbawm (dir.), Turin, Einaudi, 1996, tome 5, p. 801-916 (notamment p. 830-834 : « Il cerchio dei vicini »).

2. Alexandre De Brandt, *Droit et coutumes des populations rurales de la France en matière successorale*, Paris, Larousse, 1901 ; Jean Yver, *Égalité entre héritiers et exclusion des enfants dotés*, Paris, Sirey, 1966.

3. Jérôme-Luther Viret, *Valeurs et pouvoir : la reproduction familiale et sociale en Île-de-France, Écouen et Villiers-le-Bel, (1560-1685)*, Paris, Presses de l'université de Paris-Sorbonne, 2004.

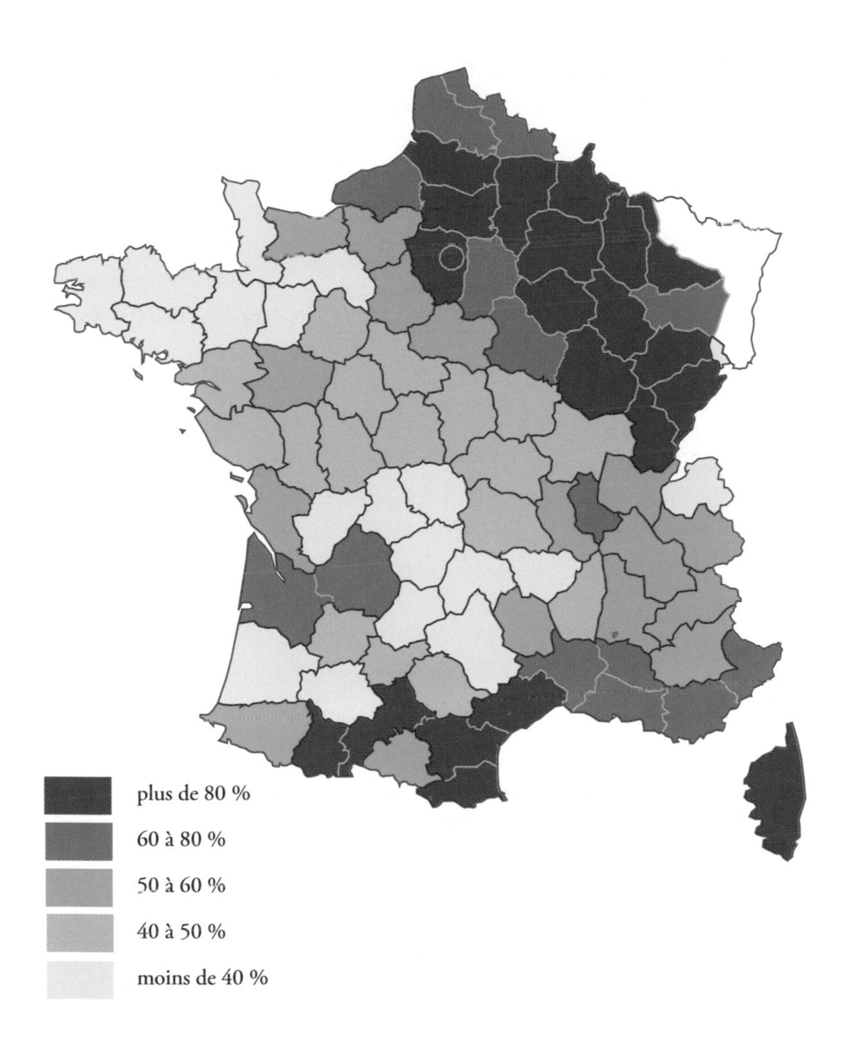

1-3 L'habitat groupé

Pourcentage de la population agglomérée
dans les villes et les villages en 1876

de l'habitat garantit la réalité de la coutume d'héritage, si elle existe.

La carte de la population française en 1876 selon qu'elle est éparse ou agglomérée est tellement simple que l'on regrette à peine l'impossibilité où nous nous trouvons de pouvoir la tracer finement à l'échelle communale. Deux zones d'habitat groupé sont dessinées : le Nord et l'Est du pays à droite d'une ligne Le Havre/ Bourg-en-Bresse, la façade méditerranéenne entre Perpignan et Nice, avec seulement deux petites irrégularités en Dordogne et dans les Hautes-Pyrénées (carte 1.3).

Ces deux exceptions mises à part, ce sont effectivement des régions où la coutume d'héritage est égalitaire. Dans le Bassin parisien du nord et de l'est, la coïncidence entre village, famille nucléaire et égalité est parfaite. Sur la façade méditerranéenne, le village et l'égalité se combinent au système familial nucléaire imparfait mentionné plus haut, qui laisse subsister une proximité du père et de ses fils dans des combinaisons souples, formule dont la Corse donne une version extrême. Avec le Bassin parisien du nord-est et la façade méditerranéenne, nous tenons bien les deux grands pôles de l'égalitarisme français.

Au Sud-Ouest, nous trouvons symétriquement le pôle de la hiérarchie, la grande région de famille souche et d'habitat dispersé. En Occitanie, cette zone s'étend vers l'Est, en s'affaiblissant à travers le Massif central puis les Alpes.

Une moitié d'exceptions : le kaléidoscope familial français

Nous venons d'identifier une France contradictoire dans ses tréfonds anthropologiques, composition qui garantit à elle seule une histoire conflictuelle. Mais pour les amoureux de l'homogénéité française, si nombreux en ces jours d'immigration, le pire reste à venir. Ensemble, les deux pôles de l'individualisme égalitaire et de la hiérarchie couvraient à peine la moitié de l'espace français. Le reste était occupé par d'autres systèmes qui combinaient différemment les valeurs d'égalité ou d'inégalité, de liberté ou d'autorité, ou s'en passaient tout bonnement et pratiquaient des formes intermédiaires. La famille nucléaire patrilocale de la façade méditerranéenne était au fond déjà, par sa pratique d'une cohabitation imparfaite ou temporaire des générations, un tel système intermédiaire.

Alsace-Lorraine

Réglons tout de suite le cas de l'Alsace-Lorraine, dont les villages groupés, tout comme les règles d'héritage égalitaire, typiquement rhénanes et viticoles, renvoient à un passé romain depuis longtemps englouti. Au-delà des apparences, la pratique dominante était celle de la famille souche, hiérarchique, essentiellement germanique, et moins souple encore que celle du Sud-Ouest. La cohabitation des générations reste exceptionnellement visible en Alsace-Lorraine (cartes 1.1 et 1.2), région pourtant fort industrielle.

Nord-Pas-de-Calais

Une trace de complexité est bien visible sur la carte de la cohabitation des plus de 80 ans à l'extrême nord de la France (carte 1.2). Les documents anciens révèlent l'existence, dans un espace centré sur la Belgique, d'un système familial intermédiaire qui permettait au jeune couple de cohabiter un temps avec ses parents avant d'acquérir sa complète indépendance. La prise en charge des vieux par l'un des enfants était également caractéristique du modèle *chti*, formule généralement exclue dans le nord-est du Bassin parisien. Il n'est pas impossible qu'au XIXe siècle, la vie de la mine ait confirmé ou même accentué cette solidarité intergénérationnelle[1]. Comme en Alsace, l'habitat groupé ne peut

1. Olivier Schwartz, *Le Monde privé des ouvriers*, Paris, PUF, 1990, p. 119-281.

avoir correspondu dans le Nord-Pas-de-Calais à des règles d'héritage strictement égalitaire. Au contraire toutefois de ce qui pouvait être observé le long du Rhin, aucun autoritarisme des relations familiales n'était impliqué par ce système de corésidence souple, temporaire, des générations.

Ouest intérieur

Les cartes 1.1 et 1.2 mettent en évidence une forme particulièrement étroite de la famille dans l'Ouest intérieur français, où elle se combine à un mode d'habitat dispersé. Nous avions déjà identifié cet Ouest intérieur hypernucléaire dans *L'Invention de la France*, mais nous devons noter ici que les frontières de ce type familial ne semblent pas absolument stables. Les données plus anciennes n'auraient pas inclus la Vendée. L'espace hypernucléaire semble aujourd'hui progresser en direction du sud et de l'est, vers les Deux-Sèvres et l'Indre-et-Loire. En son cœur, il combine individualisme familial et incertitude quant aux pratiques réelles d'héritage. Il est borné au sud par la Vendée, cœur de l'insurrection contre-révolutionnaire, et au nord par la Manche, pays de Tocqueville, qui nous a donné dans ses *Souvenirs* une description ironique du vote conservateur et grégaire de l'arrondissement de Valognes en 1848.

Bretagne péninsulaire

Nous percevons en Bretagne bretonnante la trace d'une structure familiale plus complexe, en pays de hameaux dispersés. Coopération familiale souple, incertitude sur les valeurs d'égalité ou d'inégalité, extrême diversité territoriale interne : nous avons affaire ici à un système ou à un ensemble de systèmes en évolution rapide au XIXe siècle, ainsi que nous l'avions relevé dans *L'Invention de la France*. Au cœur de la péninsule, dans l'ouest des Côtes-d'Armor et l'intérieur du Finistère, Éric Le Penven a identifié un système unique en France qui pouvait associer parfois plusieurs couples et marquait une préférence pour la cohabitation du côté de l'épouse[1]. Nous retrouverons cette zone de communautarisme souple et de matrilocalité sur les cartes du communisme breton.

Une zone familiale communautaire en partie disparue : la bordure nord-ouest du Massif central

De la Dordogne à la Creuse, la famille souche partageait le terrain avec des types communautaires capables d'associer soit plusieurs frères mariés, soit, un peu moins fréquemment, un frère marié et sa sœur mariée[2]. L'espace occupé par ces types communautaires se prolongeait vers le nord-est, le long du Massif central jusqu'à la Nièvre, à travers l'Indre, le Cher et l'Allier. À l'approche du Bassin parisien, ces formes communautaires coexistaient avec le type familial nucléaire égalitaire. Les règles d'héritage apparentes étaient égalitaires au nord (Nièvre, Allier, Cher, Indre) et inégalitaires au sud (en Limousin notamment). Les cartes récentes 1.1 et 1.2 suggèrent que le nord de la zone a rejoint le Bassin parisien dans sa nucléarité familiale et le sud l'Occitanie dans sa complexité. L'habitat dispersé en hameaux définit cependant la zone comme unitaire, avec sans nul doute un rapport instable à l'égalité ou à l'inégalité. Son vote communiste rural représentait en 2007 le plus beau reste d'implantation du PCF (voir carte 1.9), bel exemple de rémanence anthropologique. Par sa forme régulière et allongée, par sa dualité de règles d'héritage apparentes aussi, cette poche communautaire n'est pas sans évoquer un joint soudant l'Occitanie à la France du Nord.

Entre Loire et Gironde : une région incertaine

Nous terminons cet inventaire des formes discordantes dans l'espace français par la région intermédiaire et floue située entre

1. Éric Le Penven, « La famille bretonne : une forme originale. Plounévez-Quintin au XIXe siècle », mémoire dactylographié, mai 2002.

2. Voir Emmanuel Todd, *L'Origine des systèmes familiaux*, tome 1, Paris, Gallimard, 2011, p. 408-409.

la Loire, l'Atlantique et le Massif central, et constituée par les départements de la Vendée, des Deux-Sèvres, de la Vienne, de la Charente, de la Charente-Maritime et de la Gironde. Nous sommes ici sur les marges occidentales de l'Occitanie : les ménages sont parfois complexes, l'habitat est dispersé, les règles d'héritage sont souvent décrites comme égalitaires mais en vérité incertaines. La diversité des systèmes familiaux des départements de la Vienne et des Deux-Sèvres a été très finement saisie pour le XVIIIe siècle par Alain Gabet[1]. Dans le cas tout aussi flou de la Vendée, nous pouvons renvoyer aux recherches de Danièle Naud et de Bernadette Bucher[2].

Le système anthropologique français révèle donc trois complexités combinées :

Une *polarité* opposant l'individualisme égalitaire à la hiérarchie, soit, en termes géographiques, un très vaste Bassin parisien à une Occitanie centrée sur Toulouse mais s'étendant jusqu'aux Alpes, à laquelle nous pouvons associer l'Alsace et la Lorraine anciennement germanophones.

Une *constellation* de poches périphériques bien typées mais discordantes par rapport à l'affrontement entre le complexe liberté-égalité et le complexe autorité-inégalité : individualisme non égalitaire dans l'Ouest intérieur, nuances communautaires en Bretagne bretonnante et sur la bordure nord-ouest du Massif central, association temporaire et souple compliquant les modèles nucléaires dans le Nord-Pas-de-Calais et sur la façade méditerranéenne, avec dans ce dernier cas une inflexion patrilocale.

Un *liant* flou entre Vendée et Gironde. Une autre pondération des nuances aurait pu nous faire considérer la région Rhône-Alpes

1. Alain Gabet, *Structures familiales et comportements collectifs en Haut-Poitou au XVIIIe siècle*, thèse dactylographiée, université de Poitiers, 2004.

2. Bernadette Bucher, *Descendants de Chouans. Histoire et culture populaire dans la Vendée contemporaine*, Paris, Éditions de la Maison des sciences de l'homme, 1995, et Danièle Naud, *Les Structures familiales en Vendée au XIXe siècle*, diplôme d'études supérieures, université de Poitiers, 1976.

et le cœur du Massif central comme une autre zone de liant, intermédiaire à la famille souche et à des types nucléaires imparfaits.

Gardons seulement en tête que la France est simultanément bipolaire et fragmentée, avec des zones de liant qui font tenir l'ensemble.

Il ne s'agit pas ici de donner une description fine et définitive des fonds anthropologiques régionaux, mais d'avoir en main une carte des valeurs et des mœurs anciennes qui nous aide à comprendre le déploiement géographique de la modernité des années 1980-2010.

La carte 1.4 présente la synthèse de cette description sommaire.

Si l'on se contente d'évoquer les valeurs régionales dominantes, et en laissant de côté les zones floues, on peut réduire le kaléidoscope français à cinq zones.

1. *Individualisme égalitaire* dans un vaste Bassin parisien. L'appartenance du Loir-et-Cher et de l'Indre-et-Loire à cette zone est incertaine, en particulier selon le critère de l'habitat en 1876, mais nous n'avons pas voulu compliquer la carte pour deux départements frontières seulement.

2) *Hiérarchie et coopération familiale* fortes dans le Sud-Ouest et en Alsace-Lorraine, plus diffuses vers les Alpes.

3) *Individualisme familial pur* dans l'Ouest intérieur.

4) *Nuances coopératives familiales* diverses et variées dans l'extrême nord, en Bretagne péninsulaire, sur la bordure nord-ouest du Massif central, et à l'Ouest, au sud de la Loire.

5) *Nuances coopératives familiales à égalitarisme fort* sur la façade méditerranéenne et en Corse.

Cette description resserrée utilise comme variable-clé la coopération familiale, dont l'intensité n'atteint jamais en France celle des communautarismes russe, chinois ou arabe. L'angle familial ne doit toutefois pas faire oublier l'existence de modes de coopération territoriaux non familiaux, comme les habitudes d'échanges entre hameaux. L'individualisme familial pur de l'Ouest intérieur s'insère

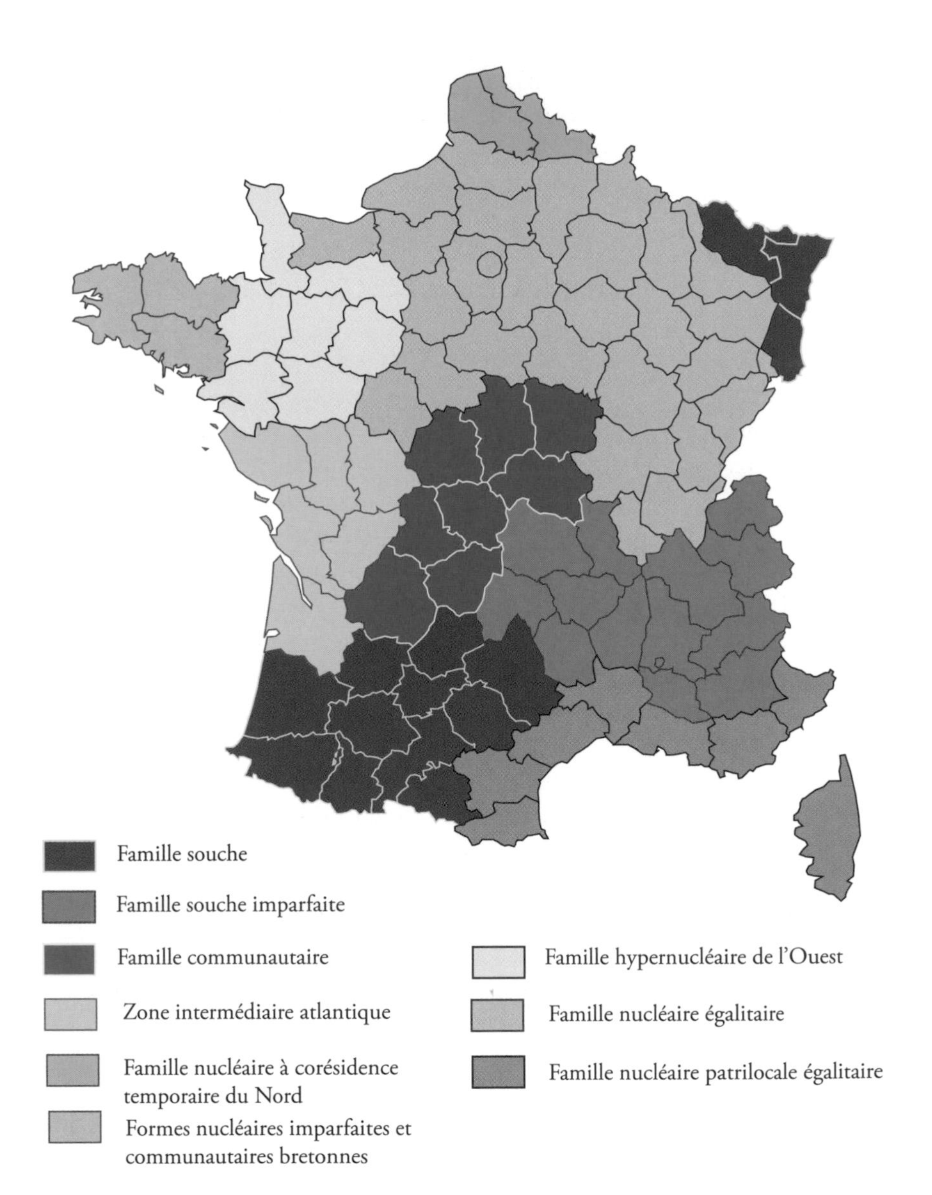

1-4 Les structures familiales : synthèse

dans un habitat dispersé qui implique des interactions territoriales fortes : son système anthropologique combine individualisme familial et coopération locale.

La division religieuse de l'Hexagone entre 1791 et 1965

La division religieuse de la France est plus simple. Fondamentalement dualiste, elle semble même organiser à dessein la multiplicité des systèmes anthropologiques en deux ensembles, deux forces opposées, dont l'articulation générale semble constituer un système. Les pôles dispersés du catholicisme ne sont pas sans évoquer des piliers, le centre déchristianisé une nef, et l'ensemble un harmonieux édifice, simultanément idéologique et religieux. La correspondance entre types familiaux et choix religieux est cependant complexe et surtout imparfaite.

Frédéric Le Play ne fut pas seulement l'inventeur d'une technique d'étude et de classification des types familiaux. Il fut aussi un réactionnaire dogmatique qui, une fois tombé amoureux de sa famille souche, effectivement porteuse de l'idéal de hiérarchie, lui trouva toutes les vertus morales et religieuses. La famille nucléaire était pour lui le Diable, à l'origine de l'individualisme égalitaire de la Révolution. Le préjugé le playsien conduirait à identifier au plus vite des valeurs communes aux systèmes anthropologiques et aux croyances métaphysiques. Si l'on raisonne en termes de pôles, la coïncidence est plutôt bien vérifiée. La Champagne, de famille nucléaire égalitaire, fut en effet de bonne heure déchristianisée et républicaine, le Pays basque et l'Alsace, de famille souche, furent, eux, jusqu'à très récemment des piliers de l'Église catholique. Une cartographie fine de la force du catholicisme dans les régions de l'Hexagone entre 1791 et 1965 nous révèle pourtant une situation beaucoup plus complexe, la cristallisation d'une carte qui doit aussi beaucoup à des phénomènes de diffusion sans rapport avec les structures anthropologiques sous-jacentes. Les voies de communication et la circulation des idées ont largement contribué à la géographie de la croyance ou de l'incroyance.

L'*Atlas de la pratique religieuse* nous donne pour la plupart des 3 500 cantons ruraux français un pourcentage d'individus assistant régulièrement à la messe dominicale (messalisants) vers 1960-1965 (carte 1.5)[1]. La déchristianisation du territoire français est alors complète dans un long Bassin parisien s'étendant de l'Aisne jusqu'à la Gironde et aux Landes, ainsi que sur la majeure partie de la façade méditerranéenne. Un petit pôle interne à la péninsule bretonne s'ajoute à cet ensemble massif: la région déchristianisée isolée de l'ouest des Côtes-d'Armor et de l'intérieur du Finistère qui correspond à la zone de communautarisme matrilocal précédemment mentionnée. La carte de la pratique religieuse ajoute donc quand même ici un élément frappant de coïncidence structurale à la déchristianisation des pôles anthropologiques individualiste égalitaire parisien et patrilocal égalitaire méditerranéen. Cet élément supplémentaire ne doit pas faire oublier la puissance du mécanisme de diffusion géographique qui a fait des zones de pratique religieuse forte des bastions dispersés. Ils constituent une constellation périphérique dans l'Ouest, le Nord, l'Est lorrain et alsacien, la Franche-Comté, une partie de la région Rhône-Alpes, sur la bordure est du Massif central et dans les Pyrénées occidentales. La progression de l'incroyance par diffusion à partir des pôles égalitaires parisien et provençal saute aux yeux. Nous sentons sur la carte les voies de communication qui allaient devenir les routes nationales puis les autoroutes A6, A7 et A10. La dispersion du catholicisme sur les coins de l'Hexagone, dans les montagnes et au fond du bocage, définit l'une de ces distributions périphériques qui évoquent, pour tout linguiste ou anthropologue, la survie de formes anciennes dans les régions les plus éloignées d'un centre d'innovation.

1. Voir André Isambert et Jean-Paul Terrenoire, *Atlas de la pratique religieuse des catholiques en France*, Paris, Presses de Science Po, 1980.

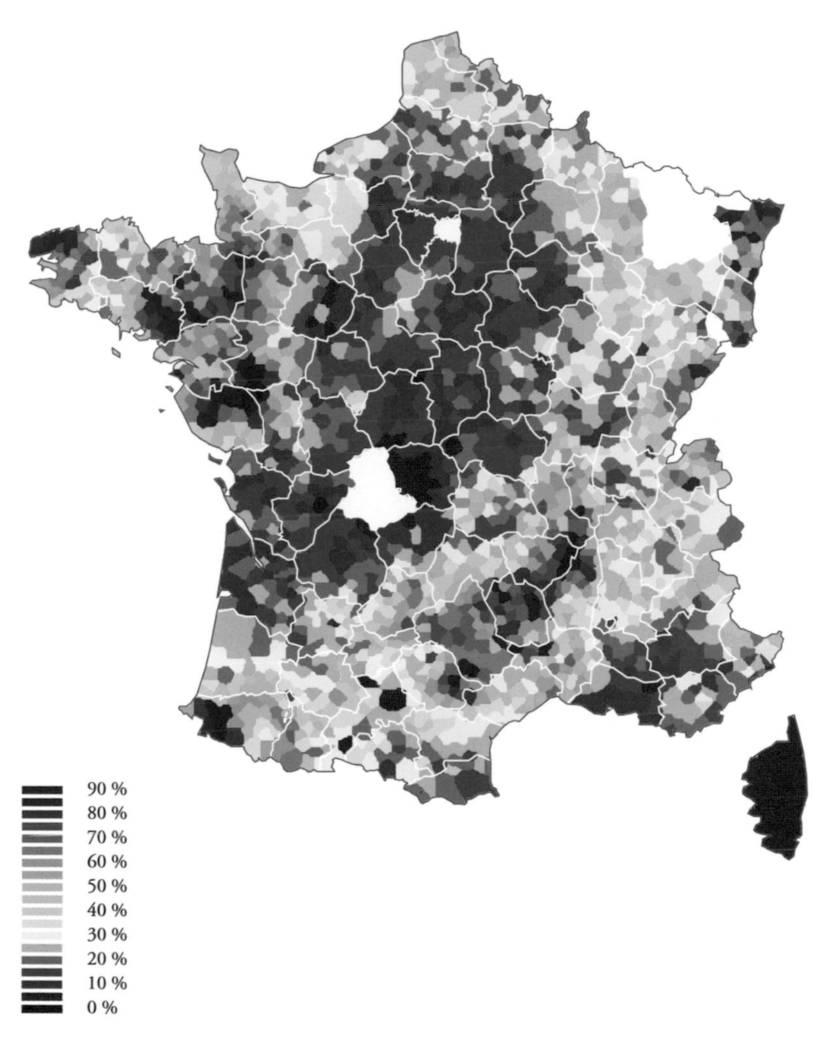

1-5 La pratique religieuse au début des années 1960

Pourcentage d'adultes assistant régulièrement
à la messe hebdomadaire (messalisants)
durant les années 1960 à 1965
(données manquantes en blanc)

Le paradoxe fondamental de cette carte, qui évoque clairement la diffusion et donc le mouvement, est que nous pouvons l'identifier dès 1791. Elle est alors brutalement définie par le choix des curés qui, à travers toute la France, ont alors accepté ou refusé la Constitution civile du clergé. Celle-ci se proposait d'inscrire les principes de la Révolution dans l'Église en instituant l'élection des curés et des évêques par les laïcs. La carte 1.6, réalisée à partir des données réunies par Timothy Tackett pour près de 350 arrondissements[1], montre que les curés avaient, pour l'essentiel, accepté la loi républicaine dans les zones qui apparaîtront plus tard comme déchristianisées. Nous voyons en rouge le même Bassin parisien, un peu plus penché vers l'Est, la même Provence, avec une région Rhône-Alpes un peu plus détachée du catholicisme à l'époque révolutionnaire que par la suite – en l'absence il est vrai de la Savoie qui n'appartenait pas alors au territoire français. La régularité de la carte montre que les curés, enserrés dans leur tissu paroissial, avaient voté comme le désiraient leurs ouailles et, lorsqu'ils l'avaient fait, rejeté l'autorité des évêques et du pape pour obéir au peuple.

Nous observons une formidable stabilité géographique des comportements religieux entre 1791 et les années 1960, période pourtant d'accélération de l'histoire qui inclut l'urbanisation, la révolution industrielle, l'émergence du socialisme et du communisme, et tant d'autres choses. Les écarts entre régions sont aussi importants aux deux dates. C'est donc un mouvement arrêté, figé, cristallisé en une structure stable depuis au moins un siècle et demi que la sociologie religieuse a saisi au lendemain de la Seconde Guerre mondiale.

1791 fut certes un moment fondateur, mais son analyse révèle une histoire déjà longue : on décèle sur la carte de l'époque

1. Timothy Tackett, « L'histoire sociale du clergé diocésain dans la France du XVIIIe siècle », *Revue d'histoire moderne et contemporaine,* vol. 27, avril-juin 1979, p. 204 ; Michel Vovelle, *Piété baroque et déchristianisation en Provence au XVIIIe siècle*, Paris, Seuil, 1978, p. 305-306.

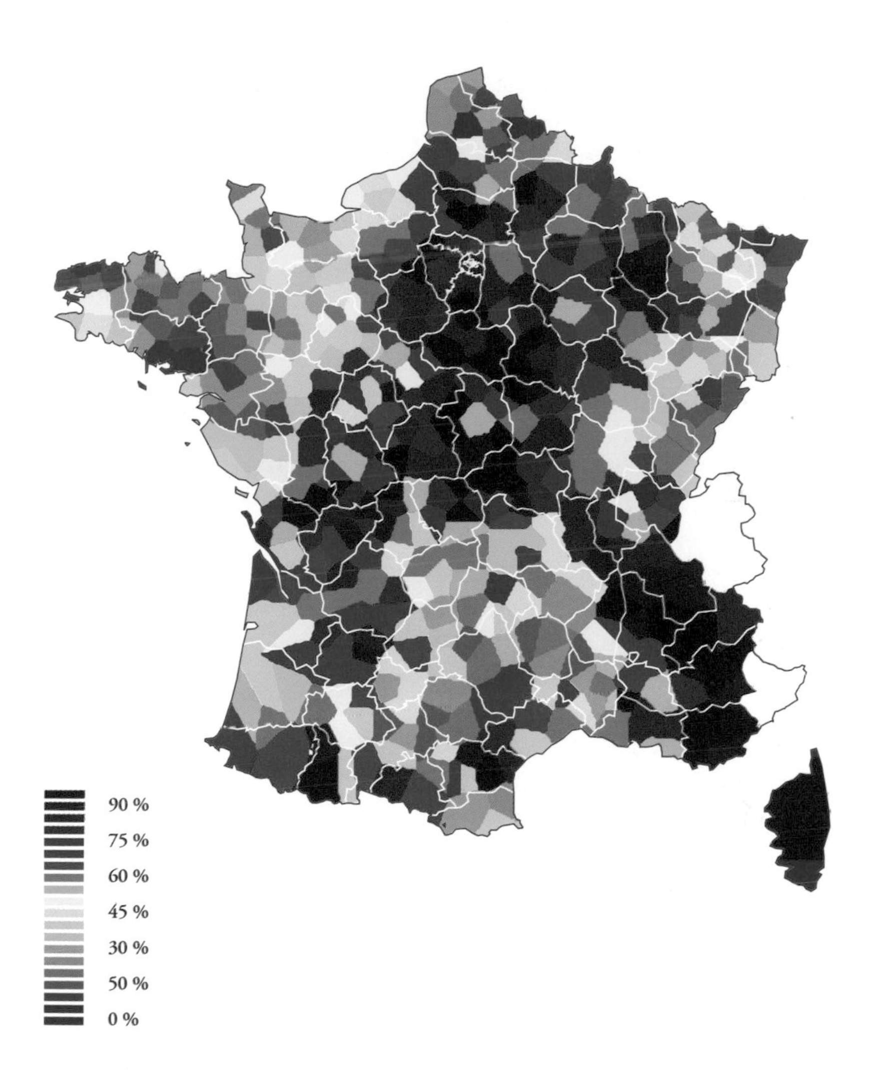

1-6 Le choix des prêtres en 1791

Pourcentage de prêtres ayant choisi
de prêter serment à la Constitution
civile du clergé en 1791

révolutionnaire les pôles d'origine de l'incroyance et un mouvement de diffusion antérieur. La recherche historique nous permet de dater des années 1730-1740 l'effondrement du recrutement en prêtres dans certaines régions. Nous pouvons donc affirmer que la diffusion du scepticisme religieux, partant de zones égalitaires, a ensuite suivi les voies classiques de la modernité entre 1700 et 1791, pour établir à l'occasion de la crise révolutionnaire une structure qui sera stable jusqu'au lendemain de la Seconde Guerre mondiale. En matière de permanences toutefois, le plus surprenant reste à venir dans ce livre : nous allons constater, entre 1980 et 2010, après l'extinction de la pratique religieuse catholique dans ses bastions, l'action continue et puissante de mentalités qui lui ont survécu.

La diffusion a donc engendré une structure, mécanisme formidablement intéressant pour les sciences historiques et sociales. Nous ne chercherons cependant pas à comprendre ici ce mécanisme de cristallisation, à expliquer les coïncidences et les discordances qui en ont résulté entre systèmes anthropologiques et religion. Notre but n'est pas de définir des lois générales d'évolution mais, beaucoup plus modestement, de comprendre la transformation de la société française entre 1980 et 2010, en tenant compte de structures profondes héritées du passé.

Il s'agit de situer dans l'espace les valeurs, venues de la famille, de l'habitat et de la religion, qui pourraient nous aider à comprendre l'action et l'adaptation différentielle des populations locales à une époque qui combine développement éducatif, globalisation économique et atomisation sociale. La famille complexe encadrait, la famille nucléaire libérait. La structure en hameaux de l'habitat encourageait les interactions territoriales entre familles, le village groupé était compatible avec des interactions faibles. La religion catholique insérait les individus dans un réseau de relations humaines fortes, la déchristianisation affaiblissait ce contrôle social. Une fois combinés, ces éléments, congruents ou discordants, vont nous permettre de comprendre pourquoi les régions ont agi ou réagi de manières très différentes dans la nouvelle modernité.

Schumpeter et les couches protectrices

Dans *Capitalisme, socialisme et démocratie*, Joseph Schumpeter considère le capitalisme comme parfaitement viable en tant que système économique mais dépendant, pour son insertion et sa survie sociale et politique, de « couches protectrices », ensemble de mœurs et de valeurs venues de l'âge féodal[1]. La rationalité inhérente à la recherche capitaliste du profit aurait selon lui miné, jour après jour, le système d'encadrement des individus hérité d'un passé plus respectueux de l'ordre et de la hiérarchie. Schumpeter, élitiste et narcissique, snob pour tout dire, pensait à l'autorité morale des aristocrates anglais ou autrichiens – son monde rêvé – lorsqu'il évoquait ces « couches protectrices ». Sa vision de l'histoire, lorsqu'elle n'est pas économiste, reste assez étroitement politique. Mais nous pouvons utilement reprendre et élargir son concept de « couche protectrice » pour lui faire englober des configurations plus vastes et plus riches de sens : les systèmes anthropologiques et religieux qui préexistaient à l'émergence de la modernité, individualiste avant 1900, néo-individualiste depuis 1965 ou 1980, la datation variant selon l'indicateur statistique utilisé.

Dans un état d'esprit sociologique et démocratique, nous considérons l'ensemble de la population et non pas seulement les élites de Schumpeter, entrepreneurs magiquement créateurs de richesse ou aristocrates divinisés par l'oisiveté. Nous prenons aussi en compte la montée en puissance de l'individualisme dans l'ensemble des mœurs – familiales, éducatives, professionnelles – et pas seulement dans l'étroite sphère de la rationalité capitaliste.

1. *Capitalism, Socialism and Democracy*, New York, Harper & Brothers, 2008 (1942), p. 134-139 : « The Destruction of the Protective Strata » (trad. française, Paris, Payot, 1990).

L'individualisme est bien plus que la recherche schizophrène du profit qui caractérise l'*homo œconomicus*.

On peut alors définir *a priori*, pour chacune des régions de France, une puissance des couches protectrices, par addition des forces d'encadrement du système anthropologique et de la religion. Un calcul très simple nous permet de définir les contextes régionaux qui existaient avant les poussées successives d'individualisme.

Niveaux d'intégration dans l'espace français

Nous avons vu que système anthropologique et religion ne sont pas des variables complètement indépendantes. Sans que la règle soit absolue, il existe des affinités entre catholicisme tardif, habitat dispersé et famille souche, ainsi qu'entre individualisme égalitaire, habitat groupé et famille nucléaire égalitaire. Si religion et anthropologie sont en accord, nous sommes confrontés à un niveau d'intégration soit maximale, soit minimale des individus : intégration maximale si l'habitat est dispersé, la famille de type souche et l'Église forte ; intégration minimale si l'habitat est groupé, la famille de type nucléaire égalitaire et si la déchristianisation remonte au XVIIIe siècle.

En cas de discordance des facteurs d'intégration et de liberté, tous les niveaux de cohésion sont concevables. Dans l'exemple précédemment cité de l'Ouest intérieur, la famille nucléaire suggère la liberté des individus, et l'habitat dispersé suppose une interaction territoriale importante. Le système anthropologique présente donc une force d'intégration intermédiaire. La religion catholique ayant été puissante dans cette région jusque vers 1965, nous pouvons, sans nous interroger sur les coïncidences entre variables, ajouter l'intégration religieuse à l'intégration anthropologique, définissant ainsi un niveau global fort quoique non maximal.

Affectons à la famille et à l'habitat des poids égaux à l'intérieur du système anthropologique (1+1 = 2), et supposons que système anthropologique et religion pèsent d'un poids égal dans la détermination des comportements sociaux (2+2). Considérons chacune des variables comme binaire, pouvant prendre les valeurs 0 ou 1 dans les cas de la famille et de l'habitat, 0 ou 2 dans celui de la religion. Pour l'Ouest intérieur, additionnons : 0 pour la famille, 1 pour l'habitat et 2 pour la religion, nous obtenons un niveau d'intégration 3. La Champagne combine famille nucléaire (valeur 0), habitat groupé (valeur 0) et déchristianisation (valeur 0) et son niveau global d'intégration est le plus faible possible, 0. Le Pays basque, avec sa famille souche (valeur 1), son habitat dispersé (valeur 1) et son catholicisme puissant (valeur 2), atteint 4, score d'intégration maximal.

Les données statistiques dont nous disposons nous permettent une gradation plus fine de ces trois variables. Nous conservons toutefois notre pondération simplifiée pour obtenir une carte complète de l'Hexagone. La carte 1.7 combine ainsi religion, famille et habitat et classe les départements français en fonction de leur puissance d'intégration traditionnelle. Elle représente une sorte de matrice de la nouvelle modernité, une mesure de la puissance initiale des couches protectrices, au sens renouvelé que nous avons donné à l'expression de Schumpeter.

Cette carte nous permet de voir comment tient le « système » France, avec ses deux pôles, minoritaires (en bleu foncé), individualistes égalitaires au cœur du Bassin parisien et en Provence. Leurs couronnes extérieures, ou extensions, représentent la moitié du territoire national (en bleu clair).

La distribution des régions à culture d'intégration plus forte est globalement périphérique. Nous percevons toutefois sur cette carte dérivée de données anciennes une asymétrie originelle est/ouest, moins souvent repérée dans l'histoire de France que l'opposition nord/sud chère aux linguistes. La puissance d'intégration plus faible des sociétés locales de l'Est n'a pas grand-chose à voir avec

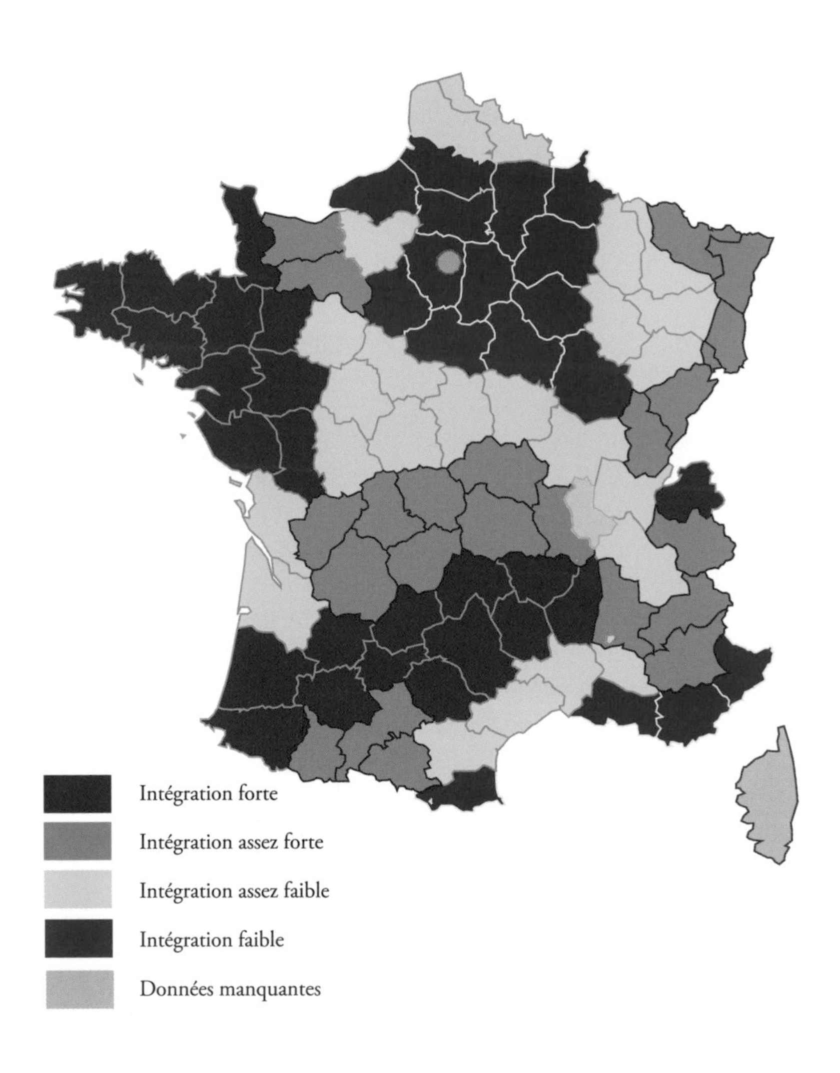

1-7 Niveau d'intégration

Combinaison de la pratique religieuse, du type de famille et d'habitat

la modernité. Elles ont certes bénéficié d'une alphabétisation et d'une industrialisation précoces. Mais c'est bien l'habitat groupé, d'origine médiévale, qui affaiblit dans notre indice global le niveau d'intégration de l'Est, l'Alsace-Lorraine étant ici exclue.

Individualisme et holisme

Nous devons à ce stade évoquer la proximité de notre conceptualisation en termes de niveaux d'intégration avec la distinction établie par l'anthropologue Louis Dumont entre sociétés individualistes et sociétés holistes. Celle-ci lui avait permis, sans renoncer à la notion de modernité individualiste, de ne pas fondre toutes les sociétés développées en une masse indistincte. Parti du holisme de la société indienne, Dumont avait ainsi pu distinguer une puissante dimension holiste dans la culture allemande[1]. Il est aujourd'hui impossible de comprendre les divergences culturelles économiques entre les Anglo-Saxons d'une part, les Allemands et les Japonais d'autre part, sans utiliser ce couple individualisme/holisme.

L'examen empirique des fonds anthropologiques et religieux régionaux qui constituent l'Hexagone va nous conduire à identifier une composante holiste périphérique dans le système culturel français. La France, que sa Grande Révolution définit sans conteste comme individualiste égalitaire sur le plan idéologique – sans oublier ses justement célèbres tendances anarchistes –, représente sur le plan anthropologique et religieux une agrégation complexe de cultures locales, dont certaines étaient à l'origine de type individualiste et d'autres de type holiste. L'ensemble constitue un système. Comprendre la France, c'est aussi saisir l'interaction holisme/individualisme au cœur des tensions, des équilibres ou des dysfonctionnements du système national.

1. Louis Dumont, *Homo Aequalis.* Tome I : *Genèse et épanouissement de l'idéologie économique*, Paris, Gallimard, 1977, et tome II : *L'Idéologie allemande,* Paris, Gallimard, 1978.

Le communisme comme couche protectrice

Les cartes de la pratique religieuse peuvent donner l'impression trop simple d'une opposition entre un « plein » religieux et un « vide » laïc ou athée. Pourtant, dans la France du XVIIIe siècle, la sortie de la religion avait été vécue comme une libération, et non comme un abandon. Dans les espaces centraux et méditerranéens du territoire national, une foi laïque a animé, de 1791 à 1965, les populations et les élites qui avaient « échappé » à l'Église. Tocqueville avait bien senti l'existence d'une métaphysique terrestre optimiste s'opposant à la métaphysique du salut céleste, et d'un plein laïque s'opposant au plein religieux. Il avait écrit en 1856, dans *L'Ancien Régime et la Révolution* :

« Quand je cherche à démêler les différents effets que l'irréligion produisit alors en France, je trouve que ce fut bien plus en déréglant les esprits qu'en dégradant les cœurs, ou même en corrompant les mœurs, qu'elle disposa les hommes de ce temps-là à se porter à des extrémités si singulières.

Lorsque la religion déserta les âmes, elle ne les laissa pas, ainsi que cela arrive souvent, vides et débilitées ; elles se trouvèrent momentanément remplies par des sentiments et des idées qui tinrent pour un temps sa place, et ne leur permirent pas d'abord de s'affaisser.

Si les Français qui firent la Révolution étaient plus incrédules que nous en fait de religion, il leur restait du moins une croyance admirable qui nous manque : ils croyaient en eux-mêmes. Ils ne doutaient pas de la perfectibilité, de la puissance de l'homme ; ils se passionnaient volontiers pour sa gloire, ils avaient foi dans sa vertu[1]. »

Tocqueville était peut-être déprimé à cette époque de sa vie, personnellement ou politiquement, et exagérément pessimiste pour

1. *L'Ancien Régime et la Révolution*, Paris, Gallimard, 1985, p. 207.

ce milieu du XIXe siècle. La pensée politique et sociale considérait alors toujours la fin du religieux comme le commencement du monde moderne : Auguste Comte avait forgé en 1839 le terme de « sociologie » pour comprendre l'achèvement de l'âge théologique. Edgar Quinet avait en 1845 retrouvé dans la Révolution française le meilleur de l'ancien christianisme[1].

La foi laïque eut la vie dure. Entre 1750 et 1965, nous voyons se succéder dans l'espace central français, non pas seulement déchristianisé mais porteur d'une croyance positive en l'homme, une succession hétéroclite d'idéologies et de forces politiques, de gauche ou de droite, mais qui eurent en commun d'affirmer la primauté de la liberté et de l'égalité des hommes. L'athéisme de Denis Diderot (né à Langres en Bourgogne), la terreur de Maximilien de Robespierre (né à Arras en Artois), l'école de Jules Ferry (né à Saint-Dié en Lorraine), la nation belle, grande et généreuse du militant gaulliste (idéalement né en banlieue parisienne) furent les produits de cet espace central et de ses marges.

Paradoxalement, c'est une force politique tardive, et de plus à vocation totalitaire, le communisme, qui a finalement le mieux incarné dans l'espace géographique français cette force centrale, individualiste et égalitaire.

Le militant communiste, discipliné par l'usine et pris en main par sa cellule, exprimait quand même, par sa façon d'être rebelle, l'individualisme égalitaire traditionnel du Bassin parisien. Son anarchisme foncier continuait d'ailleurs de régner discrètement sur le syndicalisme. La direction de la CGT aura bien passé l'essentiel de son existence à courir derrière sa base, seule capable de déclencher une grève sérieuse, en 1936 comme en 1968.

Au lendemain de la Seconde Guerre mondiale, la carte du vote communiste, qui aurait dû selon la théorie marxiste la plus élémentaire refléter la distribution géographique de l'industrie et du prolétariat,

1. Edgar Quinet, *Le Christianisme et la Révolution française*, Paris, Fayard, 1984 (1845).

s'insérait presque parfaitement dans celle de la religion. Le PCF occupait l'espace central laissé vide par l'Église. La complémentarité des deux forces apparaît pleinement sur une carte simplifiée représentant simultanément le vote communiste à la veille de sa chute en 1978 et son double négatif, la pratique religieuse catholique vers 1965 (carte 1.8). En 2007 encore, le vote résiduel de 1,93 % de suffrages exprimés pour Marie-George Buffet n'échappait pas à la vieille détermination métaphysique (carte 1.9). Il laissait seulement apparaître une résistance spécifique des zones de famille communautaire souples de la bordure nord-ouest du Massif central ou de l'intérieur de la Bretagne, dont les valeurs favorisaient une idéologie communiste plus solide que celles de la famille nucléaire égalitaire du Bassin parisien. Le trait libéral de la famille du Bassin parisien plaçait au cœur du communisme français une fragilité de constitution qui allait l'emmener très vite vers sa disparition à partir de 1981.

Cette cartographie quasi religieuse du PCF, si elle n'est pas conforme aux attentes du marxisme – qui place dans l'économie l'explication des choses –, trahit cependant l'origine religieuse de la doctrine. C'est par une critique de la religion que Marx est entré dans son analyse de l'histoire. Son matérialisme fut, avant d'être une explication par les forces techniques et économiques, un rejet de la métaphysique religieuse, fort banal à son époque. Marx écrivait ainsi en 1843-1844, quatre ans avant la rédaction du *Manifeste du parti communiste* :

« [...] la critique de la religion est la condition préliminaire de toute critique... L'abolition de la religion en tant que bonheur illusoire du peuple est l'exigence que formule son bonheur réel. Exiger qu'il renonce aux illusions sur sa situation, c'est exiger qu'il renonce à une situation qui a besoin d'illusions. La critique de la religion est donc en germe la critique de cette vallée de larmes dont la religion est l'auréole[1]. »

1. *Critique de la philosophie du droit de Hegel*, Paris, Aubier, 1971 (1844). Voir Karl Marx et Friedrich Engels, *Sur la religion*, textes choisis, traduits et

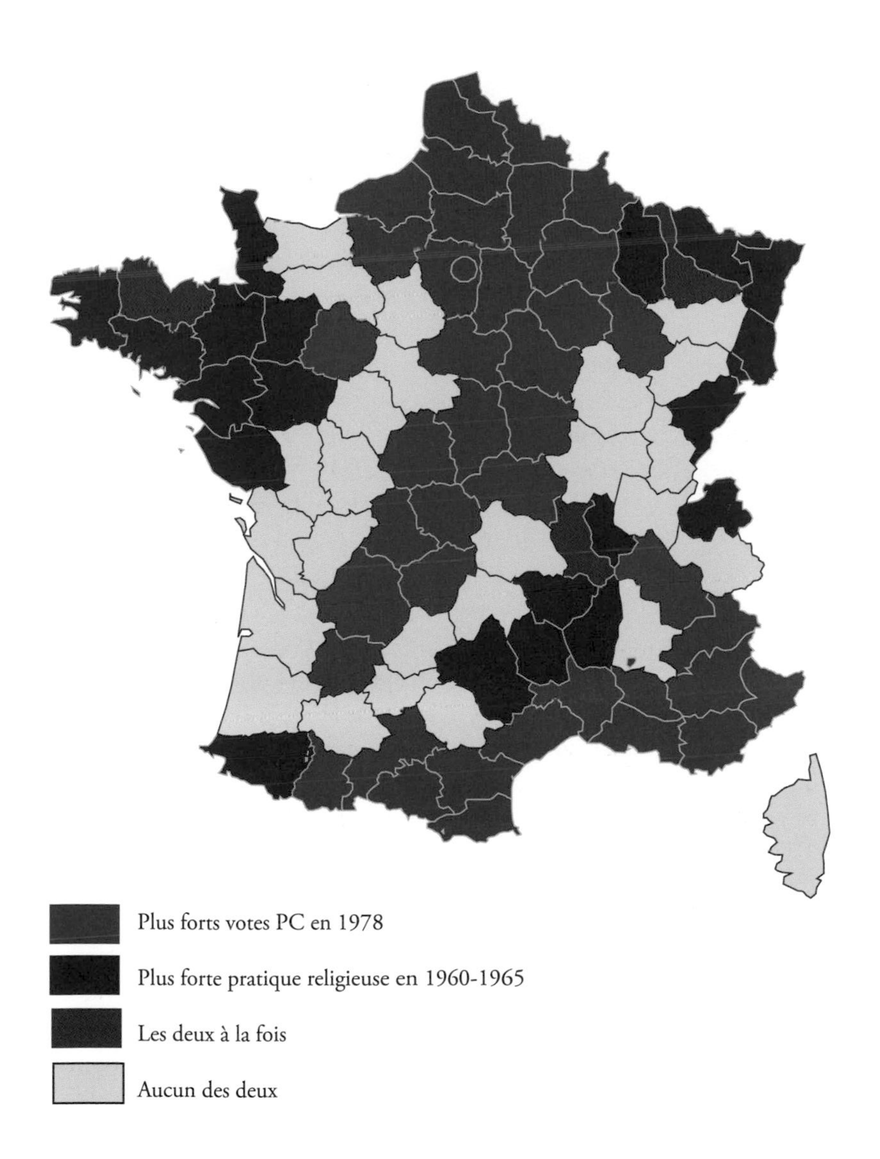

1-8 Le parti communiste et l'Église catholique

Naissant contre la religion, le marxisme ne pouvait s'en détacher complètement : comment s'étonner que la carte du vote communiste français reproduise fidèlement celle de l'irréligion, d'une incroyance bien antérieure à Marx, Engels ou Lénine puisque formée au milieu du XVIIIe siècle et révélée par le choix des curés en 1791 ?

Entre 1981 et 2007, nous avons vécu la fin brutale du communisme français, phénomène dont on ne peut sous-estimer l'importance une fois que l'on a compris que cette doctrine représentait, inscrite au cœur du monde populaire ou des élites éduquées, le moment terminal d'une foi optimiste née au milieu du XVIIIe siècle. Nous avons présenté plus haut l'Église catholique comme une couche protectrice capable d'encadrer les individus dans une phase de transformation éducative et économique accélérée. Nous devons maintenant admettre que l'idéologie communiste et le parti du même nom ont constitué, au-delà des apparences de la lutte des classes, une véritable couche protectrice dans la France des années 1936-1981. L'« Église rouge » fut, comme la « noire », un élément de stabilité mentale pour une partie importante de la population française, notamment au cœur du Bassin parisien et sur la façade méditerranéenne.

Communisme mort, « catholicisme zombie »

Les deux forces faisaient système sans être exactement de même nature. Né contre le christianisme, le communisme en dépendait, dans le rapport d'un effet à sa cause. Il est donc logique d'observer que, dans les années 1950-1970, la chute du religieux dans son espace périphérique français a précédé ou même causé

annotés par G. Badia, P. Bange et E. Bottigelli, Paris, Les Éditions sociales, 1960, p. 41-42.

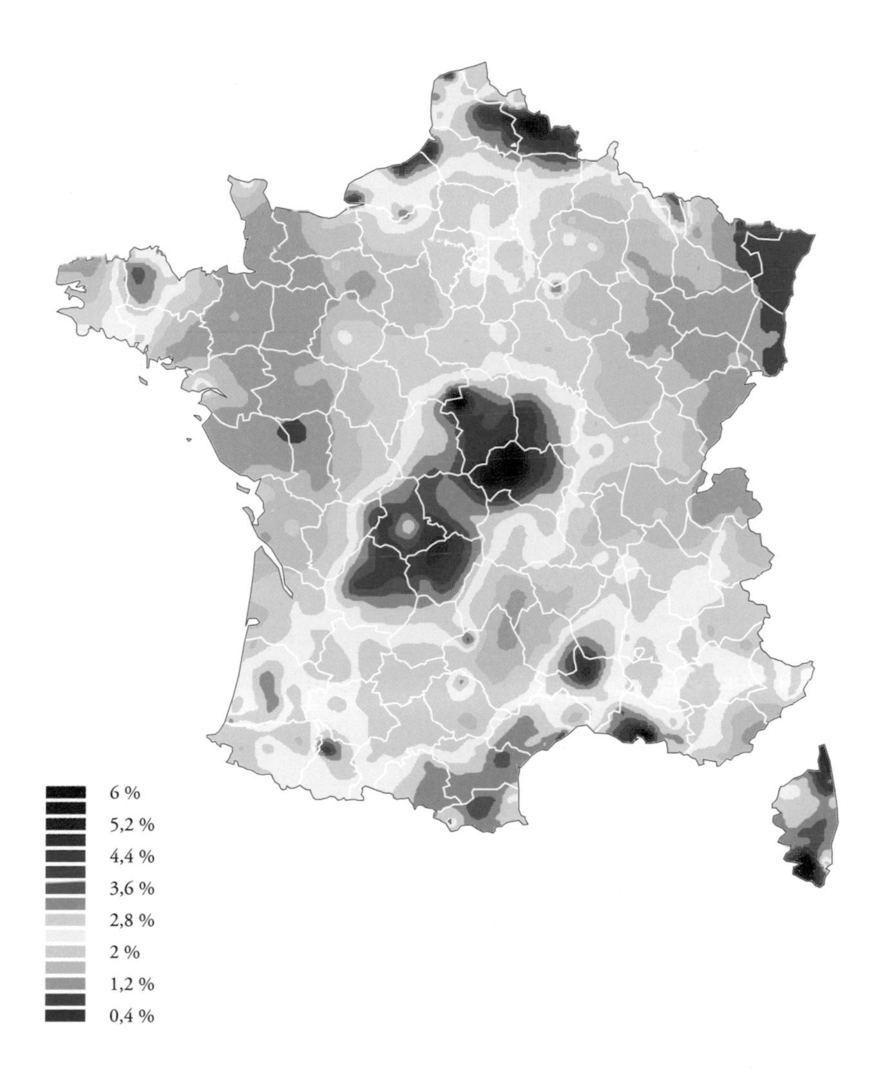

1-9 Les derniers communistes

Pourcentage de voix obtenues par
Marie-George Buffet au premier
tour de la présidentielle de 2007

celle du communisme dans son espace central et méditerranéen. La descente aux enfers du PCF n'a commencé qu'en 1981, le déclin terminal du catholicisme s'est amorcé dès les années 1950.

L'idéologie marxiste était une croyance pleine, positive, en pratique protectrice de l'individu dans le monde sensible. Du point de vue de l'analyse sociologique, elle n'était cependant qu'une croyance dérivée, secondaire par rapport à la religion. Nous pourrions dire la même chose de la foi révolutionnaire, ou républicaine, ou gaulliste. La succession rapide des doctrines dans l'espace central français suggère en elle-même une instabilité qui contraste avec l'immobilité hiératique de l'Église catholique dans ses bastions périphériques entre 1791 et 1950.

Disparue avant le PCF, l'Église était pourtant l'authentique élément structurant. C'est la raison pour laquelle nous allons pouvoir observer, dans la France des années 1980-2010, l'action persistante d'un catholicisme disparu, mais non celle du communisme décédé quelques années plus tard. Les valeurs organisatrices du catholicisme apparaissent toujours actives dans les lieux qu'il occupait. L'un des paradoxes les plus étonnants de notre présent est, on va le voir, la montée en puissance sociale d'une religion qui vient de s'évanouir en tant que croyance métaphysique. Le catholicisme semble, pour l'instant, avoir atteint pour lui-même l'objectif d'une vie après la mort. Comme il s'agit d'une vie terrestre, et dont nous doutons fort qu'elle soit éternelle, nous parlerons de « catholicisme zombie ». Le communisme, lui, est vraiment mort : un véritable vide sociologique lui a succédé dans les régions où il était important – et plus généralement à la foi républicaine, gaulliste ou de gauche –, avec ce que cela implique d'atomisation et de difficultés sociales.

CHAPITRE 2

La nouvelle inégalité culturelle

L'histoire du progrès éducatif met en évidence la complexité anthropologique de la France. Les chiffres nationaux qui mesurent depuis 1700 la proportion d'hommes ou de femmes sachant lire et écrire, puis de bacheliers, et enfin de diplômés de l'éducation supérieure, décrivent une trajectoire à peu près continue : une ascension, interrompue par une pause entre les deux guerres, puis par une autre aujourd'hui. Cependant, lorsque nous observons le déploiement dans l'espace de la poussée éducative, nous voyons avec un certain étonnement des régions différentes en incarner les phases successives. Dans un premier temps, la carte de l'alphabétisation met en évidence le dynamisme des villages et de la famille nucléaire du Nord-Est. Dans un deuxième temps, la carte du baccalauréat montre le dynamisme de la famille souche occitane. Dans un troisième temps, celle des études supérieures révèle le dynamisme du catholicisme ou, pour être plus exact, du « catholicisme zombie » puisque c'est le décès de cette religion qui semble en avoir fait un facteur de progrès culturel additionnel.

Phase 1 : famille nucléaire et diffusion

La première carte statistique jamais réalisée avait mis en évidence, nous l'avons dit plus haut, l'avance éducative de la France du Nord. En 1826, Dupin avait situé au nord de la ligne Saint-Malo-Genève une France des Lumières. Dès la seconde moitié du XVIIIe siècle, la majorité de la population masculine y savait lire et écrire, ainsi que l'ont montré en détail François Furet et Jacques Ozouf dans leur étude historique et géographique de l'alphabétisation des Français [1]. Il est donc normal de trouver dans le Bassin parisien, aux XVIIIe et XIXe siècles, le centre de gravité de l'histoire de France. Révolutions politiques et industrielles s'y succèdent. Mais on aurait tort de voir dans Paris le centre du centre. Le pôle d'avance éducatif est situé nettement à l'Est de la capitale. L'examen des cartes de l'éducation évoque une entrée de l'instruction primaire par la frontière est, suivie d'un mouvement vers le cœur du Bassin parisien, favorisée par un système anthropologique qui stimule la diffusion des idées et des hommes. La facilité des communications entre villages compacts explique la vitesse de diffusion de l'alphabétisation. La tendance de la famille nucléaire à lancer dès l'adolescence ses enfants vers des villages parfois assez lointains contribue à ce premier dynamisme éducatif. Nous pouvons à ce stade écrire une histoire simple de la Nation. C'est cette France éclairée qui mène la Révolution française : les valeurs de liberté et d'égalité sont inscrites au plus profond d'elle-même, dans des familles qui encouragent la liberté des enfants et l'égalité dans la fratrie.

En 1901, la carte de l'éducation (2.1) porte la trace de ce premier décollage culturel. Nous devons, à ce stade, rester dans le cadre départemental défini par Dupin. Il est suffisant parce que

1. *Lire et écrire. L'alphabétisation des Français de Calvin à Jules Ferry*, Paris, Éditions de Minuit, 1977.

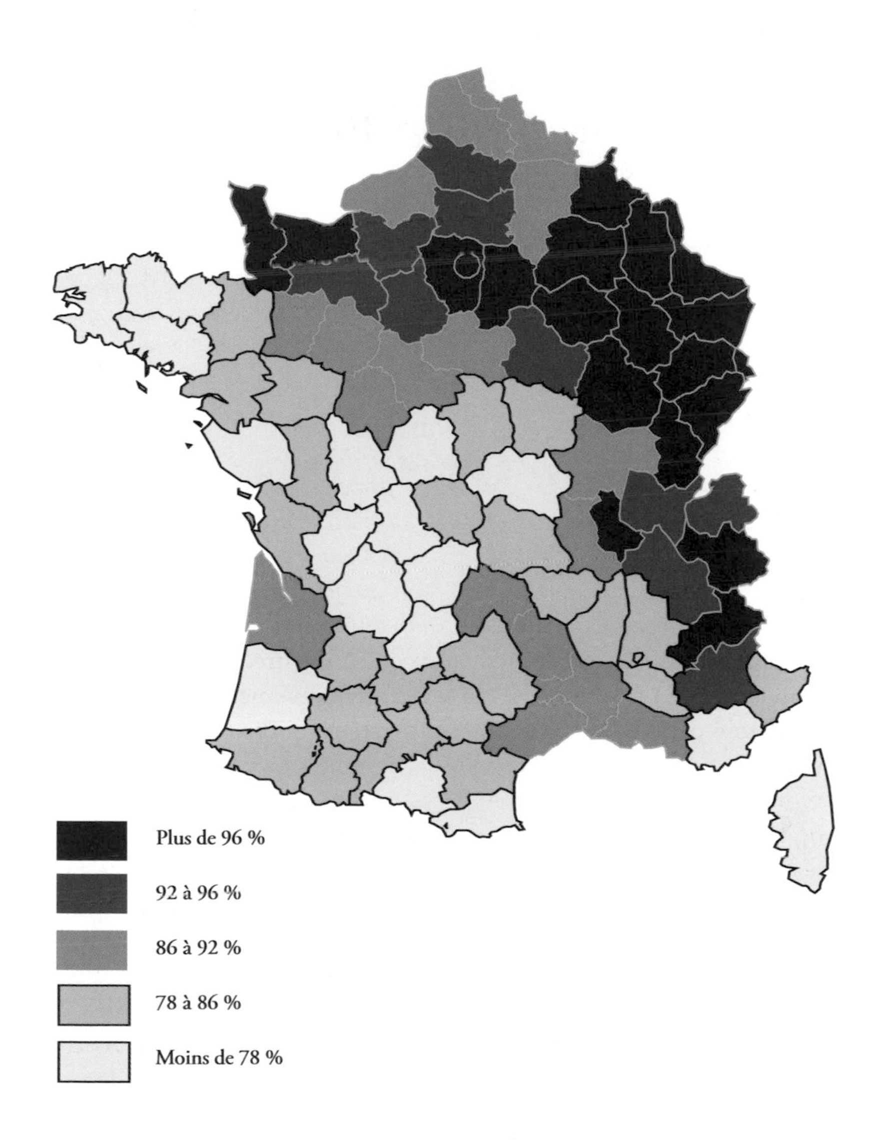

2-1 Lire et écrire en 1901

Pourcentage de personnes alphabétisées
au recensement de 1901

les villes – Bordeaux mis à part – n'ont pas alors de rôle moteur particulier. Selon le recensement, la proportion d'hommes et de femmes sachant lire et écrire dépasse 96 % dans l'est du Bassin parisien et pousse un tentacule vers Paris. Les pôles secondaires normand et alpin que nous discernons sur la carte auraient été repérables dès le XVIIe siècle, époque à laquelle cependant le département de la Marne, plutôt que la frontière est, semblait au cœur de la modernité[1].

Phase 2 : l'entrée en scène de la famille souche

Au lendemain de la Seconde Guerre mondiale, le décollage de l'éducation secondaire bouleverse les rapports de forces entre régions. Vers 1970, le taux national d'obtention du baccalauréat général atteint 17 % par classe d'âge. La carte qui décrit la possession de ce diplôme ou d'un grade supérieur par les garçons et les filles qui ont eu 18 ans entre 1962 et 1971 (saisis au recensement de 2008) révèle un basculement complet du système France (carte 2.2)[2]. Les écarts entre régions sont considérables, ainsi que le montre une échelle s'étageant de 15 à 34 % de bacheliers. Au Nord, seuls la région parisienne et quelques pôles urbains, le plus souvent de petite taille, font encore partie de la France des Lumières, dessinée ici en rouge. L'ancienne France obscure, avec l'ensemble du Midi et la Bretagne, apparaît désormais en pointe, et en un rouge d'autant plus sombre qu'on est plus au sud ou plus à l'ouest. Notons l'incroyable revanche de la Bécassine bretonne, née en 1905 pour amuser la France par sa simplicité d'esprit, et dont le niveau scolaire devient vers 1970 l'un des plus élevés du pays. Mais n'oublions surtout pas que c'est l'Occitanie, beaucoup

1. Hervé Le Bras et Emmanuel Todd, *L'Invention de la France*, *op. cit.*, p. 260.
2. Proportion des 55-64 ans ayant le bac général ou plus en 2008.

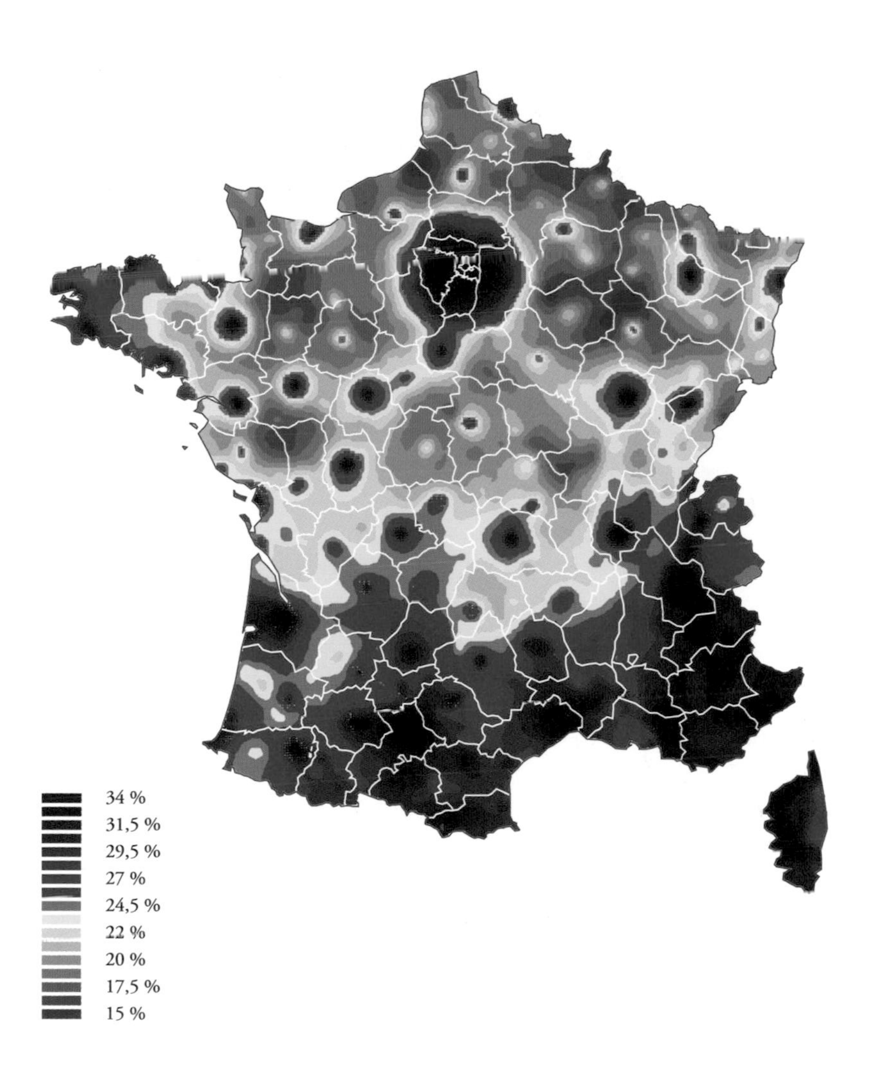

2-2 Avoir le bac vers 1970

Pourcentage de personnes âgées de 55 à 64 ans titulaires d'un bac général ou d'un diplôme universitaire en 2008 (recensement)

plus massive, qui est devenue vers 1970 le centre de gravité du dynamisme culturel français.

Au nord, le Bassin parisien apparaît comme une zone de relatif sous-développement. La capitale semble pomper toute l'énergie de la France du Nord, absorbant tous ses bacheliers. Cela est peut-être dû en partie aux mouvements des diplômés vers la capitale, mais ceux-ci n'expliquent pas l'essentiel du retard éducatif relatif du Bassin parisien par rapport à l'Occitanie : les métropoles du Midi, plus petites mais plus nombreuses, n'aspirent pas alors toute l'énergie éducative de leur environnement.

Remarquons quand même un début d'émergence des villes des périphéries ouest, sud et est (mais non nord) du Bassin parisien avec Rennes, Nantes, Angers, Tours, Nancy et Strasbourg. On observe une montée en puissance de Besançon et surtout de Dijon : la faible notoriété actuelle de ces deux villes ne rend pas compte de leur réel dynamisme.

Si l'on s'en tient aux grands espaces définis par la carte du baccalauréat entre 1962 et 1971, une interprétation s'impose. Ce sont les régions de famille complexe, et principalement de famille souche, qui décollent. L'éducation secondaire nécessite en effet une attention plus grande aux enfants, des parents principalement mais aussi parfois des grands-parents. Là où ont existé des traditions lignagères, les enfants sont mieux encadrés. Les valeurs de transmission de la famille souche expriment pleinement leur puissance dans cette phase éducative secondaire. En Bretagne, les formes souches, tardives, n'ont jamais atteint la maturité, mais on y constate de fortes capacités familiales d'encadrement et de soutien aux adolescents.

Phase 3 : le « catholicisme zombie » et les villes

Stable entre 1995 et 2010, la proportion d'une classe d'âge obtenant le baccalauréat général a cependant doublé par rapport à 1970 et tourne autour de 35 %. Un plafond éducatif a été atteint. Toutes les régions ont participé à cet essor mais de manière différentielle, et la géographie éducative de la France a donc de nouveau muté, comme le montre la carte 2.3 qui indique, pour les individus recensés âgés de 25 à 34 ans en 2008, la proportion de titulaires du bac général ou d'un diplôme supérieur, dont certains peuvent être passés par les bacs technologiques et dans une moindre mesure professionnels. Il s'agit des jeunes qui ont atteint 18 ans entre 1992 et 2001. Parce que les niveaux sont tirés d'une simple déclaration des individus, ils sont probablement un peu surestimés, ainsi qu'on l'a dit dans l'introduction, mais ce sont ici les écarts régionaux qui nous intéressent.

Le plafond a été très différent selon les régions, avec une moyenne des scores départementaux à 45 %, mais des proportions qui tombent à 35 % dans les départements du Bassin parisien les moins favorisés.

Cette fois-ci, les pôles urbains se détachent systématiquement. La carte ne reflète plus seulement les dynamismes spécifiques des régions mais la capacité des villes, et particulièrement des villes universitaires, à capter la jeunesse en cours d'éducation supérieure. Ces dernières se manifestent sur la carte par des zones beaucoup plus vastes qu'elles, pôles diffus à niveau éducatif élevé. La masse de la région parisienne est évidente, « étoile rouge » au cœur de la partie nord de l'Hexagone, poussant un tentacule vers Orléans et Tours. Mais nous voyons aussi autour de Grenoble et de Toulouse de vastes espaces très éduqués débordant les limites départementales. Nice, Aix-Marseille, Montpellier, Lyon, Bordeaux, Nantes, Rennes représentent des masses considérables, mais plus concentrées.

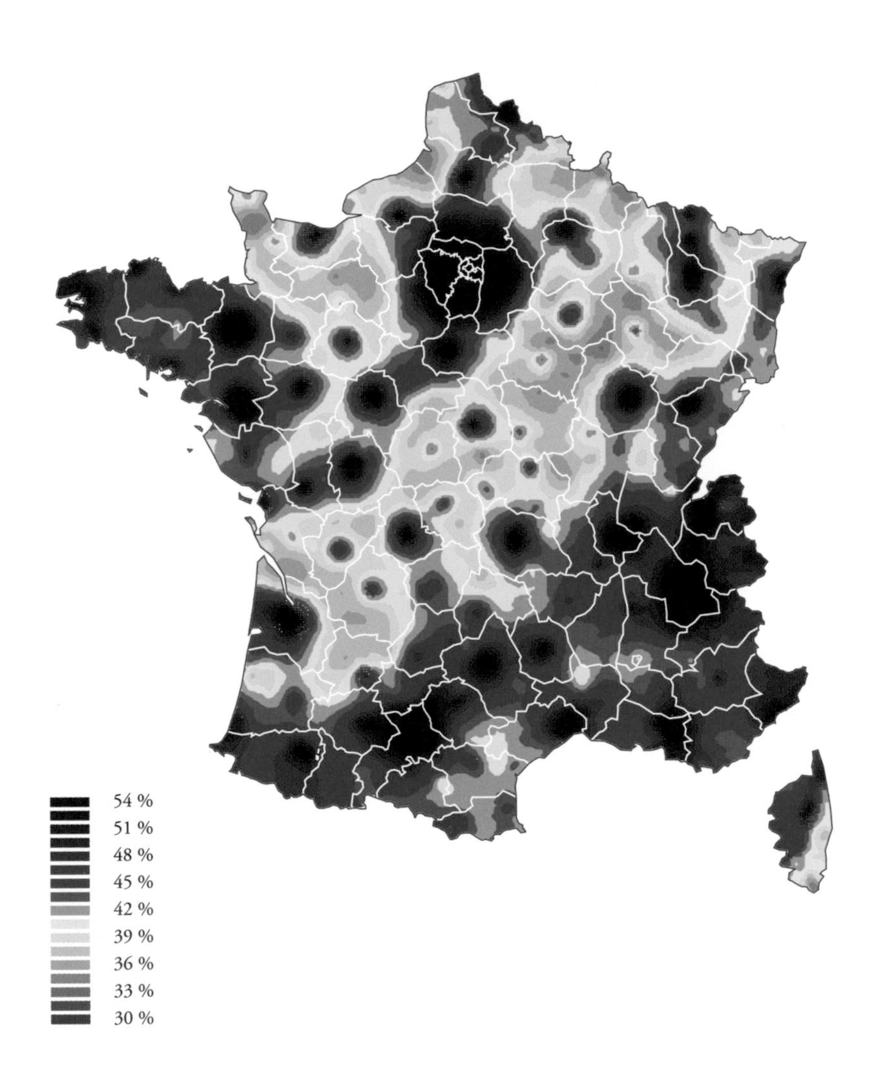

2-3 Avoir le bac vers 1995

Pourcentage de personnes âgées de 25 à 34 ans titulaires d'un bac général ou d'un diplôme universitaire en 2008 (recensement)

Viennent ensuite les pôles moins importants de Clermont-Ferrand, Poitiers, Dijon, Besançon, Nancy-Metz, Strasbourg, Lille. Et enfin Reims, Limoges, Caen, Rouen, Angers. Les villes sans université, ou faiblement universitaires, ont disparu de la carte : Le Havre, Cherbourg, Toulon, Béziers, Perpignan.

La constellation urbaine et universitaire, qui attire ou fabrique une population de jeunes diplômés, n'est cependant pas le seul déterminant visible sur la carte. On remarque un arrière-plan de zones plus vastes, qui ne renvoie plus désormais à la répartition dans l'espace des types familiaux mais à celle des tempéraments religieux. La masse verte des régions les moins favorisées sur le plan éducatif évoque, entre le cœur du Bassin parisien et l'Aquitaine, la forme de la déchristianisation, moins la façade méditerranéenne. On sent dans les masses périphériques rouges de Bretagne, du Sud-Ouest et de la région Rhône-Alpes la marque inverse du catholicisme.

L'opposition catholicisme/déchristianisation devient complète si l'on trace la carte des régions où, parmi les « bac et plus », la proportion des « plus » est la plus forte, c'est-à-dire la carte des régions où la probabilité pour les titulaires du bac de faire des études supérieures est la plus élevée (carte 2.4). La correspondance, quoique toujours perturbée par le phénomène urbain et universitaire, est alors impressionnante. Le Midi décroche des zones les plus avancées. Avec une grande exactitude, les régions catholiques sont celles où la préférence pour des études longues est la plus marquée. Les seules exceptions, zones d'avance éducative en pays de déchristianisation ancienne, sont la frange ouest du Bassin parisien, peut-être sous l'influence de Paris et de sa banlieue ouest, bien pourvue en universités, et quelques villes universitaires des régions laïques comme Limoges, Reims, Dijon et Orléans.

Les bastions du catholicisme, dans l'Ouest, l'Est, la région Rhône-Alpes, le sud du Massif central et les Pyrénées-Atlantiques, apparaissent tous comme des pôles de développement éducatif. C'est une revanche posthume pour cette religion qui s'était opposée à la Révolution et à la République sur le terrain de l'éducation.

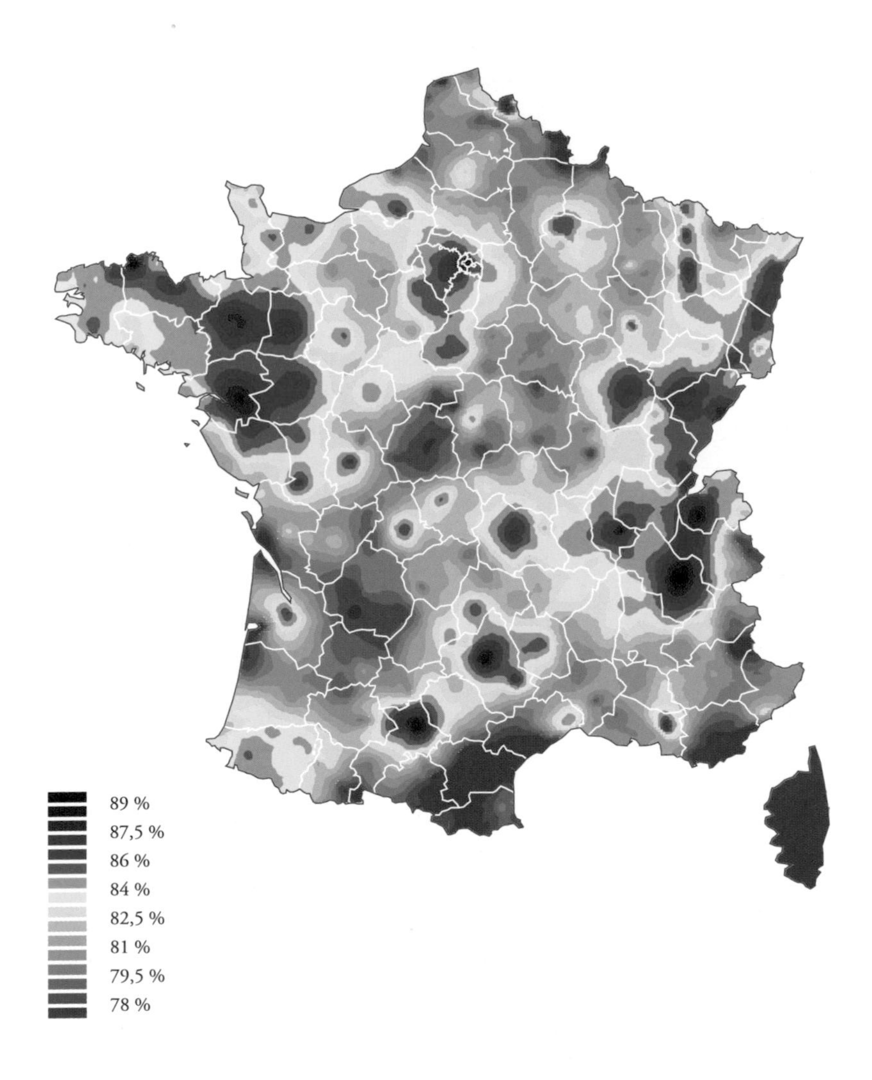

2-4 Au-delà du bac

Pourcentage de bacheliers (bac général) qui
ont obtenu un diplôme d'enseignement supérieur
(personnes âgées de 25 à 34 ans en 2008)

Les interprétations possibles sont presque trop nombreuses : tradition catholique d'encadrement et de coopération qui aide les individus jeunes dans leurs projets personnels, morale de l'effort, esprit de revanche aussi, porté par les lieux et par les familles... Mais l'efficacité apparente du catholicisme est surtout l'effet même de son extinction. Le catholicisme tardif, attaché à l'autorité du prêtre, opposé à la science comme à la liberté de l'individu, fut un facteur de résistance au progrès. L'effondrement ultime de la croyance là où elle vivait encore a libéré les énergies. Prenons un exemple dans le syndicalisme : la déconfessionnalisation de la CFTC, devenue CFDT en 1964, s'accompagna de la montée d'énergie typique des phases de transition. Le dynamisme nouveau de la CFDT conduisit au rééquilibrage d'un mouvement syndical jusque-là dominé par les forces laïques de la CGT et de la CGT-FO. Nous pourrions multiplier les exemples de percées nationales d'institutions d'origine catholique, « libérées » par la déconfessionnalisation, du journal *Le Monde* aux Éditions du Seuil. Ces phénomènes centraux illustrent toutefois déjà un passé et représentent, de notre point de vue, des préfigurations plutôt que la substance même du phénomène de la montée en puissance du « catholicisme zombie ». C'est dans le groupe des bacheliers des années 1991-2002 que le phénomène est le plus marqué et touche l'ensemble des provinces catholiques.

Un tel mécanisme évoque une poussée associée au moment de la libération plutôt qu'un avantage définitif. Rien ne nous permet d'affirmer que nous sommes ici confrontés à la carte ultime du développement éducatif. Les mutations rapides de la géographie du dynamisme scolaire au XXe siècle, du Nord-Est au Midi puis du Midi à la périphérie catholique – c'est-à-dire si l'on s'intéresse aux facteurs sociaux plutôt qu'aux lieux, de la famille nucléaire à la famille souche puis à une religion disparue –, incitent à la prudence.

Les laissés-pour-compte de l'éducation

Nous vivons désormais une stagnation éducative, une pause si nous sommes optimistes, dont l'une des manifestations est le maintien, au bas de la pyramide, d'une couche de « sans-diplômes » que nous définissons ici comme des individus sortis du système avec une qualification égale ou inférieure au certificat d'études. Ce titre scolaire désormais rare fut l'horizon positif des campagnes sous la IIIe République, il est aujourd'hui une marque d'échec[1]. La moyenne départementale de la proportion de sans-diplômes chez les 25-34 ans était de 12,2 % en 2008. Dans ce domaine comme dans beaucoup d'autres, la France est diverse : cet indicateur varie, de 6,6 % seulement dans le Finistère à 23 % dans la Seine-Saint-Denis. Dans ces valeurs extrêmes, nous sentons poindre la marque de l'immigration – la plus faible et la plus massive. Nous allons voir ici que les déterminants territoriaux différencient encore mieux les populations anciennement françaises qu'ils ne distinguent enfants d'immigrés et jeunes Bretons.

La répartition des « sans-diplômes » (carte 2.5), au contraire de celle des « bac et plus » (carte 2.3), ne met pas en évidence le phénomène urbain. Les difficultés éducatives des villes diffèrent peu de celles de leur environnement régional. Les sans-diplômes sont relativement rares dans les villes, banlieues et campagnes bretonnes, mais nombreux dans les villes, banlieues et campagnes du Bassin parisien. Les couches en difficulté éducative se déploient dans chaque région de manière homogène en bas de la structure sociale, horizontalement, surplombées par des couches d'éduqués moyens ou supérieurs dont les proportions relatives peuvent varier selon que le milieu est urbain universitaire ou non.

1. 0,6 % des 25-39 ans en 2008.

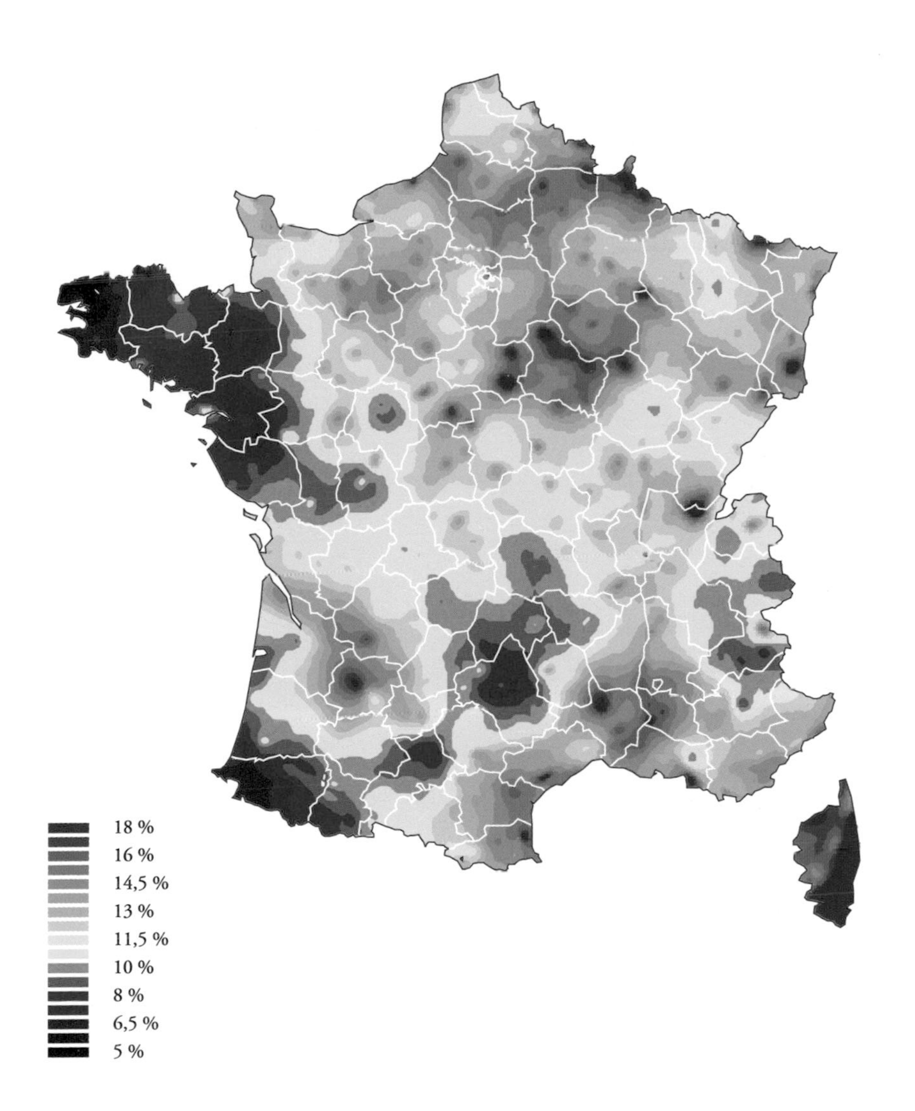

2-5 Sans diplômes

Pourcentage de personnes âgées de 25 à 34 ans
sans diplômes en 2008 (en vert les plus élevés)

La carte 2.5 met en évidence les difficultés éducatives de l'ancienne France des Lumières, le Bassin parisien s'adjoignant ici l'ensemble d'une épaisse façade méditerranéenne. Un pôle secondaire peut être repéré en Aquitaine, dont nous sentons qu'il pourrait finir par toucher le Bassin parisien, si la progression éducative reprenait partout, mais de façon ralentie sur l'axe Paris/Bordeaux.

Nous sommes ici confrontés à la combinaison de deux cartes, celle de la déchristianisation (carte 1.5) et celle de la vieille industrie du Nord et de l'Est, en cours de liquidation (carte 5.2). Triste ironie, nous retrouvons sur cette carte de la plus grande inégalité scolaire, dans le Bassin parisien et sur la Méditerranée, la trace des vieilles zones d'égalitarisme anthropologique, pays de villages groupés et d'égalité des enfants. L'Alsace, où les difficultés éducatives semblent abonder malgré le catholicisme, paraît une exception dans la performance. Mais son système scolaire aussi est une exception, puisque toujours placé sous le régime du Concordat de 1801. Il faudrait ici étudier l'effet spécifique de l'ambiance fortement confessionnalisée de la province sur les populations immigrées d'origine musulmane.

Difficultés de lecture

Beaucoup mettent en doute la qualité des diplômes et contestent la validité d'une mesure du progrès éducatif par la progression du nombre des titres scolaires. Nous avons nous-mêmes souligné que le caractère déclaratif du recensement pouvait induire une surestimation des niveaux. Reste que les données d'enquêtes qui mesurent par des tests spécialement conçus les difficultés scolaires valident, pour l'essentiel, la géographie des performances éducatives que nous venons de présenter. Au plus bas de l'échelle des compétences, nous trouvons alors les jeunes qui ont des difficultés à lire et à écrire. N'interprétons pas trop vite leur importance, aujourd'hui repérée et mesurée par des enquêtes, comme une régression par rapport à une « Belle Époque » de l'alphabétisation universelle. Rien ne nous garantit en effet que les citoyens français qui se déclaraient capables de lire au recensement de 1901 l'étaient parfaitement.

Le test réalisé durant la « Journée défense et citoyenneté » permet une cartographie précise des problèmes de lecture. En 2011, la moyenne des départements était de 9,5 % de jeunes en difficulté, soit 2,7 % de moins que les 12,2 % de sans-diplômes âgés de 25-34 ans en 2008. La stabilité des niveaux éducatifs dans les dix-sept dernières années nous permet de ne pas tenir compte du fait que les groupes d'âge comparés ne sont pas exactement les mêmes. L'écart est faible et, de plus, assez largement conventionnel puisque ces 9,5 % additionnent seulement les catégories les plus basses, « difficultés sévères » et « très faibles capacités de lecture », classant de fait les 9,4 % de « lecteurs médiocres » avec les 80,3 % de « lecteurs efficaces ». Au premier coup d'œil, la carte des jeunes qui lisent mal (carte 2.6) reproduit celle des sans-diplômes (carte 2.5). À nouveau, un grand Bassin parisien orienté nord-est/sud-ouest apparaît. La façade méditerranéenne cependant a disparu, tout comme l'Alsace.

Soustrayons, au niveau départemental, les proportions des mal-lisants de celle, plus élevée, des sans-diplômes. Nous obtenons la proportion des jeunes qui, bien que n'ayant pas de difficultés particulières de lecture, n'obtient finalement pas de diplôme. La carte résultante (carte 2.7), ressemble beaucoup à celle des Maghrébins (voir carte 2.8) sans que l'on puisse dire si le décalage vient du fait que seuls les jeunes de nationalité française se présentent, par définition, à la « Journée défense et citoyenneté », ou si l'écart vient de ce que des jeunes d'origine maghrébine ayant un niveau en lecture satisfaisant sont trop tôt écartés du système éducatif.

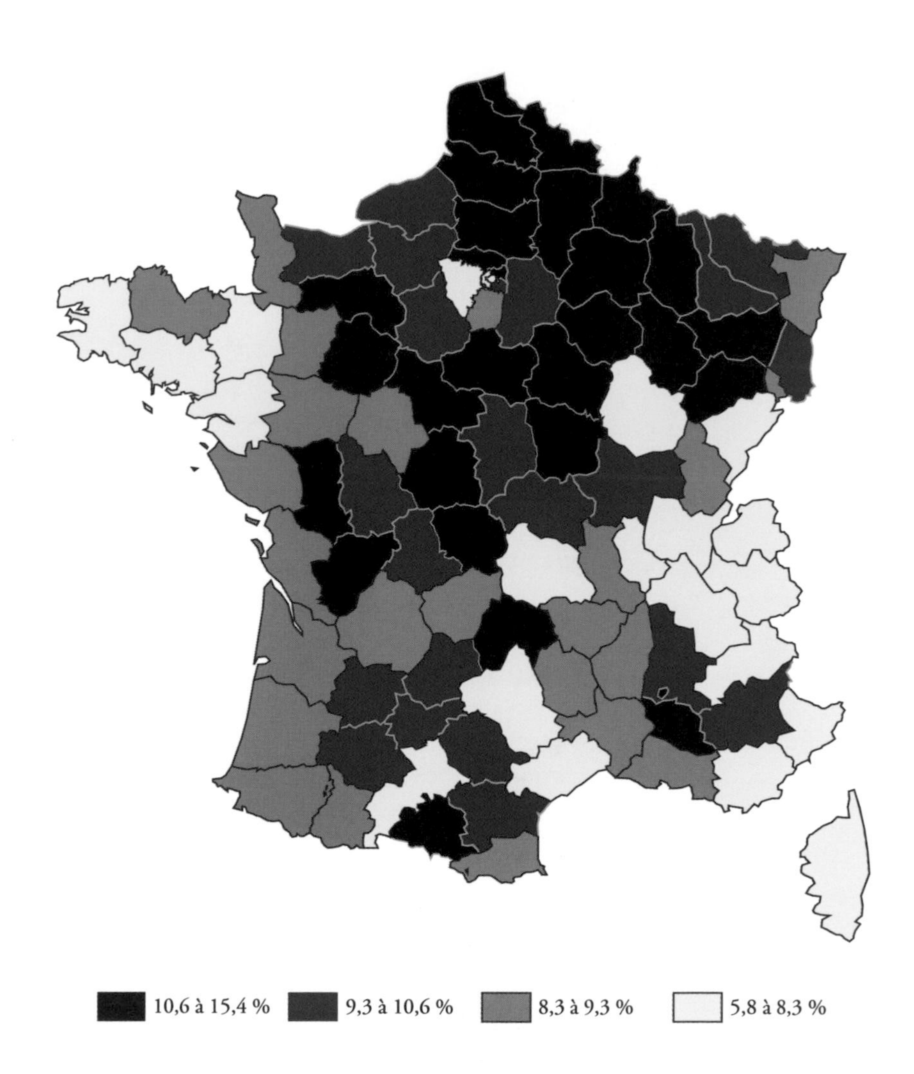

2-6 Difficultés de lecture

Pourcentage de jeunes éprouvant des difficultés de lecture lors de la journée « défense et citoyenneté » de 2009

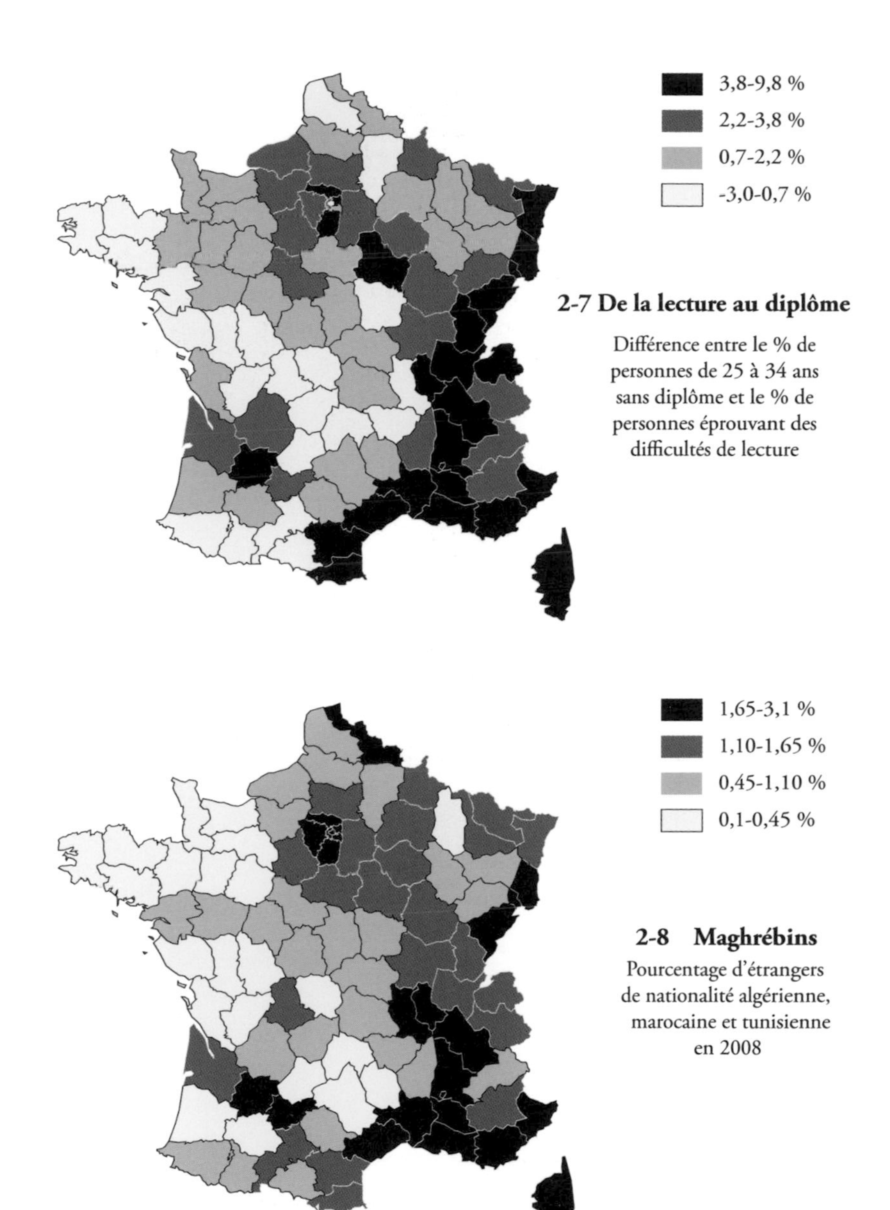

2-7 De la lecture au diplôme

Différence entre le % de personnes de 25 à 34 ans sans diplôme et le % de personnes éprouvant des difficultés de lecture

2-8 Maghrébins

Pourcentage d'étrangers de nationalité algérienne, marocaine et tunisienne en 2008

Des classes moyennes techniques rejetées

Ensemble, les « bac et plus » (48 % des individus) et les « sans-diplômes » (12 %) constituent 60 % des 25-39 ans. Restent 40 % de jeunes actifs titulaires du BEPC, d'un BEP, d'un bac professionnel ou technique. Ces 40 % centraux constituent une sorte de classe moyenne culturelle, que nous définissons, au contraire de tous les usages sociologiques français, par son rapport à la technique, à la transformation des choses, à la matière. La sociologie américaine des années 1950, qui intégrait une classe ouvrière alors prospère aux classes moyennes, n'aurait pas été choquée. Dans la France actuelle, culturellement dominée par les fidèles de la vieille éducation bourgeoise, l'une des réalités les plus difficiles à accepter est l'importante élévation du niveau de formation des classes populaires. La compression des salaires qui accompagne la globalisation économique touche certes les jeunes dont la formation est technique autant que les jeunes diplômés du supérieur. Mais l'évolution économique négative des dix dernières années ne doit pas nous faire oublier cette amélioration du niveau éducatif des milieux populaires, phénomène sans lequel nous ne pouvons comprendre l'évolution sociale et politique récente du pays. Si nous laissons de côté une poussière d'ultraprivilégiés sans substance statistique (1 % ou moins de la population), nous obtenons la vision, ni optimiste ni pessimiste, d'une société superposant – dans ses tranches d'âge jeunes et donc aussi dans le futur – trois couches : les classes moyennes proprement dites (48 %), des classes moyennes techniques (40 %) – soit au total 88 % qui ont énormément progressé –, et une frange de seulement 12 % de la population en difficulté éducative.

Les importantes variations entre régions ne font jamais disparaître cette structure ternaire fondamentale. Aux deux extrémités du spectre général, pour les sans-diplômes, deux départements délimitent la gamme de variation maximale : le Finistère avec seulement 6 % de sans-diplômes, 44 % de techniques et 50 % de supérieurs, la Seine-Saint-Denis avec respectivement 23 %, 32 % et 45 %. Paris avec 80 % de bac et plus, les Hauts-de-Seine avec 70 %, les Yvelines avec 60 % et la Haute-Garonne avec 62 % représentent des situations d'exceptionnelle domination par les couches éduquées supérieures, dont, ailleurs, le poids ne dépasse jamais de beaucoup 50 %.

Nous avons dit dans l'introduction comment le renversement de la pyramide éducative avait conduit la majorité des Français à regarder vers le bas plutôt que vers le haut de la société, à craindre de ressembler aux 12 % de « sans-diplômes », plutôt que de contester les 5 à 10 % d'éduqués supérieurs du passé. Cette anxiété est d'autant plus forte que le nombre de sans-diplômes est élevé, menaçant. La carte 2.5 qui décrit leur distribution dans l'Hexagone est donc peut-être aussi une carte de la peur du déclassement, surtout là où les classes moyennes techniques, qui vivent cette peur de manière plus intense, sont nombreuses, et les catégories supérieures faiblement représentées.

Nous allons maintenant décrire grâce à la cartographie la séparation physique, et donc mentale, qui s'est établie entre les classes moyennes supérieures et les classes moyennes techniques. Ce mécanisme d'éloignement contribue au glissement à droite du corps électoral et à l'impuissance d'une société qui se pense en révolte contre la régression économique néolibérale.

La carte 2.9 fait apparaître en rouge ces classes moyennes techniques chez les 25-34 ans. Cette carte présente de fait, en vert, son négatif, la somme des éduqués supérieurs et des sans-diplômes. C'est ici la carte type de la modernité urbaine qui apparaît, et non une carte anthropologique ou religieuse. Les classes moyennes techniques semblent rejetées sur la périphérie des zones urbaines. Elles sont très minoritaires dans les zones urbanisées les plus vastes et les plus dynamiques sur le plan éducatif comme l'Île-de-France, la région Rhône-Alpes, l'Alsace, la façade méditerranéenne entre Montpellier et Nice, la région toulousaine.

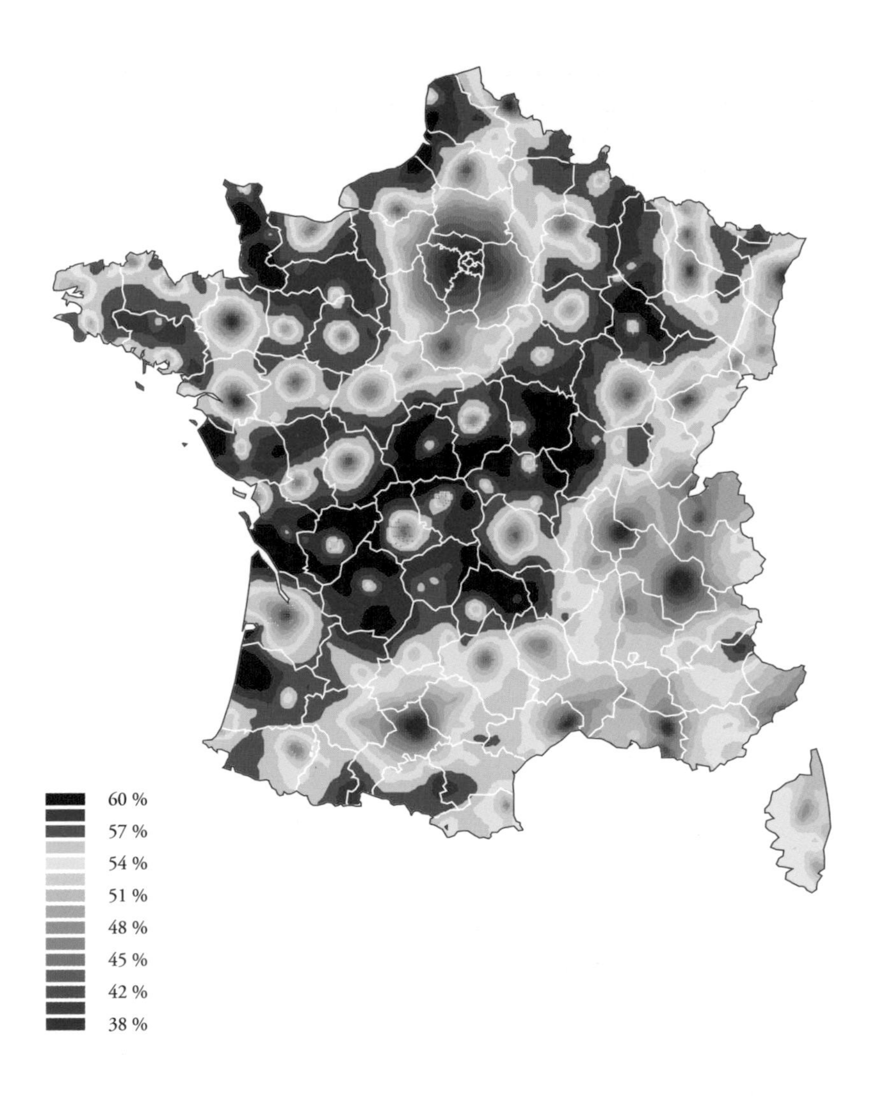

2-9 Une classe moyenne technique

Pourcentage de personnes âgées de 25 à 34 ans
ayant un diplôme technique (CAP, BEP, bac technique)
(en 2008)

La culture technique est périurbanisée et parfois ruralisée. Le réel progrès qu'elle représente est regardé de haut, ou plutôt perdu de vue, par les éduqués supérieurs qui occupent l'espace urbain central. Peut-être est-ce pour cette raison qu'une partie de la gauche recherche dans l'alliance entre jeunes éduqués supérieurs et enfants d'immigrés une nouvelle martingale électorale, ainsi que le recommandait en mai 2011 un rapport du « think tank » Terra Nova. Ce dernier annonçait l'émergence d'un nouvel électorat de gauche qui comprendrait les diplômés, les jeunes, les minorités des quartiers populaires et les femmes, catégories unifiées par « des valeurs culturelles progressistes ».

Une telle option ne résulte pas tant d'une analyse sociologique que d'une incapacité de l'idéologue urbain à regarder la France au-delà de son environnement immédiat, une ville magnifiquement éduquée, plaisamment colorée mais qui reste toutefois dominée par les hommes, ainsi que nous le verrons aux chapitres suivants. Mais reconnaissons à la vision de Terra Nova le mérite de ne pas être seulement économiste.

Avant d'aborder aux chapitres suivants l'inégalité entre les sexes, puis l'inégalité économique, nous allons nous éloigner un instant de la cartographie afin de mieux comprendre l'importance de l'inégalité éducative pour l'analyse prospective.

L'économisme contre l'éducation

Notre vision d'une stratification sociale déterminée par l'éducation doit surprendre le lecteur soumis à l'ambiance « économiciste » qui règne dans les sciences sociales. C'est pourtant bien en déplaçant l'attention de la morphologie économique vers la stratification éducative que le sociologue américain Daniel Bell avait pu saisir, en 1973, l'émergence d'une société postindustrielle définie par la montée en puissance des formations supérieures et de l'université[1].

Depuis, le basculement à droite de la pensée dominante a curieusement autorisé, aux États-Unis comme en France, la survie, la prolifération paradoxale du vieux matérialisme marxiste, sous la forme inversée du matérialisme néolibéral. Ce dernier s'est contenté de déplacer le primat de l'économie de la sphère industrielle vers la sphère financière, du travail productif vers l'argent.

Nous pensons quant à nous que, dans une société donnée, la conception dominante de l'égalité ou de l'inégalité doit beaucoup plus à la stratification éducative qu'à la spécialisation économique des individus et des groupes.

Le discours sur l'éducation est aujourd'hui abondant mais lui-même dominé par l'économisme. On voit dans les inégalités éducatives le reflet de la morphologie économique. On déplore, à gauche, que les enfants d'ouvriers soient sous-représentés dans les grandes écoles. Cette juste indignation conduit à ne pas comprendre l'autonomie et la puissance de l'élévation générale du niveau culturel de la société et la nouvelle stratification qui en découle. Répétons-le : la formation des jeunes définit la société du futur, la distribution des niveaux éducatifs des 25-39 ans en 2008 nous donne une image de la France, non seulement pour aujourd'hui mais, encore mieux, pour 2030. L'économie doit, dans une large mesure, s'adapter à une structure éducative faiblement élastique parce qu'elle évolue au rythme des générations. Si l'économie ne suit pas le mouvement de l'éducation, le niveau de vie baisse et la société entre en crise. Nous sommes au début d'un tel processus de désadaptation économique.

1. Daniel Bell, *The Coming of Post-Industrial Society, A Venture in Social Forecasting*, New York, Basic Books, 1973.

Michael Young et l'anticipation éducative

Dans *The Rise of the Meritocracy*, publié en 1958, Michael Young sut, le premier, lire dans le mouvement de l'éducation une menace paradoxale pour l'égalité[1]. Young, intellectuel travailliste né en 1915, écrivait au cœur de l'optimisme d'après guerre. Mais ce militant de l'éducation pour tous avait anticipé que la promotion des enfants les plus doués des milieux populaires allait tendre à fabriquer, au nom même du principe de l'égalité des chances, une nouvelle inégalité beaucoup plus cruelle, justifiée par la notion de mérite. Si les meilleurs atteignent le sommet de la société, au nom de quoi peut-on contester l'inégalité ? Young avait compris qu'une nouvelle stratification éducative pouvait engendrer blocage social, populisme et élitisme, notre monde en somme. *The Rise of the Meritocracy* se présente comme un court essai de science-fiction dont le narrateur parle en 2033.

« Selon les nouvelles règles, la division entre les classes s'est révélée plus forte qu'elle n'était selon les anciennes ; le statut des classes supérieures est désormais plus élevé, celui des classes inférieures plus bas [...]. Tout historien sait que le conflit de classe était endémique à l'époque antérieure au règne du mérite, et pourrait s'attendre, au vu de cette expérience passée, à ce que l'abaissement rapide du statut d'une classe sociale mène nécessairement à l'aggravation des conflits. D'où la question : pourquoi les changements du siècle dernier n'ont-ils pas mené à une telle situation ? Pourquoi la société est-elle stable en dépit du gouffre qui s'élargit entre le haut et le bas de la société ?

La raison fondamentale en est que la stratification sociale est désormais en accord avec l'idée de mérite, acceptée à tous les

1. Michael Young, *The Rise of the Meritocracy,* Londres, Penguin Books, 1958.

niveaux de la société. Il y a un siècle, les classes inférieures avaient leur propre idéologie – dans ses traits essentiels celle qui est aujourd'hui devenue dominante – et elles pouvaient l'utiliser à la fois pour progresser elles-mêmes et pour attaquer leurs dominants. Elles niaient la légitimité de la position des classes supérieures. Mais avec le principe nouveau, les classes inférieures ne peuvent plus avoir une idéologie spécifique s'opposant à l'*ethos* social dominant, pas plus que les ordres inférieurs n'en avaient à l'âge d'or du féodalisme. Dans la mesure où, en bas comme en haut de la société, on admet que le mérite doit régner, ceux des classes inférieures peuvent tout au plus chicaner sur la manière dont la sélection a été effectuée, mais non s'opposer à une norme à laquelle tous adhèrent. Rien de choquant à ce stade. Nous faillirions cependant à notre devoir de sociologue si nous n'étions pas capables de souligner que l'acceptation généralisée du mérite comme arbitre ne peut que condamner au désespoir et à l'impuissance les hommes nombreux qui n'ont pas de mérite[1]... »

La prédiction de Michael Young s'est révélée insuffisante sur deux points importants. Deux évolutions peuvent nous faire échapper au monde cruel et stable redouté par le sociologue britannique.

Tout d'abord, l'ampleur du mouvement éducatif vers le haut avait échappé à Young. Son modèle s'arrêtait à l'émergence d'une caste supérieure ne comprenant pas plus de 5 % de la population. Daniel Bell, au fond très influencé par Young, fut quand même sauvé du pessimisme radical par l'ampleur de la révolution éducative qu'il avait sous les yeux dans les États-Unis du début des années 1970[2]. L'hypothèse d'un renversement complet de la pyramide éducative, aujourd'hui caractéristique de la France après l'avoir été des États-Unis un quart de siècle plus tôt, n'était donc pas envisagée par Young. Nous avons certes noté les implications

1. *Ibid.*, p. 123-124.
2. *The Coming of Post-Industrial Society*, *op. cit.*, p. 408-410.

aujourd'hui négatives pour l'idéal d'égalité de ce renversement, qui explique le glissement à droite des classes moyennes techniques par la peur de ressembler aux 12 % d'en bas. Mais il est évident qu'une autre orientation reste possible, si les divers acteurs, confrontés aux difficultés économiques et à l'appauvrissement général, reprennent conscience de l'unité de la société, de son niveau éducatif élevé et de la solidarité qui pourrait exister entre éduqués supérieurs et éduqués techniques. Le regard porté vers les 10 % d'en bas pourrait redevenir fraternel au prix d'un effort moral minimal. La perception du comportement des 1 % ou des 0,01 % les plus riches pourrait devenir plus critique. La nature des valeurs transmises par le fond anthropologique – égalitaire ou non selon la société nationale ou régionale – devient alors un élément de prévision crucial.

Deuxième insuffisance prospective : Young n'avait pas anticipé la montée en puissance de l'argent qui allait découler de la nouvelle stratification éducative. Il imaginait une société fortement stratifiée par le prestige, dans laquelle les « méritocrates bénéficieraient certes d'avantages en nature – domicile ou voiture de fonction, aides domestiques –, mais dans laquelle les écarts de revenus seraient plutôt réduits. La menace était pour lui celle d'une société platonicienne, ou plus modestement soviétique, abominablement stable. L'inégalité culturelle a mené, nous le constatons aujourd'hui, à l'inégalité économique. Or l'argent, par le mécanisme d'accumulation sans limites qu'il enclenche, est déstabilisateur par nature. L'injustice et la pauvreté menacent, en aucun cas, la stabilité…

CHAPITRE 3

L'émancipation des femmes

L'émancipation des femmes n'est nulle part plus évidente que dans le domaine éducatif, qui apparaît bien, une fois de plus, comme le moteur de l'évolution sociale. Partout dans le monde, si l'on met de côté les sociétés antillaises, l'alphabétisation a été un phénomène d'abord masculin, les femmes suivant avec un temps de retard les hommes dans l'apprentissage de la lecture et de l'écriture. Le développement des éducations secondaire et supérieure, en revanche, est apparu très vite dominé, statistiquement, par les femmes. En France, depuis plus de trente ans, les filles constituent la majorité des bacheliers français : 57 % des admis au bac général en 2009[1]. À la même époque, parmi les jeunes ayant achevé leurs études depuis moins de six ans, 51 % des filles avaient un diplôme de l'enseignement supérieur contre seulement 37 % des garçons[2]. Les faits éducatifs ne doivent pas nous faire oublier la persistance d'inégalités économiques importantes – d'emploi ou de salaire – favorisant les hommes. Mais le caractère premier, en

1. L'avance éducative des femmes est typique des pays développés. En Europe, parmi les 25-34 ans, la proportion de femmes qui possèdent au moins un diplôme du secondaire est toujours plus élevée que celle des hommes, l'Allemagne seule faisant exception.

2. *L'État de l'école 2010*, ministère de l'Éducation nationale, p. 64-65.

termes de logique sociale, de l'évolution éducative, nous garantit que l'égalisation des conditions féminines et masculines est un phénomène irrésistible qui va continuer de s'affirmer dans les décennies qui viennent.

Le retard considérable de 14 % du sexe masculin dans la tranche d'âge 25-34 ans, préfiguration éducative du futur économique, pourrait même suggérer que nous vivons le début d'une dérive matriarcale du système anthropologique. Les choses ne sont toutefois pas si simples parce que la spécialisation selon le domaine d'études maintient deux pôles de résistance masculine, qui parfois se superposent : les filières scientifiques et les formations techniques.

Les filles constituaient 80 % des lauréats en lettres à la session de 2009 du bac général et 63 % en série économique et sociale, mais seulement 47 % en série S scientifique, ce dernier pourcentage représentant tout de même une hausse de 5 points par rapport à 1990. Au-delà du baccalauréat, et malgré les progrès récents des filles, un déséquilibre important persiste au profit des garçons pour l'accès, *via* les classes préparatoires, aux grandes écoles scientifiques.

Les spécialités tertiaires du bac technologique sont dominées par les filles (58 % de la filière « gestion » et 94 % de la filière « santé et social ») et les spécialités industrielles par les garçons (90 %).

Les femmes continuent donc de progresser dans les domaines scientifiques et techniques. Compte tenu de l'important retard accumulé par les hommes dans les formations littéraires et tertiaires, l'accession des femmes à la parité dans les domaines scientifiques et techniques signifierait un écrasement éducatif global des hommes. C'est alors qu'on devrait sans doute évoquer la naissance d'une société matriarcale. Nous nous éloignons certes ici des préoccupations conscientes d'une société qui s'inquiète, au présent et avec raison, des violences masculines et du retard des salaires féminins. Mais une approche anthropologique objective nous oblige à envisager cette possibilité indépendamment de tout débat idéologique, même si les statistiques interdisent une réponse immédiate.

Les données politiques, qui traitent du pouvoir, suggèrent quand même une accélération dans la période la plus récente, entre 2002 et 2012. La proportion de femmes à l'Assemblée nationale n'était que de 2,3 % en 1968, de 7,3 % en 1981, de 6,1 % en 1993. Elle atteint 10,9 % en 1997, 12,3 % en 2002, 18,5 % en 2007, 26,9 % en 2012.

La problématique est tout simplement fascinante : aucune société matriarcale n'a jamais existé dans l'histoire de l'humanité – hors des mythes, ceux des Grecs comme ceux des savants européens du XIXe siècle –, et une telle transformation représenterait une mutation de l'espèce, une victoire de l'évolution culturelle sur la nature originelle de l'homme.

L'analyse géographique des différences éducatives entre hommes et femmes va toutefois nous ramener à une vision plus conservatrice, en suggérant un ancrage anthropologique des spécialisations littéraires et tertiaires, ou scientifiques et industrielles.

Géographie de l'avance féminine

En 2008, selon les données du recensement, la proportion de femmes de 25 à 34 ans titulaires du bac général ou d'un diplôme de l'éducation supérieure était de 53 %, proportion tombant à seulement 39 % pour les hommes[1]. Ce mode de calcul révèle donc à nouveau un écart de 14 % entre hommes et femmes. Le retard moyen des hommes masque des différences importantes entre régions, que nous décrit la carte 3.1, avec des avances féminines s'étageant entre 7 et 20 %.

Les dynamiques éducatives régionales devraient expliquer une partie des différences : le dépassement des hommes par les femmes serait d'autant plus important que l'élévation du niveau global est

1. Moyenne des valeurs départementales.

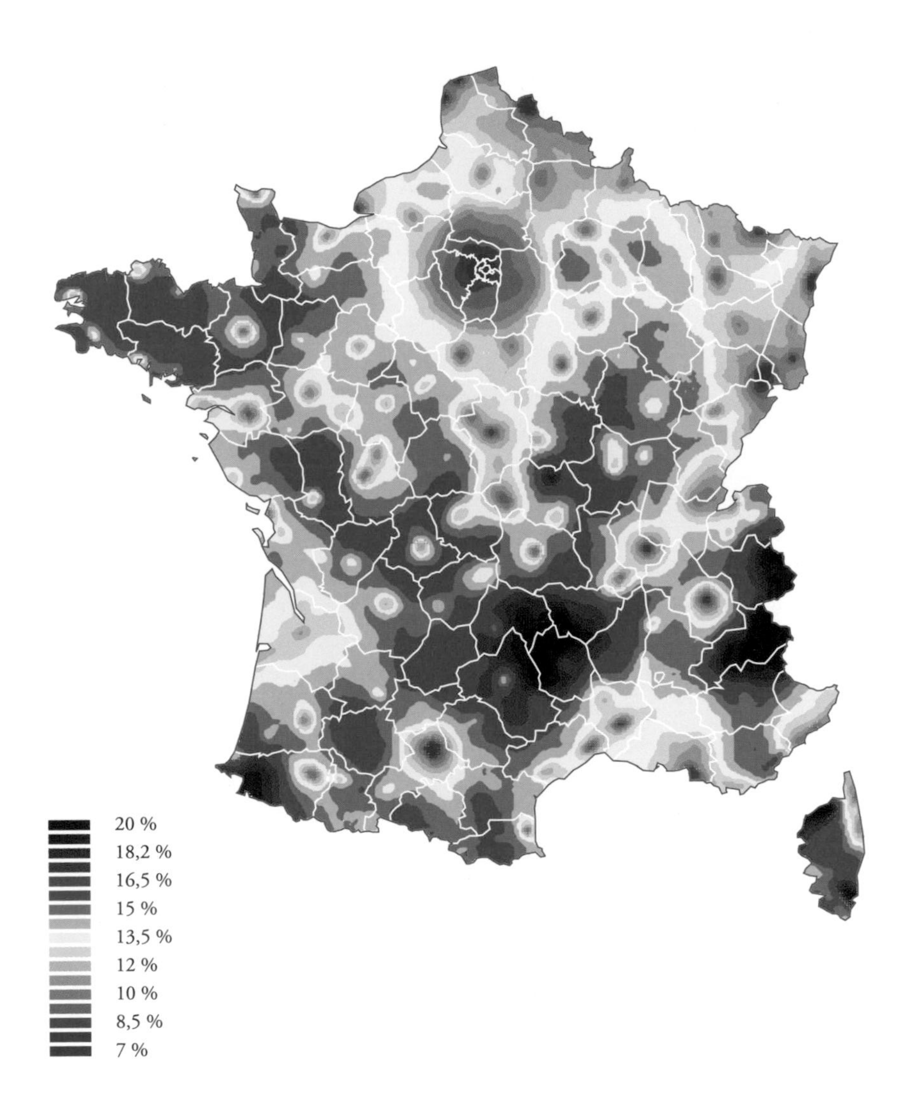

3-1 L'avance des femmes dans l'éducation

Différence entre la proportion de femmes et d'hommes âgés de 25 à 34 ans bacheliers ou diplômés du supérieur

plus rapide. Ce n'est pourtant pas cette corrélation qui apparaît sur la carte 3.1 ainsi qu'on peut le constater en la comparant à la carte 2.3, qui décrivait au chapitre précédant la proportion de la population titulaire du bac ou d'un diplôme supérieur, hommes et femmes confondus, très différente.

Trois facteurs permettent d'expliquer les variations de l'avance féminine dans l'Hexagone.

Industrie et conservatisme sexuel

Dans le Nord et l'Est, la résistance du monde industriel ancien au féminisme freine la montée du déséquilibre éducatif entre les sexes. Nous voyons apparaître ces régions en bleu sur la carte avec une avance féminine ne dépassant pas 7 à 12 %. Olivier Schwartz avait bien décrit, dans une enquête ethnographique réalisée entre 1980 et 1985, la séparation sexuelle des rôles dans une communauté ouvrière du sud de Lille. Il y a vérifié une situation très générale :

« [...] Les enquêtes d'opinion font régulièrement apparaître cette fidélité des catégories ouvrières à une nette division des rôles, ainsi que l'opposition parfois très tranchée entre leurs réponses et celles des classes moyennes ou supérieures. La méthode des "scénarios", consistant à interroger les enquêtés, non pas sur leurs positions de principe en général, mais sur ce que serait leur réaction face à telle difficulté précise, exposée sous la forme d'une histoire qu'on leur demande de compléter, met particulièrement bien en évidence les différences de réponses entre catégories sociales. Les classes populaires tiennent au primat masculin du travail et de l'autorité, comme elles défendent aussi, dans leurs réponses, la place "naturelle" de la femme auprès des enfants et du foyer[1]. »

1. Olivier Schwartz, *Le Monde privé des ouvriers*, *op. cit.*, p. 204-205. Les familles étudiées par Olivier Schwartz ne vivaient plus de la mine

Catholicisme et féminisme

Le catholicisme définit au contraire des pôles d'avance féminine en Bretagne, dans les Pyrénées occidentales, le sud-est du Massif central et les Alpes. Le lien unissant l'Église aux femmes à travers l'histoire doit être ici évoqué. Le rôle des épouses romaines puis des princesses barbares y fut capital dans l'épanouissement du christianisme européen. Clotilde, femme de Clovis, princesse burgonde et reine des Francs, est entrée dans le légendaire religieux français où elle figure en tant qu'agent de la conversion de son époux.

Sous la IIIe République, l'une des grandes peurs du radical-socialisme fut, avant comme après la séparation de l'Église et de l'État en 1905, une alliance conservatrice et sournoise des femmes et de l'Église. Leur crainte explique largement la résistance de la France au vote des femmes, accordé seulement en 1944. Sans apporter réellement une démonstration, la carte de l'avance éducative féminine en 2008, parce qu'elle porte dans sa partie positive la trace du catholicisme, suggère que les fantasmes misogynes des notables radicaux-socialistes ne contredisaient pas complètement la réalité socioculturelle.

Le catholicisme tardif fut extraordinairement centré sur le culte de la Vierge Marie, au point qu'Erich Fromm a pu le caractériser comme une religion à tendance matriarcale, au contraire du protestantisme luthérien, à tendance patriarcale.

« Alors que le catholicisme exhibe de nombreux traits patricentriques – Dieu le Père, la hiérarchie des prêtres masculins, etc. –, le rôle d'un important complexe matricentrique ne peut être nié dans son cas. La Vierge Marie et l'Église elle-même sont

comme leurs parents. Cette origine maximisait chez eux la dimension sexuée de la vie familiale, commune cependant à l'ensemble du monde ouvrier européen.

des représentations psychologiques de la Grande Mère qui abrite tous ses enfants en son sein… Le protestantisme, en revanche, a efficacement expurgé du christianisme ses traits matricentriques. Les substituts maternels, comme la Vierge Marie ou l'Église, en ont disparu, ainsi que les traits maternels de Dieu. Au centre de la théologie de Luther, nous trouvons le doute ou le désespoir du pécheur qui n'a aucune certitude d'être aimé[1]. »

Le frein de la culture industrielle et l'accélérateur de la tradition religieuse n'expliquent cependant qu'en partie l'avance éducative des femmes. Nous ne pouvons ici nous contenter d'une analyse statique de la carte, présupposant une immobilité des individus dans leurs régions de la naissance à la mort. Hommes et femmes bougent parfois, et de manières différentes.

La ville comme refuge masculin

L'émancipation des femmes est historiquement associée à l'émergence d'une société postindustrielle et à la prédominance du secteur tertiaire. Nous pouvons cependant observer sur la carte 3.1 que l'avance féminine reste mesurée, de l'ordre de 7 à 12 %, dans les agglomérations urbaines, comparable à celle qui caractérise les vieilles régions industrielles (en bleu sombre, voir notamment Paris, Toulouse, Lyon, Grenoble, Marseille, Bordeaux, Nice, Nantes et Strasbourg). C'est tout simplement parce que les femmes éduquées émigrent moins que les hommes éduqués vers les zones urbaines les plus vastes et les plus dynamiques.

Par effet de symétrie, l'écart entre hommes et femmes s'envole en zone « rurale », ruralité qui désigne ici tous les espaces non urbains, indépendamment de leur éventuelle spécialisation agricole.

1. Erich Fromm, *The Crisis of Psychoanalysis, Essays on Freud, Marx and Social Psychology*, Londres, Jonathan Cape, 1971, p. 130-131.

Ce qui est ici saisi est une association du dynamisme éducatif et du mouvement géographique, forte chez les hommes, moindre chez les femmes. Dans le contexte général d'une montée en puissance plus rapide de l'éducation féminine, on constate ici que cette éducation mène moins souvent les femmes à bouger géographiquement et socialement[1].

Le catholicisme et les hommes

Erich Fromm avait justement noté la coexistence, à l'intérieur du catholicisme – qui ne peut être décrit comme simplement « féministe » –, de traits matricentriques et patricentriques. Cette religion diverge cependant de façon assez nette de la culture républicaine centrale dans sa vision de l'homme idéal et de la masculinité, sur le plan professionnel notamment. La géographie des comportements sociaux porte dans ce cas la trace d'attitudes qui furent tout à fait conscientes jusqu'au XIXe siècle, mais qui sont aujourd'hui pour l'essentiel oubliées. La cartographie révèle ici des inconscients collectifs régionaux.

Dans le domaine de l'éducation technique, on l'a vu, les hommes l'emportent toujours sur les femmes. La carte 3.2 mesure cette avance masculine et, une fois encore, nous voyons ressurgir le « catholicisme zombie » comme un facteur social déterminant : il encourage l'enseignement technique masculin. Sa carte standard apparaît ici en rouge, avec la Bretagne, les Pyrénées occidentales, le sud-est du Massif central, les Alpes, le Jura, le Nord. Il y a, comme toujours, des exceptions puisque nos cartes saisissent les aléas de l'histoire avec autant d'efficacité que ses régularités. Le

1. Nous retrouvons ici peut-être sous une forme nouvelle le biais matrilocal si souvent associé au salariat, celui des ouvriers agricoles du Bassin parisien du XVIIIe siècle comme celui des ouvriers anglais du XXe.

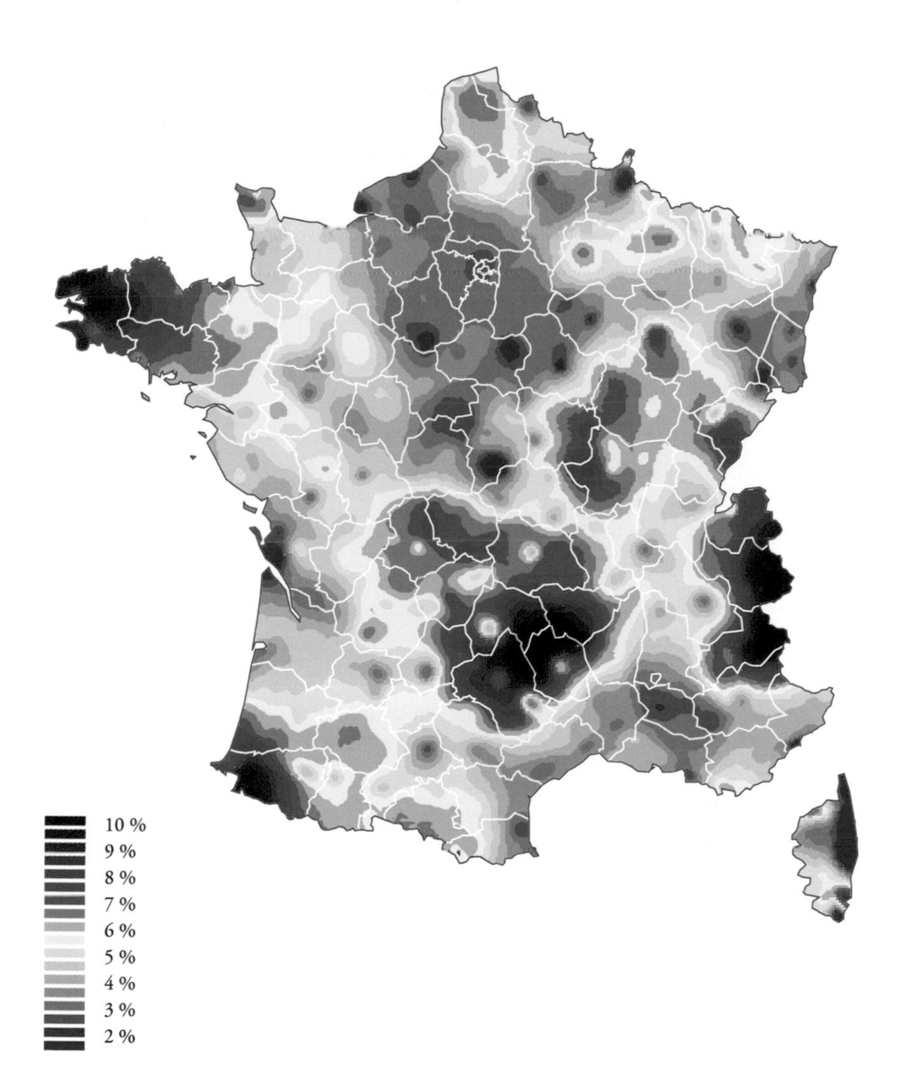

3-2 La résistance des hommes dans le technique

Différence entre le pourcentage d'hommes et de femmes
âgés de 25 à 34 ans en 2008 titulaires du BEP ou du bac technique

monde catholique perd l'Alsace, comme il est fréquent dans le domaine éducatif pour une province restée concordataire, mais il s'annexe le Limousin rouge ainsi que la Bourgogne et la Champagne laïques. Ces pertes mises à part, l'espace déchristianisé bleu apparaît en négatif dans toute son ampleur, parce qu'il n'assure pas aux hommes une avance considérable sur les femmes dans le domaine de l'enseignement technique.

La carte de France restitue la vision de l'homme qu'avait l'Église, et celle de sa rivale, la République. Le catholicisme valorisait le travail manuel et faisait de Joseph un charpentier. La Révolution pensait le citoyen indépendamment de son métier.

Ce respect du travail manuel est tout à l'honneur de l'Église mais nous devons souligner qu'il a longtemps accompagné une méfiance viscérale devant la vie intellectuelle et les livres. Cette posture catholique était née en réaction à la volonté protestante d'une éducation permettant à tous l'accès aux Saintes Écritures. Dans le contexte du décollage de l'éducation primaire, l'hostilité catholique à l'écrit avait puissamment contribué, à partir du XVIIe siècle, au blocage des développements de l'Italie, de l'Espagne et du Portugal. La France, certainement freinée, avait été sauvée de la stagnation par la déchristianisation précoce du Bassin parisien et la proximité géographique du monde protestant.

Dans le contexte actuel d'une société postindustrielle qui se détache de la production physique, cette attitude catholique n'a plus que des effets négatifs. Elle assure parfois un avantage de survie économique aux régions et aux groupes qui restent, grâce à elle, fidèles au travail manuel. En France, l'exemple le plus frappant est sans doute celui des immigrés portugais et de leurs enfants – originaires dans leur écrasante majorité du Nord, très catholique, de leur pays –, qui refusent les études longues pour s'engager rapidement dans des métiers manuels. Leur taux de chômage, au contraire de celui de tous les autres groupes immigrés, est inférieur à celui des citoyens français. Solution pour un groupe minoritaire, cette attitude ne peut toutefois que conduire un système national à la déroute, parce qu'elle exclut les études longues, c'est-à-dire les performances scientifiques et technologiques qui seules peuvent assurer la survie à long terme d'un pays dans le monde féroce de la globalisation.

Femmes de l'Ouest

Nous avons examiné le renversement du rapport de forces entre hommes et femmes en haut de la pyramide éducative, puis identifié une zone de résistance masculine dans l'enseignement scientifique et technique. Dans les deux cas, la carte d'un catholicisme matriarcal et favorable au travail manuel masculin semblait jouer un rôle important quoique non exclusif. Nous devons achever cet inventaire des nouvelles différences entre hommes et femmes par un examen de la situation en bas de l'échelle des performances éducatives. Au niveau national, on l'a vu, les « sans-diplômes » et les jeunes ayant du mal à lire et à écrire sont surreprésentés chez les garçons. La carte 3.3 indique la proportion d'hommes parmi les « sans-diplômes » de 25 à 34 ans en 2008. Cet indicateur varie dans l'Hexagone de 50 à 61,5 %, amplitude qui ne renvoie pas à des effectifs très importants parce qu'elle ne fait fluctuer qu'une moyenne nationale de 12 % de « sans-diplômes ». La carte est assez homogène, à une exception près, très significative, l'Ouest intérieur et breton, qui explose en rouge sur la carte. L'exception alpine n'a guère de sens compte tenu des petits chiffres : il s'agit d'un « effet moniteur de skis » dans des régions ne comprenant guère que des stations de sports d'hiver comme activité économique.

La proportion élevée d'hommes parmi les « sans-diplômes » de l'Ouest ne révèle pas un sous-développement masculin. Cette région, ainsi que le montre la carte 2.5 au chapitre précédent, est l'une de celles où le nombre global des « sans-diplômes » est le plus faible, compris entre 6 et 8 %. Ce qui émerge est une situation de performance féminine maximale, excellente introduction à la

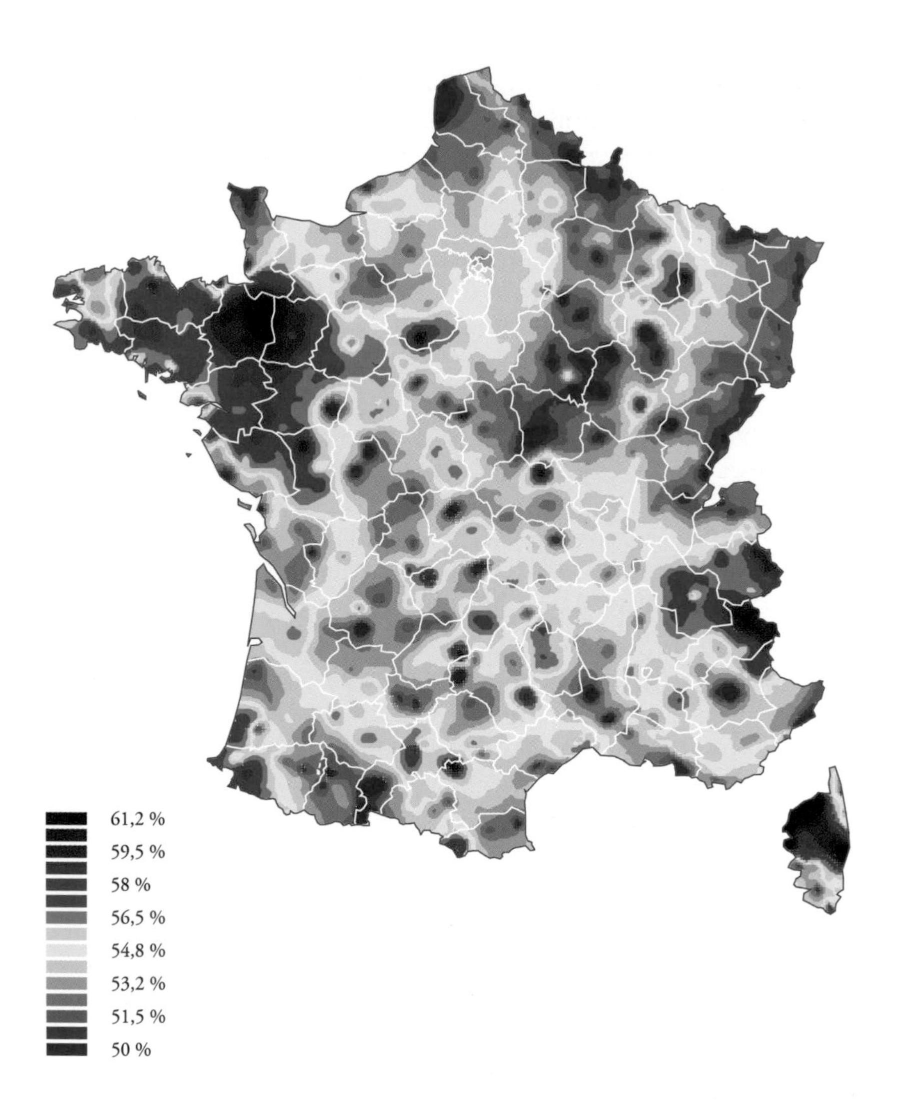

3-3 Hommes sans diplômes

Pourcentage d'hommes parmi les sans-diplômes dans la population âgée de 25 à 34 ans en 2008

position exceptionnelle des femmes de l'Ouest de la France. Un véritable matricentrisme de l'Ouest existe, indépendamment du fort catholicisme de la région, élément toujours actif du fond anthropologique régional. La place des femmes dans l'économie traditionnelle confirme leur position particulière.

L'émancipation des femmes apparaît aussi pleinement dans la vie professionnelle que dans le domaine éducatif, avec un temps de retard, primat de l'éducatif oblige. En 1968, les femmes constituaient 34 % de la population active, en 2008, 47 %, soit une augmentation relative près de 40 % en 40 ans. Nous pouvons observer une convergence vers le haut des régions françaises : vers 1968, la proportion de femmes dans la population active variait entre 21 et 42 %, c'est-à-dire du simple au double. En 2008, cet indicateur oscillait selon les régions entre deux bornes proches l'une de l'autre, 45 et 50 %, soit un écart maximal de 5 %. L'entrée des femmes dans le monde du travail a donc bien été un phénomène universel et massif, qui a contribué à une homogénéisation de l'Hexagone. La mutation cependant représente plus qu'une convergence, puisqu'elle inclut un changement de structure, et qu'elle fait apparaître un nouveau clivage dans l'espace national.

Vers la fin des Trente Glorieuses, en 1968, la carte de l'emploi féminin restait pour l'essentiel anthropologique et industrielle (carte 3.4). La participation féminine à l'emploi tombait entre 24 % et 20 % le long d'une assez épaisse bande industrielle au nord-est de l'Hexagone, en bleu foncé sur la carte. Nous saisissons ici l'une des expressions statistiques de la séparation des rôles masculins et féminins étudiée par Olivier Schwartz entre 1980 et 1985. Loin de cette zone d'industrie massive, on trouvait aussi une faible participation féminine le long de la Méditerranée, sur le côté sud-est de l'Hexagone. Ici, c'est le fond anthropologique patrilinéaire qui expliquait la moindre représentation des femmes dans la force de travail. La famille traditionnelle de la région méditerranéenne de la France, bien que nucléaire, laissait apparaître, on l'a vu, la force

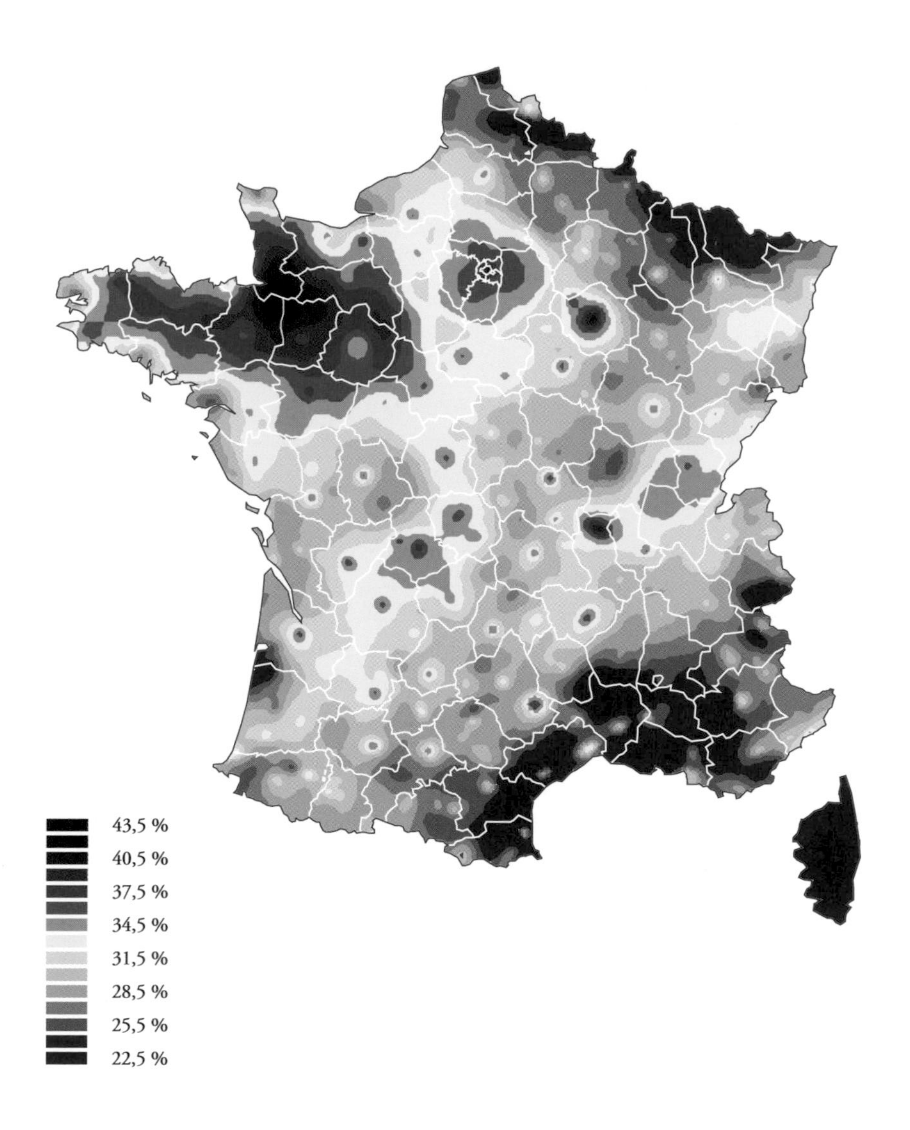

3-4 Femmes actives en 1968

Pourcentage de femmes dans la population active
âgée de 25 à 55 ans en 1968

des liens entre le père et ses fils dans des rapports de proximité et de coopération (voir carte 1.4). À l'opposé, la participation féminine à l'emploi était déjà très importante dans l'Ouest intérieur. Au cœur de cette zone, la proportion avoisinait les 40 % dès 1968.

L'Ouest intérieur, qui associe la Mayenne, l'Anjou, parfois la Bretagne de dialecte français et une partie de la Basse-Normandie, a rarement attiré l'attention des chercheurs, si nous mettons à part le classique *Tableau politique de la France de l'Ouest sous la IIIe République* d'André Siegfried, paru en 1913. Il est aujourd'hui calme, conservateur et silencieux. Mais il est aussi extrêmement typé dans ses comportements – hypernucléarité familiale, éducation et participation des femmes au travail et, ainsi que nous le verrons bientôt, forte fécondité – et illustre le fait que certaines provinces attirent moins que d'autres l'attention de la Nation. Nous avions déjà évoqué le cas de la discrète Champagne, opposée à l'ouest par ses comportements religieux et politiques, presque effacée par la notoriété de son vin. Des provinces plus périphériques, comme la Bretagne bretonnante, le Pays basque, le Béarn, l'Aquitaine, la Provence ou l'Alsace, sont plus présentes dans la conscience nationale. Très souvent, les provinces oubliées sont des pays de famille nucléaire, zones d'individualisme peu intéressées par la perpétuation des lignages et par leur mémoire généalogique. Elles se contentent d'exister, sans conscience historique particulière, et donc sans l'exigence d'une image précise dans la Nation. L'Ouest intérieur, hypernucléaire, est très logiquement le plus oublié des sous-ensembles qui constituent l'Hexagone. La froide objectivité de la statistique redonne sa juste place à ce système anthropologique fort en dépit de sa discrétion. Elle valide, hors du domaine politique, la description extrémiste de la région qu'en avait donnée André Siegfried sur le plan idéologique :

« La Normandie n'est que conservatrice. La Bretagne, au fond démocratique, évolue ou évoluera. Ce sont les provinces de l'Ouest intérieur qui constituent, en France, la forteresse ultime de l'esprit contre-révolutionnaire[1]. »

Belle prédiction. En 2013, la Bretagne est devenue l'une des provinces françaises les plus orientées à gauche et la Normandie est toujours aussi insaisissable. Mais l'Ouest intérieur reste, pour l'instant, de droite. La coïncidence curieuse, dans l'Ouest intérieur, de l'esprit contre-révolutionnaire et du féminisme pourrait ouvrir un domaine de recherche.

L'empirisme statistique conduit aussi à remettre en question un stéréotype bien ancré, celui du matriarcat « breton ». Le statut élevé des femmes bretonnes est le contraire d'un mythe ethnologique et les ouvrages qui en traitent sont absolument pertinents[2]. Il n'est cependant pas impossible que les charmes de la Bretagne et de la celtitude nous rendent aveugles au fait que l'épicentre de la zone où la femme jouit d'un statut élevé est peut-être l'Ouest intérieur plutôt que la Bretagne. Il existe un rapport structurel entre statut de la femme élevé et hypernucléarité. Dans un système familial nucléaire, le seul lien fort entre adultes est celui qui constitue la paire conjugale, tous les autres apparaissant secondaires. Le statut de la femme ne peut qu'être fondamental dans un système nucléaire pur. L'absolue nucléarité de l'Ouest intérieur renforce cette tendance et rehausse encore d'un cran le statut de la femme.

1. *Tableau politique de la France de l'Ouest*, Paris, Armand Colin, 1913 (réimp. Bruxelles, Éditions de l'université de Bruxelles, 2010, p. 73).

2. Voir Agnès Audibert, *Le Matriarcat breton*, Paris, PUF, 1984, et Philippe Carrer, *Le Matriarcat psychologique des Bretons*, Paris, Payot, 1983.

Interrogations urbaines en 2008

L'émancipation des femmes a propulsé toutes les régions au-dessus du seuil de 44 % de participation à la population active en 2008 (carte 3.5). Rien ne reste plus de la carte ancienne : en 1968, toutes les régions étaient au-dessous de 42 %, et en 2008, toutes sont au-dessus de 44 %.

En 2008, c'est le réseau des agglomérations et non plus un zonage anthropologique qui apparaît. Nous pouvons donc parler sans emphase particulière d'une mutation urbaine, postindustrielle et féminine de la société. Un examen attentif de la carte révèle toutefois que certains des déterminants anciens ne sont pas enfouis bien profondément. La zone industrielle du Nord est toujours un peu en retard, avec des taux proches du plancher de 44 %. Le système urbain de la moitié ouest de la France apparaît beaucoup plus féminisé que celui de la moitié est, et semble de plus avoir mieux entraîné son environnement périurbain et rural. Mais c'est maintenant une sorte de « centre-ouest et sud-ouest », entre Poitiers, Bordeaux et Cahors, qui est en pointe de l'émancipation des femmes par le métier. Cette émergence est inattendue parce que la région est intermédiaire sur le plan anthropologique. Cet espace occidental et méridional doit être lu comme l'inverse de la carte de l'industrie : l'entrée dans la société postindustrielle semble d'autant plus facile qu'il n'y a pas eu, localement, d'âge industriel.

La région parisienne reste cependant le cœur de l'évolution, large globe rouge à la jonction des zones avancées et en retard. Les deux grandes agglomérations de Toulouse et Grenoble sont en revanche absentes de la carte, reflet de la résistance masculine dans les métiers scientifiques et techniques.

La carte de la part des femmes dans la population active fait surgir un paradoxe lorsqu'on la compare à celle de l'avance

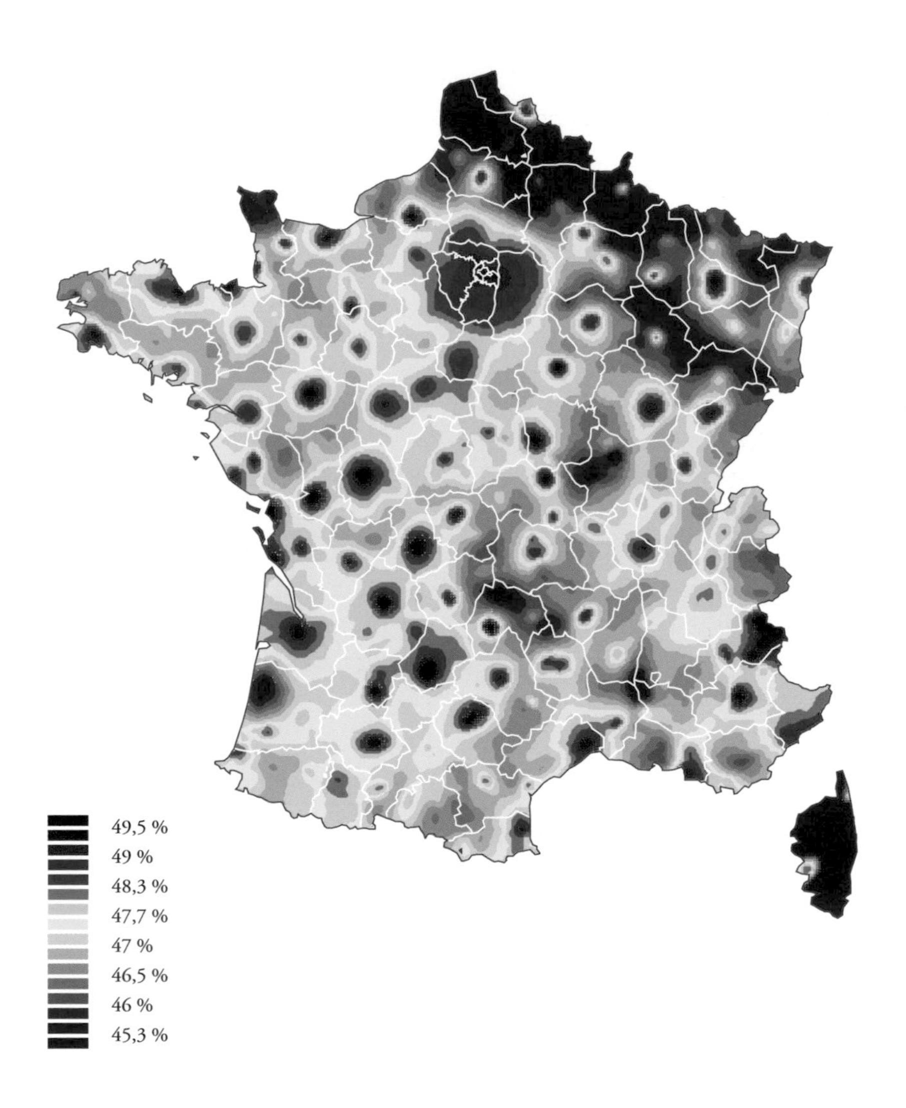

3-5 Femmes actives en 2008

Pourcentage de femmes dans la population active
âgée de 25 à 55 ans en 2008

éducative féminine (carte 3.1, titre égal ou supérieur au bac). Aucune discordance n'apparaît dans le cas du Nord-Est où accès aux études longues et accès au marché du travail marquent tous deux un temps de retard par rapport à l'ensemble national. Mais ailleurs, une discordance apparaît en zone urbaine : la main-d'œuvre y est très féminisée mais l'avance éducative des femmes reste minimale. Cela ne signifie nullement que l'émancipation par les études et le travail est un leurre puisque nous trouvons bien, dans les agglomérations, d'une part une quasi-égalité entre hommes et femmes sur le marché du travail et, d'autre part, une légère avance éducative des femmes sur les hommes. Mais le maximum d'accès au marché du travail s'observe souvent dans des villes où l'avantage éducatif féminin est le moins grand. Nous sentons ici le reflet d'une organisation du travail combinant direction masculine très éduquée et main-d'œuvre féminine plus moyennement éduquée. Les féministes qui insistent sur l'inachèvement de l'émancipation n'ont pas tort de souligner que des pôles stratégiques de pouvoir masculin subsistent : ici, en haut des organisations et donc dans les zones urbaines.

Le travail à temps partiel : retour au catholicisme

L'examen du travail à temps partiel conduit à une interrogation beaucoup plus générale sur la nature de l'émancipation féminine. Le fait qu'il soit plus fréquent pour les femmes que pour les hommes n'impliquerait pas à lui seul qu'il exclue la possibilité d'une réelle autonomie. Mais voir la carte de ce travail à temps partiel (carte 3.6) des femmes s'insérer, avec un niveau élevé de précision, dans celle de la religion (1.5) peut nous faire douter de l'unicité du concept d'émancipation. En 2009, la proportion de femmes de 25 à 55 ans travaillant à temps partiel variait selon le

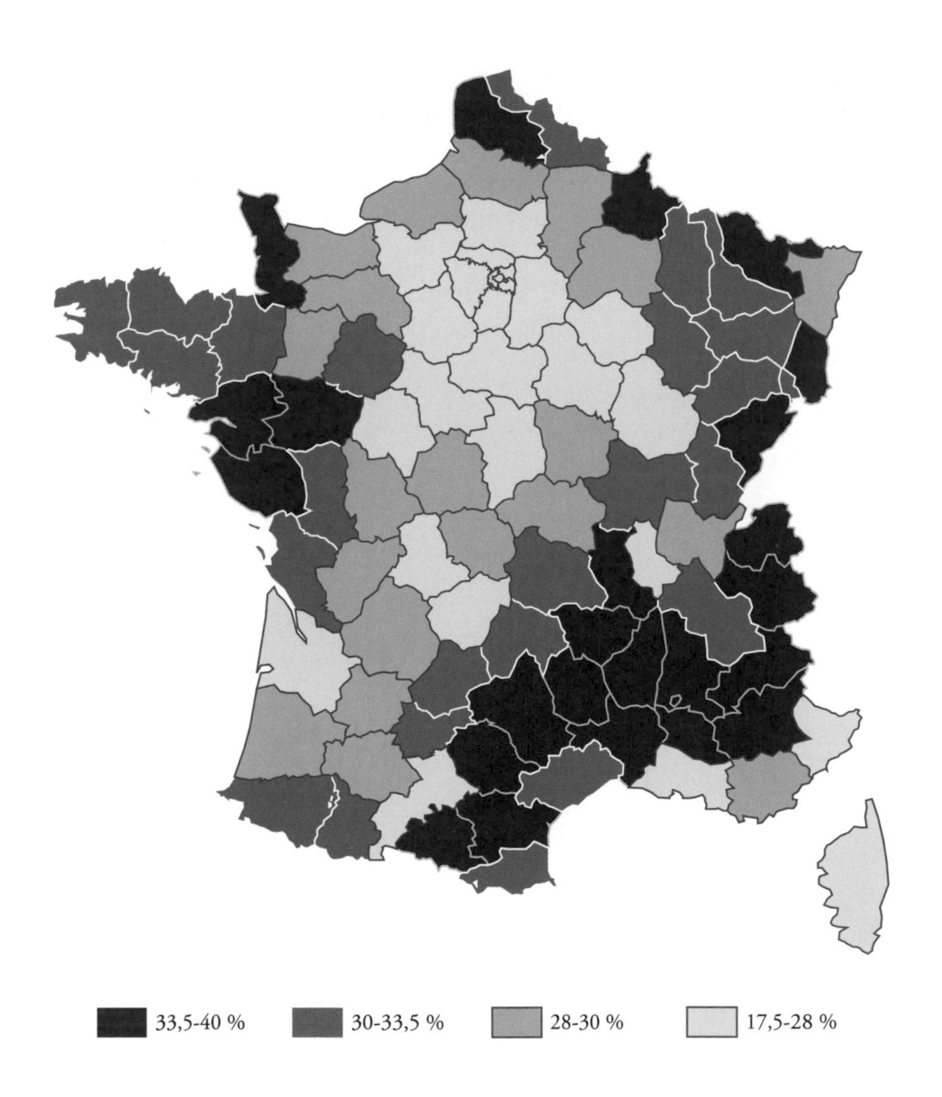

3-6 Femmes à temps partiel

Femmes de 25 à 54 ans travaillant à temps partiel en 2009
(en pourcentage des femmes actives de la même classe d'âge)

département, avec une très grande amplitude, entre 18 et 40 %[1]. Les grandes villes de l'Ouest suivent leur région.

Ce que nous retrouvons dans le cas du travail est l'ambivalence fondamentale du catholicisme, ici du « catholicisme zombie », vis-à-vis des femmes. S'il admet pleinement leur existence spécifique dans la réalité du monde social, il leur affecte cependant un rôle spécifique, ne leur accordant pas le statut d'« être humain en général ». Elles peuvent travailler, mais leur place reste à la maison, ce que le temps partiel autorise. Les régions centrales déchristianisées, qui résistèrent au droit de vote des femmes par tactique politique, ont beaucoup moins de mal à leur donner, par le travail à temps plein, le statut d'« être humain en général », de citoyenne pleine et entière.

1. Le coefficient de corrélation avec la pratique religieuse vers 1960-1965 est de +0,70.

CHAPITRE 4

La famille est morte, vive la famille

L'analyse géographique des performances éducatives nous a montré que l'une des bizarreries de la France actuelle était la montée en puissance des régions traditionnellement catholiques au moment même où cette religion disparaissait en tant que croyance métaphysique. Nous allons maintenant devoir affronter un paradoxe complémentaire, la fin de l'influence du catholicisme dans ce qui fut son domaine d'excellence, la régulation de la vie familiale et de la sexualité.

Sur la famille, le mariage, la sexualité, l'Église a été depuis l'origine intarissable. Elle a fini par faire du mariage un sacrement, indissoluble. Ce mariage devrait être, selon elle, le cadre de toute vie sexuelle, et la procréation l'objectif unique de toute vie sexuelle. La contraception, insulte à la volonté de l'Éternel sans doute – « croissez et multipliez » –, est proscrite. Dans un accès de réalisme, et pour tenir compte des dures réalités de la vie dans des sociétés paysannes aux ressources limitées, l'Église a admis la possibilité pour les femmes de retarder leur mariage et d'éviter ainsi une descendance trop nombreuse. Concession facile : au-dessus même de la vie sexuelle dans le mariage, l'Église avait toujours placé l'excellence morale de la chasteté et du célibat.

Il existe donc un « type idéal » démographique de la famille catholique associant âge au mariage élevé, fécondité forte, naissances illégitimes peu nombreuses. Dans l'histoire démographique de la France, la constellation des provinces catholiques fut souvent visible, parfois éclipsée mais toujours renaissante, tout du moins jusqu'aux années 1990-2010, moment d'une disparition sans doute définitive. Au niveau départemental, la corrélation entre le nombre d'enfants par femme et la pratique religieuse était en 2009 tombée à +0,04, ce qu'on peut considérer comme nul. Cette absence de relation entre religion et fécondité apparaît d'une autre manière à l'échelle européenne, puisque les pays de tradition catholique peuvent aussi bien avoir les fécondités les plus fortes, comme la France ou l'Irlande, que les plus faibles, cas de l'Espagne, de l'Italie et du Portugal.

La très réelle libération des mœurs après 1968 n'a cependant pas aboli toute détermination anthropologique puisque la carte de la fécondité, tout comme celle des naissances hors mariage, débarrassée de l'influence religieuse, laisse désormais apparaître la matrice des types familiaux les plus anciens qui se partageait l'espace français. Cette correspondance est particulièrement frappante lorsque l'on réalise une carte de la fécondité utilisant des données communales lissées.

La fécondité en 2006

La carte de la fécondité réalisée au niveau le plus fin (4.1) ne révèle aucun rapport avec la géographie du catholicisme. Elle fait en revanche apparaître un lien entre la complexité des structures familiales et la fécondité. La faiblesse de l'indicateur simultanément dans le Sud-Ouest et en Alsace évoque la carte la plus classique de la famille souche dans l'espace français. La France la plus féconde est, sans que la correspondance soit parfaite, celle de la famille nucléaire, avec une signature anthropologique qui authentifie l'interprétation,

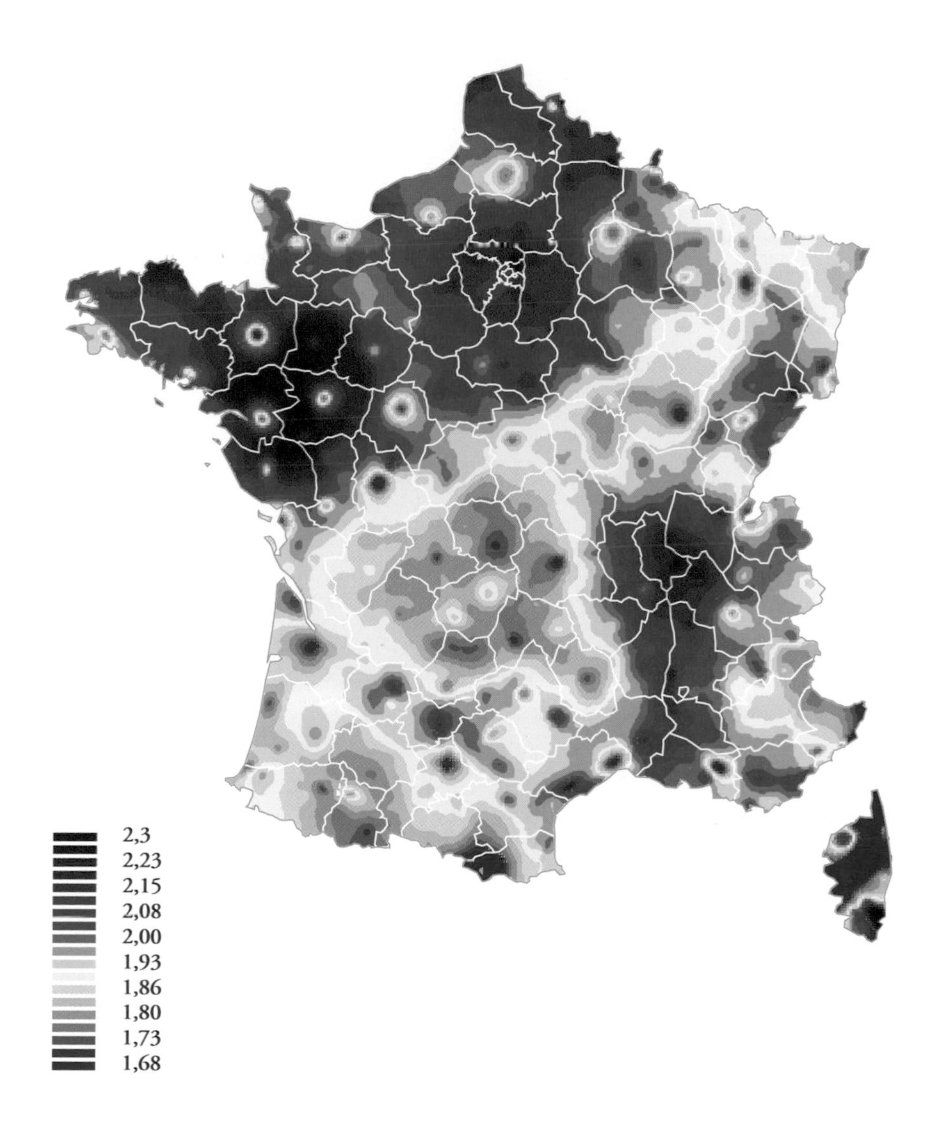

4-1 Fécondité

Indice conjoncturel de fécondité en 2006

TABLEAU 3
Corrélations entre la fécondité, le catholicisme et la complexité familiale

Année	Catholicisme	Complexité familiale
1831	0,02	0,05
1861	0,11	0,01
1891	0,43	0,01
1911	0,47	-0,07
1926	0,42	-0,19
1954	0,12	-0,51
1962	0,2	-0,53
1968	0,29	-0,53
1975	0,38	-0,53
1982	0,28	-0,64
1990	**0,06**	**-0,7**
1999	0,09	-0,55
2005	0,14	-0,36
2009	0,04	-0,39

Sources : INSEE (mouvements de la population), recensement de 1999, et François-André Isambert et Jean-Paul Terrenoire, *Atlas de la pratique religieuse des catholiques en France*, Paris, Presses de Science Po, 1980.

la fécondité maximale dans la région hypernucléaire de l'Ouest intérieur. La cartographie ne permet de taire aucune exception et nous notons sur la carte que la fécondité élevée du Nord nucléaire semble se répandre assez largement vers le sud le long de la vallée du Rhône, autour de l'axe Lyon/Marseille. Ainsi qu'on l'a vu plus haut, cette région fut tardivement et de façon incomplète le siège de la famille souche. Elle est aujourd'hui comme autrefois un axe de migration majeur. Un pôle récent de basse fécondité en région nucléaire est récemment apparu en Côte-d'Or, autour de Dijon, ville dont nous avions déjà relevé au chapitre premier la poussée éducative.

Ces irrégularités n'empêchent pas la mesure de corrélations très significatives à certaines dates.

En 2009, le coefficient de corrélation départemental entre famille nucléaire et fécondité reflète imparfaitement la proximité des cartes puisqu'il n'est plus que de -0,39. Mais en 1990, il était de -0,70, point maximal d'une intensification presque continue de la relation famille nucléaire/fécondité à partir de 1900.

Adieu la religion, bonjour la famille

La longue durée des années 1830-2010 nous permet de suivre l'étonnant chassé-croisé des déterminants religieux et familiaux. L'évolution des corrélations entre fécondité et pratique religieuse, et entre fécondité et complexité familiale, décrit avec précision la montée en puissance des structures familiales qui a accompagné l'effacement de l'effet religieux.

La relation statistique entre catholicisme et fécondité fut longtemps structurellement importante bien que les chiffres donnent l'impression fausse d'un mécanisme cyclique. La corrélation apparaît nulle en 1831 parce que le nombre élevé de femmes célibataires en région catholique y fait alors disparaître la très réelle surfécondité des femmes mariées. Notons un effet religieux maximal en 1911, à la veille de la Première Guerre mondiale (corrélation +0,47), une chute au lendemain immédiat de la Seconde Guerre mondiale, à +0,12 en 1954, suivis de façon tout à fait significative d'une remontée de la corrélation globale à +0,38 en 1975. À nouveau, les Trente Glorieuses apparaissent comme une période conservatrice sur le plan des mentalités. Mais on voit déjà dans cette période une détermination supérieure de la fécondité par les structures familiales anciennes, avec une corrélation comprise entre -0,51 et

-0,53 entre 1954 et 1968. Le signe négatif indique que la fécondité est d'autant moins élevée que la famille est plus complexe.

Frédéric Le Play et bien d'autres idéologues conservateurs avaient dénoncé au XIXe siècle l'effet destructeur du code civil égalitaire sur la fécondité française. La division obligatoire des héritages aurait, selon eux, mené à une restriction volontaire des naissances dans le but d'obtenir des héritiers uniques. Une telle attitude aurait dû toucher spécifiquement les régions de famille souche où le code civil menaçait la règle de l'héritier unique, notamment dans le Sud-Ouest. L'anthropologue Georges Augustin a résumé la situation par une formule : « Au nord de la Loire, on héritait d'un nom qu'on pouvait partager ; au sud, on héritait d'une maison qu'on ne pouvait pas partager. » Les coefficients de corrélation entre famille complexe et nombre d'enfants par femme, nuls ou insignifiants jusqu'à l'entre-deux-guerres, ne révèlent rien de tel. Le catholicisme pesait alors plus que la famille dans la détermination des comportements, menant, lorsqu'il y était fort, les pays d'héritiers uniques à une fécondité dépassant le niveau nécessaire à la reproduction des lignages.

Il faut attendre la fin de la Seconde Guerre mondiale, soit près d'un siècle et demi, pour que la fécondité réagisse au fond anthropologique. Le baby-boom a principalement touché les régions de famille nucléaire : Bassin parisien, région lyonnaise, vallée de la Loire avant même l'extinction du catholicisme. Les régions de famille complexe ne furent guère concernées par l'extraordinaire mutation familiale qui s'est alors produite : quasi-disparition, à la fois, des familles nombreuses et des couples sans enfants ou avec enfant unique, au profit des familles de 2 ou 3 enfants.

Une fois le catholicisme hors-jeu, particulièrement après 1982 et 1990, la corrélation entre famille nucléaire et fécondité forte est devenue maximale. La coupure entre régions laïques et régions catholiques masquait ou recouvrait l'influence de la structure familiale. La religion disparue, la structure familiale a pu manifester pleinement sa puissance.

À partir de 1975, les moyens modernes de contraception et la possibilité de l'IVG ont dissipé le brouillage que causait jusqu'alors une maîtrise imparfaite de la fécondité. Durant les années 1960, les enquêtes de Jean Sutter montraient qu'un tiers environ des naissances n'étaient pas désirées. Depuis la seconde moitié des années 1970 la fécondité effective représente presque exactement le nombre d'enfants désirés. C'est alors qu'apparaît dans toute sa force la relation positive entre famille nucléaire et fécondité.

La famille nucléaire, on l'a dit plus haut, n'admet comme relation fondamentale que la paire conjugale. Dans un tel système anthropologique, les autres liens entre adultes ne sont pas niés, mais ils restent secondaires. Or ce qui justifie pleinement l'existence du couple est sa capacité à procréer, à s'incarner dans une descendance qui, idéalement, comprendra deux enfants, comme il y a deux parents. La descendance ne peut évidemment être un reflet parfait puisque les paires d'enfants ne vont que dans la moitié des cas être constituées d'un garçon et d'une fille. En région de famille complexe, à l'inverse, la persistance de liens entre les jeunes adultes et leurs familles d'origine signifie *a priori* que les enfants ne sont pas tout. Ils définissent certes la continuation d'un lignage, mais d'un lignage qui n'a besoin que d'un seul enfant pour se poursuivre.

La décision de reproduction est par essence mystérieuse, et pas seulement pour le démographe. Les futurs parents sont mus par des représentations inconscientes qu'ils ne maîtrisent pas. Des facteurs sociaux et économiques multiples brouillent la séquence logique qui associe la paire conjugale à une forte fécondité, la famille lignage à de faibles fécondités. Reste que la coïncidence géographique entre la famille nucléaire et une fécondité supérieure à 2 enfants par femmes, et entre la famille souche et une fécondité inférieure à 1,8 enfant par femme, est suffisamment nette pour que l'on considère comme utile cet élément d'explication.

Les écarts de fécondité entre régions françaises sont aussi importants que ceux qui existent entre pays européens, légèrement décalés vers le haut. Les régions de famille souche françaises atteignent des nombres d'enfants par femme compris entre 1,6 et 1,8, quand un pays de famille souche comme l'Allemagne n'est qu'à 1,4. La fécondité de la France nucléaire du Nord se situe quant à elle entre 2,2 et 2,5, supérieure à celle d'un pays de famille nucléaire comme l'Angleterre, qui tourne autour de 2.

Éducation des femmes et basse fécondité

Un élément a accru temporairement la différence de fécondité entre les régions de famille nucléaire et celles de famille complexe : l'éducation des femmes. Ainsi qu'on l'a vu au chapitre 2, les générations féminines en âge d'enfanter entre 1975 et 2000 étaient plus diplômées dans les régions de famille complexe du Sud que dans celles de famille nucléaire du Nord. Or c'est une constante qu'à l'échelle mondiale, la fécondité diminue avec le niveau d'éducation des femmes. La relation n'est pas mystérieuse et traduit seulement l'aspiration des femmes à obtenir les mêmes places que les hommes dans la société, refusant d'être cantonnées dans le rôle de mère et de reproductrice. Aujourd'hui, la faible fécondité des femmes éduquées des régions françaises de famille complexe n'obéit donc plus au vieil objectif masculin de n'avoir qu'un seul héritier mâle, elle exprime à l'inverse une sortie de l'ancien système patriarcal. Ce glissement interprétatif est important sur le plan théorique parce qu'il permet une vision mesurée et raisonnable de la détermination anthropologique : la mémoire des lieux n'exclut pas le changement et l'histoire. La famille souche du Sud-Ouest est visible sur la carte de la fécondité en 2009. En effet, ce type familial a encouragé l'éducation secondaire, notamment celle des femmes des générations d'après guerre, et leur émancipation éducative a entraîné une basse fécondité, d'où la corrélation maximale entre famille complexe et fécondité en 1990.

Ensuite, l'histoire continue. La corrélation entre structure familiale et fécondité repart à la baisse à partir de 1990 pour tomber à -0,39 en 2009. Le niveau d'éducation féminine a partout atteint un niveau suffisant pour favoriser la modernisation démographique. Les régions de famille complexe perdent leur spécificité dans ces domaines.

Vers 1990, nous pourrions trouver bien d'autres exemples d'une modernisation mentale temporairement guidée par les structures familiales complexes de l'Occitanie. L'une des plus surprenantes est celle de l'homosexualité masculine. L'apparition du sida, par les décès qu'elle a malheureusement entraînés, a permis de tracer la carte de l'homosexualité masculine à l'époque où n'existait aucun traitement. La carte 4.2, qui présente les décès résultant du sida contracté par rapports homosexuels et bisexuels, cumulés au 1er mars 1990, fait apparaître l'Occitanie et la région parisienne comme particulièrement touchées[1]. Ce phénomène n'est que paradoxal : la reconnaissance de l'homosexualité est positivement corrélée au niveau d'études, essentiellement à un diplôme supérieur, titre plus fréquent à cette date en région parisienne et en Occitanie[2].

Effets urbains

La cartographie au niveau communal lissé nous permet d'observer directement sur la carte de la fécondité l'existence d'un effet urbain. La faible fécondité des grandes villes s'oppose à celle plus forte des zones rurales environnantes. Sur la carte 4.1, les

1. *Bulletin épidémiologique hebdomadaire*, n° 23, 11 juin 1990.

2. Nathalie Bajos et Michel Bozon (dir.), *Enquête sur la sexualité en France*, Paris, La Découverte, 2008, p. 268. La relation est cependant complexe puisque la fréquence de l'homosexualité masculine effective (pratique homo-bisexuelle dans les douze derniers mois) apparaît moyenne au niveau bac, faible à bac +2, et maximale au niveau d'un diplôme supérieur. On ne peut exclure des aléas tenant à la taille des échantillons.

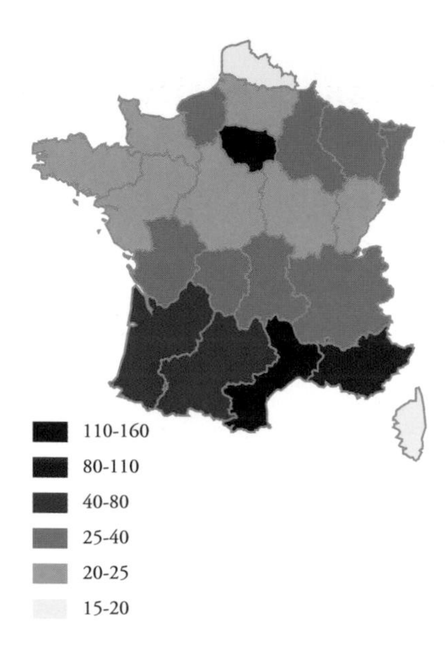

4-2 Homosexualité masculine vers 1985

Taux de décès par sida contracté par rapports homosexuels ou bisexuels, cumulés en 1990 (pour 100 000 habitants)

grandes villes apparaissaient en creux, c'est-à-dire en bleu, que la fécondité de leur région soit faible ou élevée. Toutes les villes ne sont pas également visibles, en particulier dans les zones de forte fécondité. Nous voyons bien Amiens, Rouen, Caen, Rennes, Nantes, Angers, Tours, Dijon, Besançon, Reims et Nancy. Nous notons l'absence de certaines villes sans université comme Le Havre, Arras ou Laon, où la fécondité semble presque aussi forte qu'en zone rurale parce que le niveau éducatif n'est pas particulièrement élevé. Nous relevons surtout la disparition de Paris, Lyon et Marseille. La basse fécondité du centre urbain de la ville est ici effacée par la fécondité élevée des banlieues immédiates et des zones suburbaines.

Hameaux, petites villes et banlieues

On peut mieux saisir statistiquement la dimension urbaine en traçant des cartes de la fécondité par catégorie de communes en 2006. Celles qui montrent le niveau de fécondité dans les communes rurales (moins de 5 000 habitants) et dans les communes moyennes (5 000 à 200 000 habitants) mettent en évidence des phénomènes spécifiques.

Dans les zones rurales (carte 4.3), la faible fécondité du Sud-Ouest, en bleu, ne semble plus s'opposer à celle du reste de la France, mais surtout à la très forte fécondité de l'Ouest intérieur, pôle d'hypernucléarité familiale et, déjà dans le passé, d'une forte activité féminine (en rouge sombre). Nous saisissons ici l'ancrage rural de cette culture régionale qui garde toute sa puissance dans le monde des hameaux, puisqu'il s'agit d'une zone d'habitat dispersé.

La géographie de la fécondité des communes petites et moyennes, qui sont souvent des banlieues, est tout à fait différente (carte 4.4). La position du Sud-Ouest, où la fécondité reste basse, ne change pas, mais les régions de forte fécondité, en rouge, se sont déplacées. La fécondité dépasse 2 ou même 2,2 enfants par femme dans une large région parisienne, dans une sorte de chapeau nord de la France, dans la région de Montbéliard et de Belfort, dans la région lyonnaise et dans le couloir rhodanien. Cette liste recoupe en partie celle de villes et de communes suburbaines à forte population immigrée. La fécondité des femmes immigrées, de 2,91 enfants par femme, est de moitié supérieure à celle des Françaises de naissance, de 1,94, pour un indice de fécondité global de 2 enfants par femme. Au niveau national, les femmes immigrées ne représentent que 6 % de la population et leur fécondité plus élevée ne change guère la fécondité totale. Au niveau local, elles peuvent entraîner l'indicateur à la hausse. C'est pourquoi le département

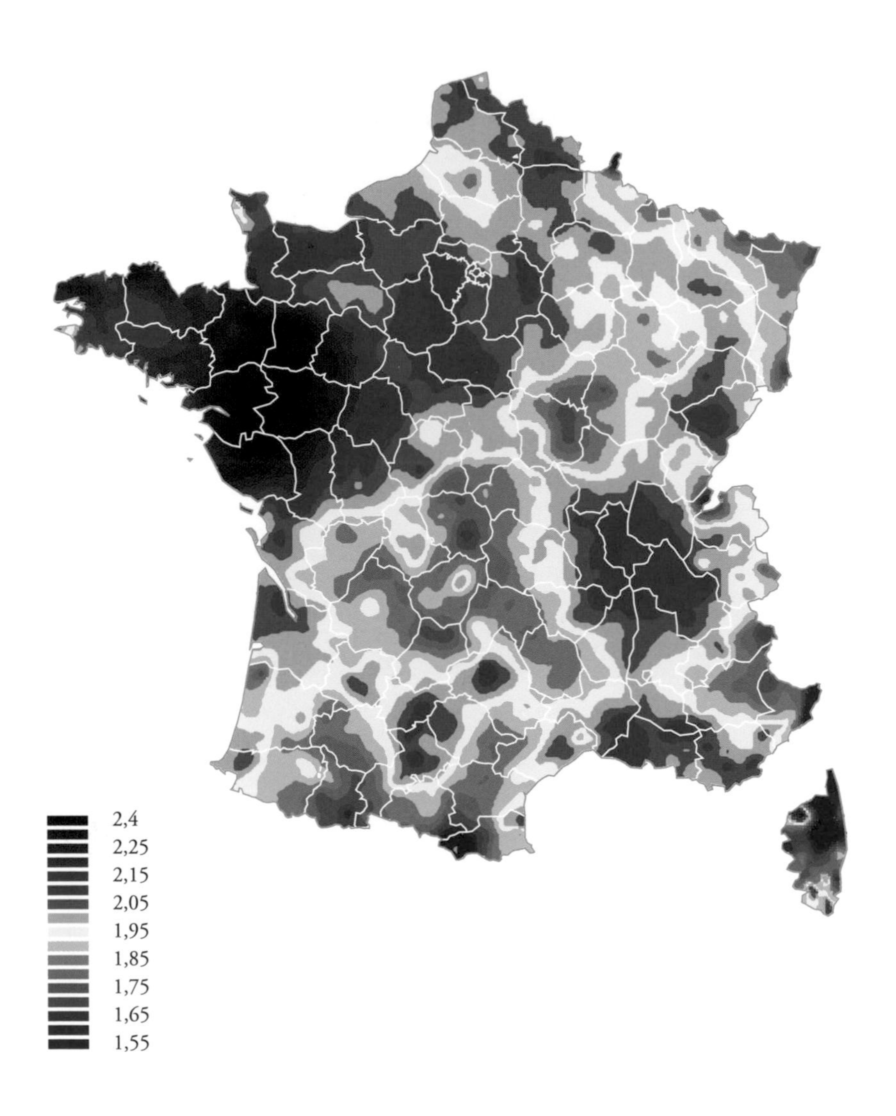

4-3 Fécondité rurale

Indice conjoncturel de fécondité en 2006 calculé
en ne retenant que les communes de moins de 5 000 habitants

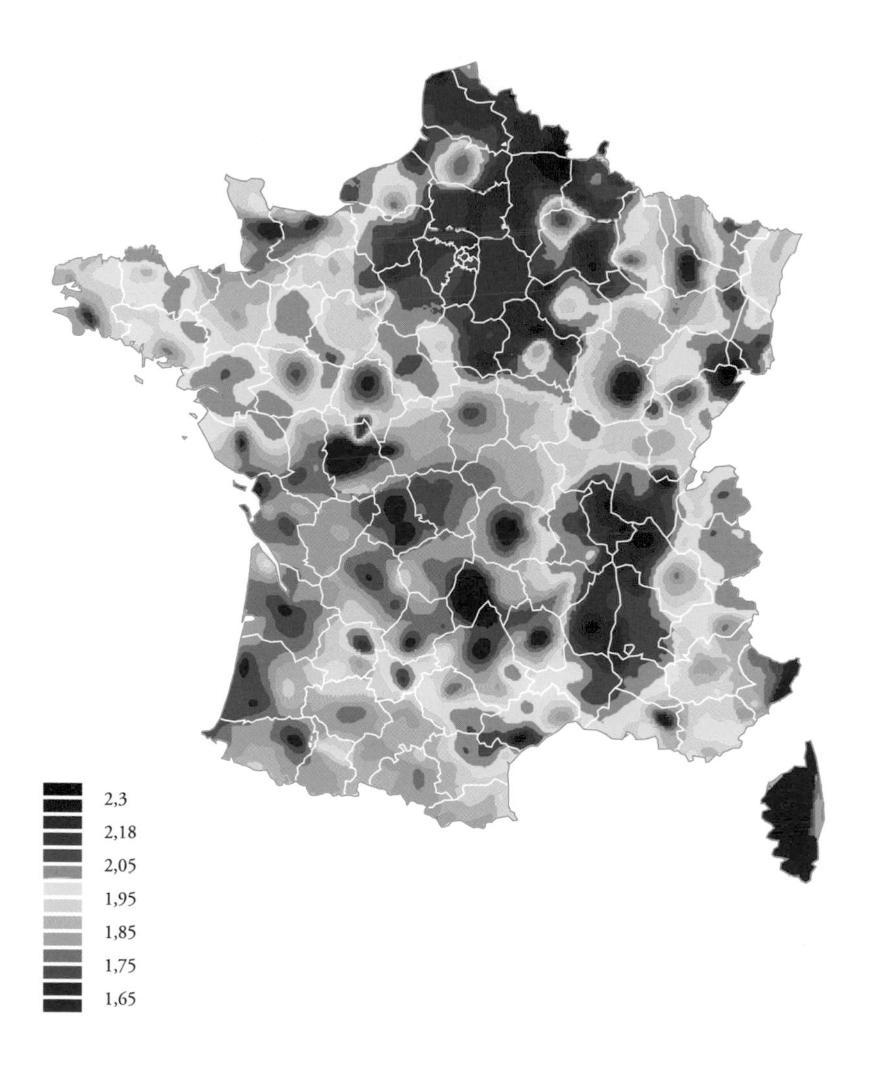

4-4 Fécondité des villes moyennes

Indice conjoncturel de fécondité en 2006 calculé en ne retenant que les communes comptant entre 5 000 et 200 000 habitants.

de la Seine-Saint-Denis vient de détrôner la Mayenne, pourtant cœur de la zone hypernucléaire de l'Ouest, comme département le plus fécond. La présence de 30 % de femmes immigrées dans la tranche d'âge 20-40 ans fait monter dans le 93 la fécondité à 2,40 enfants par femme.

La correspondance entre immigration des banlieues et forte fécondité est cependant très imparfaite parce que les jeunes couples des classes moyennes, le plus souvent nés français, refluent eux aussi vers les banlieues lorsqu'ils désirent avoir des enfants, chassés par le coût de l'immobilier dans les centres-ville, phénomène particulièrement important en région parisienne.

Mutations du mariage

La rupture du lien entre fécondité et pratique catholique a été accompagnée, sinon orchestrée, par le changement de nature du lien conjugal à partir de 1975. Cette année-là, deux phénomènes se produisent : la proportion de naissances hors mariage, stable au niveau de 7 % depuis 150 ans, commence une croissance rapide qui se poursuit encore aujourd'hui, où elle atteint 55 % du total. Par ailleurs, l'âge moyen au premier mariage, qui diminuait lentement depuis la fin de la Seconde Guerre mondiale, commence à s'élever. Il est passé pour les femmes de 23 à 29 ans, et pour les hommes de 25 à 31 ans.

La hausse du nombre des naissances hors mariage s'est produite en même temps que l'élévation de l'âge au mariage, et surtout de la raréfaction de ce dernier, de 400 000 unions légales par an en 1974 à 250 000 en 2011. L'âge à la maternité a augmenté aussi vite que celui du mariage, la construction de la famille se décalant vers des âges de plus en plus élevés. Quand on regarde de plus près cette évolution, on s'aperçoit que c'est l'âge à la première maternité qui a tout d'abord bougé, entraînant en quelque sorte un retard de l'âge au mariage. Cette transformation du calendrier des naissances a brisé le lien entre la géographie de l'âge moyen à la maternité et celle du catholicisme.

L'âge des mères

Depuis le XIXe siècle en effet, l'âge moyen des mères à la naissance de leurs enfants était le meilleur indicateur statistique de l'influence de la religion dans la vie familiale : plus le catholicisme dominait une région, plus les femmes y enfantaient tardivement. En 1962, la corrélation entre pratique religieuse et âge moyen à la maternité s'élevait encore à +0,82. Dans les années qui ont suivi, le lien entre les deux comportements s'est défait, d'abord lentement, la corrélation baissant à +0,72 en 1968 puis à +0,60 en 1975. Une rupture est intervenue entre 1975 et 1982, période durant laquelle la corrélation a chuté à +0,35. Après 1990, aucune coïncidence géographique n'apparaît plus, les coefficients de corrélation ne dépassant plus +0,20. Lorsqu'on compare la carte de 1962 à la carte de 2009 (4.5a et 4.5b), la disparition de la relation entre catholicisme et âge tardif à la maternité est évidente, mais l'on peut aussi être frappé par le contraste entre l'organisation régulière de la carte de 1962 et le désordre apparent de celle de 2009.

Sur la carte la plus récente, cependant, un nouvel ordre se dessine, celui qui oppose les grandes villes aux zones rurales. C'est dans les agglomérations urbaines que l'on a ses enfants de plus en plus tard aujourd'hui. La corrélation entre niveau d'urbanisation des départements et âge à la maternité, négative avant 1975, devient de plus en plus nettement positive jusqu'à atteindre + 0,69 aujourd'hui.

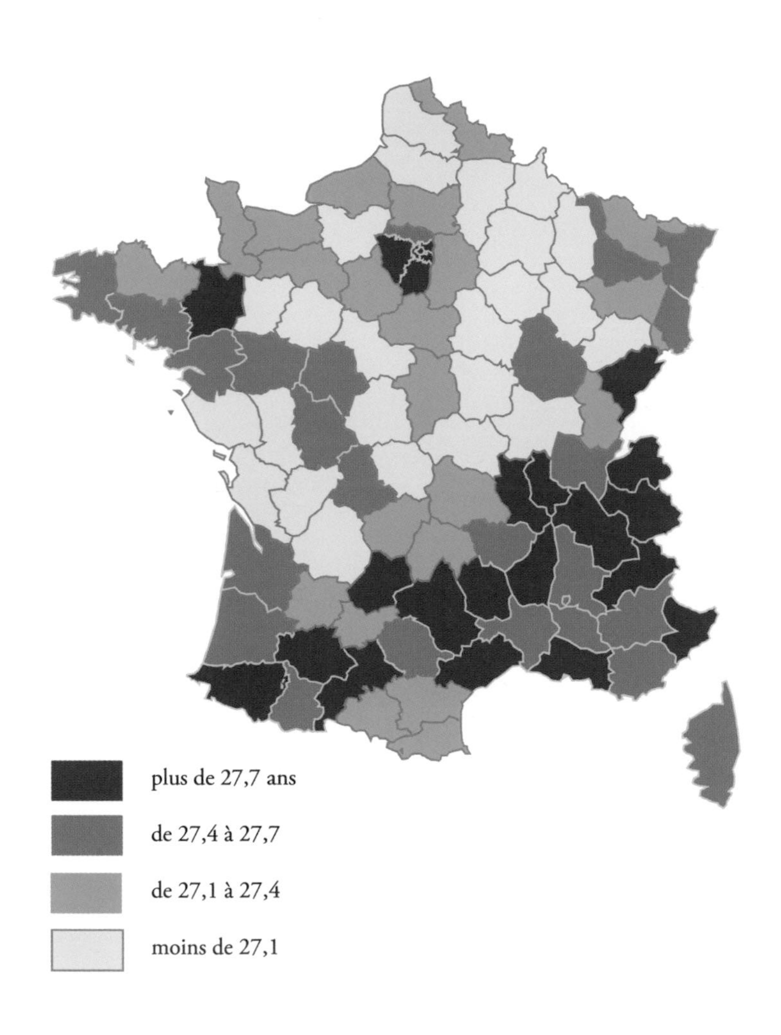

4-5a Âge au mariage en 1968

Âge moyen des femmes à leur premier mariage en 1968

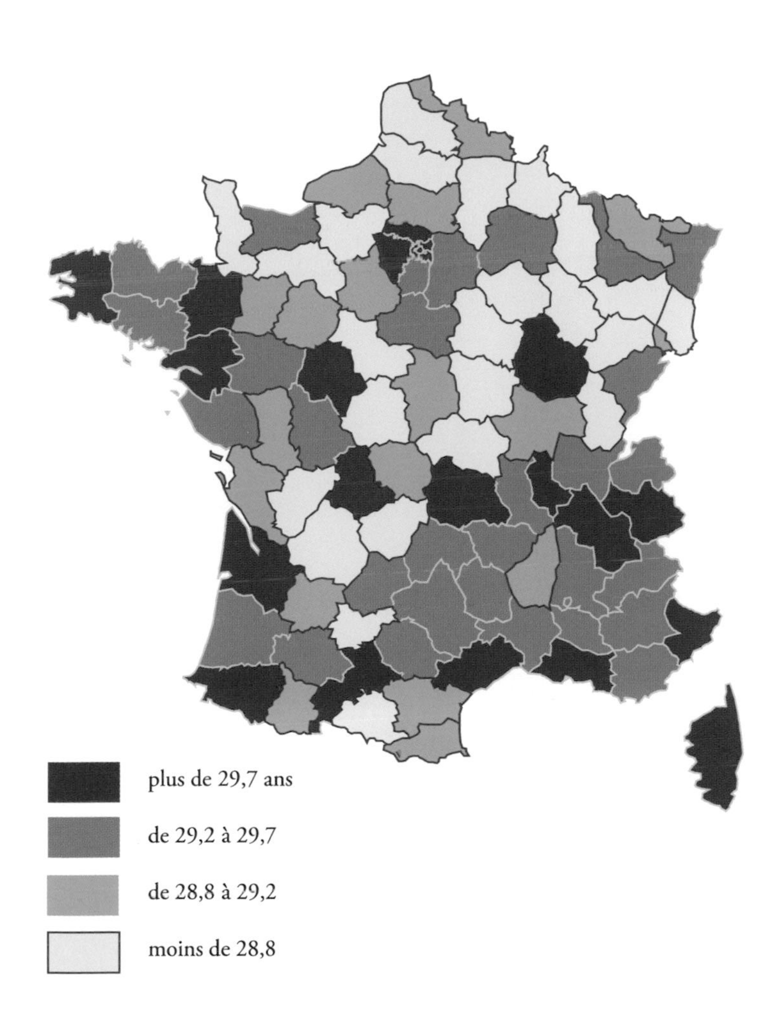

4-5b Âge au mariage en 2009

Âge moyen des femmes à leur premier mariage en 2009

TABLEAU 4
Corrélation entre niveau d'urbanisation des départements et âge à la maternité

Année	Corrélation
1962	-0,21
1968	-0,08
1975	0,29
1982	0,54
1990	0,62
1999	0,68
2005	0,69

Source : INSEE.

Les naissances hors mariage : fin du catholicisme et retour de la famille

Les régions catholiques n'ont pu résister longtemps à la généralisation des naissances hors mariage dont la multiplication signifie en réalité la disparition du mariage-sacrement, idéal de l'Église. On observe cependant, dans les premières années de l'augmentation, de 1975 à 1990, comme une « crispation » des régions catholiques. Elles résistent mieux que les autres, si bien que la répartition des naissances hors mariage se calque un instant sur celle de la laïcité. En 1990 encore, alors que le seuil de 25 % de naissances hors mariage est dépassé, les régions de tradition catholique semblent en retard (carte 4.6a). Mais dans les années qui suivent, elles sont emportées par le courant : de -0,67, la corrélation entre pratique catholique et proportion de naissances hors mariage baisse à -0,59 en 1995, à -0,48 en 2000 puis, à une vitesse accélérée, à -0,35 en 2005 et -0,12 en 2009. La carte actuelle des naissances hors mariage en 2009 (4.6b) ne porte plus aucune trace du passé religieux.

La géographie la plus récente révèle cependant de nouvelles déterminations. Deux facteurs apparaissent, assez inattendus. La ville est désormais un lieu de résistance du mariage ; la famille complexe favorise les naissances hors mariage.

Depuis la Révolution au moins, les naissances hors mariage étaient rares à la campagne et plus fréquentes en ville, soit parce que les mères célibataires s'y réfugiaient pour éviter l'opprobre du voisinage, soit parce que les unions informelles y étaient fréquentes au sein des classes laborieuses, et « dangereuses », pour paraphraser le titre de l'ouvrage de Louis Chevalier[1]. Aujourd'hui, les grandes villes sont en retrait.

Il est possible que les classes supérieures cherchent actuellement à nouveau à se distinguer des autres en replaçant le mariage avant la maternité, pour faciliter la transmission des patrimoines, à cause aussi du prestige social des unions homogames de la bourgeoisie. Nous sommes sans doute confrontés à un cycle dans l'évolution des mœurs. Premier temps : la procréation hors du mariage se répand en haut de la société, vague émancipatrice portée par les femmes qui ont eu une éducation supérieure. Deuxième temps : le nouveau comportement se diffuse dans la société, si bien que le mariage classique cesse d'être statistiquement majoritaire. L'union libre, souvent régularisée après un ou deux enfants par un mariage, devient la norme pour la majorité de la population. Nous sommes peut-être déjà dans un troisième temps : dans un contexte d'insécurité économique et de début d'appauvrissement, le mariage est peut-être à nouveau perçu comme une protection plutôt que comme une prison. L'union libre et les naissances hors mariage peuvent retrouver une partie de leur relation ancienne avec l'instabilité sociale et le chômage.

Quoi qu'il en soit, nous constatons que la proportion de

1. *Classes laborieuses et Classes dangereuses*, Paris, Plon, 1958.

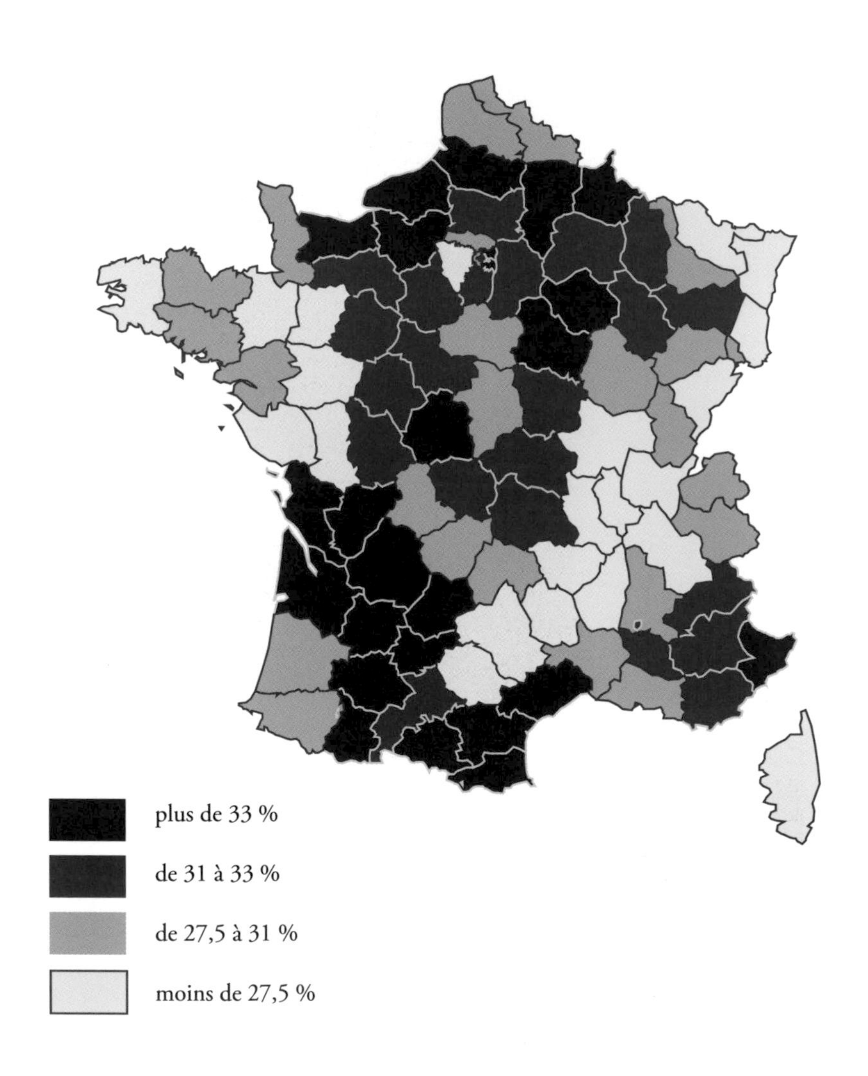

4-6a Naissances hors mariage en 1990

En pourcentage

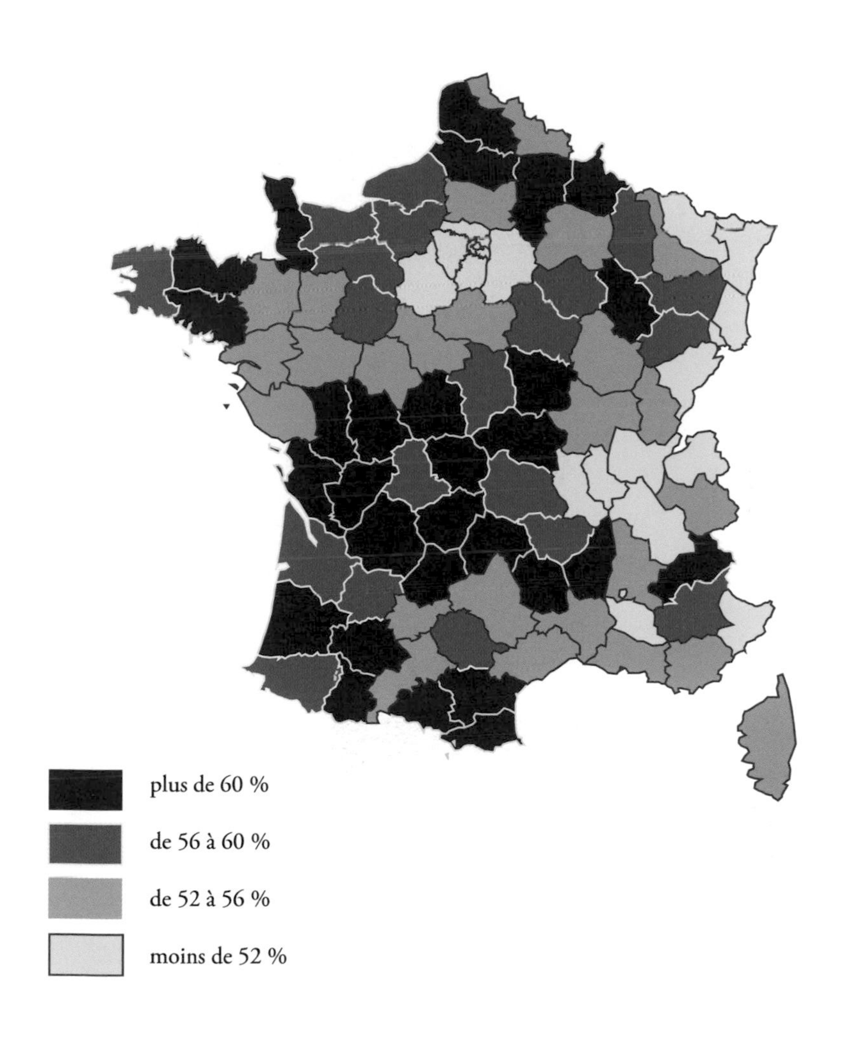

4-6b Naissances hors mariage en 2008

En pourcentage

naissances hors mariage tombe au-dessous de la moyenne nationale dans quatre grandes régions où les professions libérales et les cadres supérieurs sont particulièrement nombreux : Île-de-France, Rhône-Alpes, Provence-Alpes-Côte d'Azur et Alsace (carte 4.6b). Le dynamisme économique y est, de fait, associé à un reste, ou à un retour, de conservatisme des mœurs.

Au paradoxe de villes favorisant désormais la résistance du lien conjugal, nous devons ajouter celui d'une famille complexe, de type souche notamment, encourageant sa dissolution.

Les régions de famille complexe écartaient autrefois les naissances hors mariage, elles les acceptent désormais plus massivement encore que ne le font les régions de famille nucléaire. L'augmentation de la corrélation entre la proportion de naissances hors mariage et la complexité familiale est en effet régulière même si le niveau actuel reste encore assez faible.

Tableau 5
Corrélation entre la complexité familiale et la proportion de naissances hors mariage entre 1911 et 2009

Année	Corrélation
1911	-0,43
1975	-0,42
1990	-0,07
1995	0,07
2000	0,21
2005	0,22
2009	0,26

Sources : INSEE et SGF.

Dans les régions qui furent de famille complexe, la solidarité des générations agit comme une protection pour les unions non validées par le mariage. Le lignage a maintenu ses règles et son pouvoir, souvent contre celui de l'État et de sa législation, centrée sur la famille nucléaire, voire sur un individu détaché de tout lien familial. Sa protection informelle continue de s'exercer. Procréer sans se marier est alors socialement moins risqué en cas de rupture entre deux jeunes parents qui peuvent compter sur leurs familles respectives.

La modernisation produit donc en démographie des effets paradoxaux. Les moyens nouveaux de contraception et l'évolution des mœurs ont sans conteste libéré les individus. Mais il est difficile d'agir vraiment librement, c'est-à-dire hors de toute détermination inconsciente. C'est pourquoi la disparition de la détermination religieuse n'a pas mené au désordre, mais à la révélation d'une couche déterminante encore plus profonde, anthropologique et familiale.

CHAPITRE 5

Vers la société postindustrielle, trop vite

Nous venons d'esquisser, dans les quatre premiers chapitres ce livre, une histoire des mentalités pour l'essentiel indépendante de l'évolution économique. Ascension éducative, crise religieuse, mutation démographique se déploient dans l'espace, interagissent de façon complexe et parfois circulaire, selon une logique conditionnée par un fond anthropologique qui n'a pas grand-chose à voir avec les variables économiques privilégiées par le marxisme ou le néolibéralisme. Jusqu'ici, il n'a pas été question du capitalisme, des rapports de production, du système financier ou du taux de profit, toutes choses qui existent cependant et ont leur importance. Notre présentation s'est efforcée d'éviter tout dogmatisme et nous avons pu en appeler à l'économie quand c'était nécessaire : l'industrie s'est tout d'abord développée avec l'alphabétisation, selon un processus de diffusion analogue et associé dans le quart nord-est de l'Hexagone. L'effet aggravant de l'industrie sur la séparation des rôles masculin et féminin, véritable choc en retour de la vie économique sur les mentalités, a été souligné. Nous venons de noter un retour possible du mariage dans les régions où les cadres supérieurs sont particulièrement nombreux.

Les déploiements dans l'espace de l'éducation, de la fécondité, de l'âge des mères, des naissances hors mariage nous ont surtout révélé certaines déterminations culturelles ou religieuses. Plus globalement et plus fondamentalement, la cartographie a permis de percevoir l'existence autonome d'une vie humaine et sociale des profondeurs, indépendante de l'actualité économique et politique mise en scène par les médias, et d'échapper à la perception du monde rétrécie qui sert d'évangile à l'instruction des élites. Nous l'avons souligné plus haut, un étrange néomarxisme, de droite, domine la pensée contemporaine. On aurait parlé autrefois d'une victoire de la conception matérialiste de l'histoire sur sa conception idéaliste.

En vérité, les catégories classiques du matérialisme et de l'idéalisme compliquent l'analyse plus qu'elles ne la simplifient. L'économie n'est après tout que l'application de l'intelligence humaine à la transformation de la matière et du monde, et donc une composante parmi d'autres des « mentalités ». Il ne peut y avoir de primat de l'économie parce que l'économie fait partie des mentalités.

Le primat des mentalités

Revenons à la séquence temporelle des variables, économiques ou mentales, telle qu'elle s'exprime au niveau des générations. Dans le contexte de sociétés à enseignement supérieur très avancé, l'éducation d'une génération née durant l'année X est réalisée, en simplifiant, entre les années X et X + 25 ; elle définit l'efficacité économique potentielle de cette génération entre les années X + 25 et X + 65. Le développement concret de la société place clairement la hausse du niveau éducatif avant le changement économique. À tout moment, la vie économique doit s'adapter aux possibilités intellectuelles et techniques de la population. Si nous travaillons sur le modèle fermé d'une société nationale qui, sans être farouchement protectionniste, serait autonome à 90 % pour la production des biens et services dont elle a besoin, nous pourrions être sûrs que l'ajustement des activités économiques aux capacités de la population active se ferait et ce, quelles que soient la volonté de ses dirigeants et les préférences de ses économistes. Aucune lévitation du « système économique » ne pourrait le libérer de ce qu'il est, fondamentalement : une population qui travaille et se reproduit, avec ses goûts et ses compétences. Le primat de l'éducatif s'exprimerait pleinement.

Une fois encore, nous devons éviter tout dogmatisme et accepter le monde tel qu'il est, tel qu'il change. La globalisation économique modifie les données du problème parce qu'elle met en place des échanges extérieurs aux systèmes anthropologiques et religieux nationaux. La spécialisation qu'elle entraîne tend à dissocier, dans chaque pays, l'évolution économique, désormais internationale, de la dynamique des mentalités, qui reste nationale.

L'exemple le plus évident de déformation d'une trajectoire mentale et économique par la globalisation est celui du passage à la société postindustrielle.

Déformation du passage à la société postindustrielle par la globalisation économique

Colin Clark, économiste britannique et australien, avait identifié dès 1940, dans *The Conditions of Economic Progress*[1], une loi de glissement de la population active de l'agriculture vers l'industrie, puis de l'industrie vers les services ou, exprimée autrement, du secteur primaire (qui inclut les mines) vers le secteur secondaire, puis vers le secteur tertiaire. Ce mouvement, observé partout mais selon des rythmes divers, résulte à la fois de la diversification des besoins humains et d'augmentations inégales de la productivité dans les divers secteurs. Au terme de l'évolution, il devait y avoir

1. Londres, Macmillan. 1940.

la « société postindustrielle », dont Daniel Bell pouvait, en 1973, définir les tendances fondamentales, mêlant allègrement variables économiques et culturelles :

« L'exigence d'une vie meilleure, promise par la société, se focalise sur deux éléments fondamentaux – la santé et l'éducation. L'élimination des maladies, l'augmentation du nombre de ceux qui peuvent vivre des vies complètes, ainsi que les efforts pour allonger la durée de cette vie, font des services de santé un aspect essentiel de la société moderne ; la croissance des besoins en compétences techniques et professionnelles fait de l'éducation, et notamment de l'accès à l'éducation supérieure, une condition même de l'entrée dans la société industrielle. Nous saisissons ici la croissance d'une nouvelle *intelligentsia*, et particulièrement celle des enseignants. Enfin, l'exigence de ces services supplémentaires, l'incapacité du marché à satisfaire les besoins accrus dans les domaines de l'environnement, de la santé, de l'éducation conduisent à la croissance de l'État, particulièrement aux niveaux national et local, c'est-à-dire là où s'expriment ces besoins[1]. »

Nous percevons malgré tout chez Daniel Bell, dont la pensée (autant que celles de Joseph Schumpeter ou de Raymond Aron) part de Marx, une résistance du primat de l'économie. Mais nous voyons aussi à quel point sa vision d'une société progressant dans les domaines de l'éducation et de la santé a été vérifiée par l'ensemble du monde développé dans les décennies qui ont suivi. C'est ce que nous avons décrit dans l'introduction avec, en France, une progression accélérée de l'enseignement supérieur et de la longévité humaine dans les années 1975-1995. Les années qui suivirent les Trente Glorieuses furent bien celles du décollage de la société postindustrielle. Nous sentons toutefois aujourd'hui que, dans le cas de l'Hexagone, le mouvement a été trop rapide et trop violent. La désindustrialisation menace. Bell n'avait pas envisagé une société postindustrielle sans économie industrielle. Le monde

1. Daniel Bell, *The Coming of Post-Industrial Society, op. cit.*, p. 128.

qu'il anticipait devait être une société dominée par les valeurs et les mœurs du secteur tertiaire ou de l'éducation supérieure, mais disposant toujours d'une base industrielle, humainement minoritaire parce que très productive. Dans le cas de la France, comme dans ceux des États-Unis ou du Royaume-Uni, le reflux du secteur secondaire est allé largement au-delà de celui qu'une trajectoire historique autonome, sans globalisation, aurait impliqué.

L'échange des biens est au cœur de la mondialisation. Il concerne évidemment au premier chef les secteurs primaire et secondaire. Les services sont par nature plus solidement accrochés au terrain national, même dans les pays de forte spécialisation financière. En France, une ouverture aux échanges de 30 %, concentrée sur le secteur secondaire, a accéléré la marche vers la société postindustrielle. La très récente, et fragile, industrie française, largement issue des Trente Glorieuses, s'est trouvée prise en tenaille. D'un côté, le travail spécialisé est délocalisé vers les pays à bas salaires ; de l'autre, le travail plus qualifié se concentre, depuis l'instauration de l'euro, dans l'espace germanique. Or, en l'absence d'une base industrielle minimale mais solide, une société postindustrielle risque fort de revenir au stade préindustriel. L'examen par la cartographie du processus même de la désindustrialisation révèle d'ailleurs une curieuse réémergence dans l'Hexagone des déterminations familiales et rurales. La globalisation économique, supposée moderniser la France, n'a pour le moment réussi qu'à faire renaître l'opposition entre le Nord et le Midi, en éliminant de ce dernier l'essentiel de l'activité industrielle.

La désindustrialisation dans l'Hexagone

En 1975, l'industrie employait 40 % des actifs. Partant d'un niveau moins élevé, son reflux a été cependant aussi rapide que celui de l'agriculture autrefois puisque, en 2009, il ne restait déjà plus que 23 % de la population dans le secteur secondaire, contre 2,5 % dans le primaire et 74,5 % dans les services.

La comparaison des cartes indiquant la proportion de la population active employée dans le secteur secondaire en 1968, apogée de la société industrielle, et en 2008 – alors même que la grande crise économique n'avait pas encore donné une impulsion nouvelle aux fermetures d'usines et aux délocalisations – est stupéfiante. Les cartes 5.1 et 5.2, réalisées avec une échelle commune, mettent en évidence la violence du choc de la désindustrialisation dans l'espace français.

La géographie initiale très particulière de l'industrie dans l'Hexagone nous permet de comprendre la rapidité de son reflux. En 1968, comme en 1921 ou 1954, l'industrie semble accrochée aux frontières nord et est, pour diffuser vers l'intérieur du pays, notamment vers le Sud. Elle ne semble pas endogène mais venue de l'extérieur. Seule la région Rhône-Alpes, certes située à l'Est, donne quand même par sa masse relative l'impression d'une dynamique interne et évoque une endogénéité du développement industriel.

Au soir du cataclysme, en 2008, les quelques poches industrielles importantes qui subsistent (en orange sur la carte) restent collées aux frontières est et nord, avec toutefois quelques petites taches résiduelles dans l'Ouest, témoins du mouvement de l'industrie dans les années 1960 et 1970. Notre mémoire conserve le souvenir d'une société industrielle dans le nord-est du Bassin parisien. Mais la comparaison des cartes réalisées pour 1968 et 2008 nous révèle, concernant le Midi, un phénomène d'amnésie. En 1968, la Provence n'était pas dépourvue d'industries, loin de là, et la région Rhône-Alpes poussait un long tentacule industriel au sud du Massif central et le long des Pyrénées. Rien de tout cela ne subsiste. La désindustrialisation a frappé aussi violemment le Midi industriel que le Nord-Est. Mais le niveau de départ y était plus bas et il ne reste plus rien. Si nous regardons attentivement la carte 5.2, nous voyons qu'au Nord subsiste une activité industrielle diffuse quoique faible, et au Sud, des Hautes-Alpes à la

Charente-Maritime – région qui recouvre l'ancienne Occitanie linguistique –, rien du tout.

La carte 5.3 nous permet de comprendre à quel point l'histoire de la société industrielle aura été courte en France. Elle nous indique quand s'est achevé le stade précédant de la société rurale et donne pour chaque département la date à laquelle la proportion d'agriculteurs dans la population active est tombée au-dessous de 50 %. Dans 47 des anciens 90 départements, ce seuil n'a été franchi qu'après la Seconde Guerre mondiale, et dans 20 d'entre eux à partir du recensement de 1968 seulement. L'Ouest, le Sud-Ouest et les Alpes sont bien représentés dans ce bataillon de la ruralité tardive. On peut même évoquer dans le cas d'une partie de l'Ouest et du Sud-Ouest, si l'on est optimiste, un passage direct du stade agricole au stade postindustriel, et, si l'on est pessimiste, une permanence dans l'état non industriel.

L'industrie hors des villes

La carte du secteur secondaire en 2008 inclut cependant un élément nouveau et paradoxal de ruralité : elle fait apparaître en creux (en vert) le réseau urbain, avec en son cœur l'agglomération parisienne, île principale d'un archipel urbain désindustrialisé.

En 1968, les fortes densités industrielles ne s'opposaient pas à la ville mais entretenaient avec le phénomène urbain une relation nuancée. Elles n'étaient pas centrées sur les très grandes villes mais sur de plus petites, souvent spécialisées dans un type de production : Alès, Millau, Saint-Nazaire, Montluçon, Thionville, Commentry par exemple. Les villes plus importantes, ou simplement les préfectures, équilibraient l'orientation de leur région : elles étaient plus industrielles dans les régions rurales, moins dans les régions de forte activité secondaire. Ainsi, à l'Ouest et au Sud, Angers, Le Mans, Toulouse étaient plus industrielles que leur environnement immédiat. En revanche, au Nord et à l'Est, Amiens,

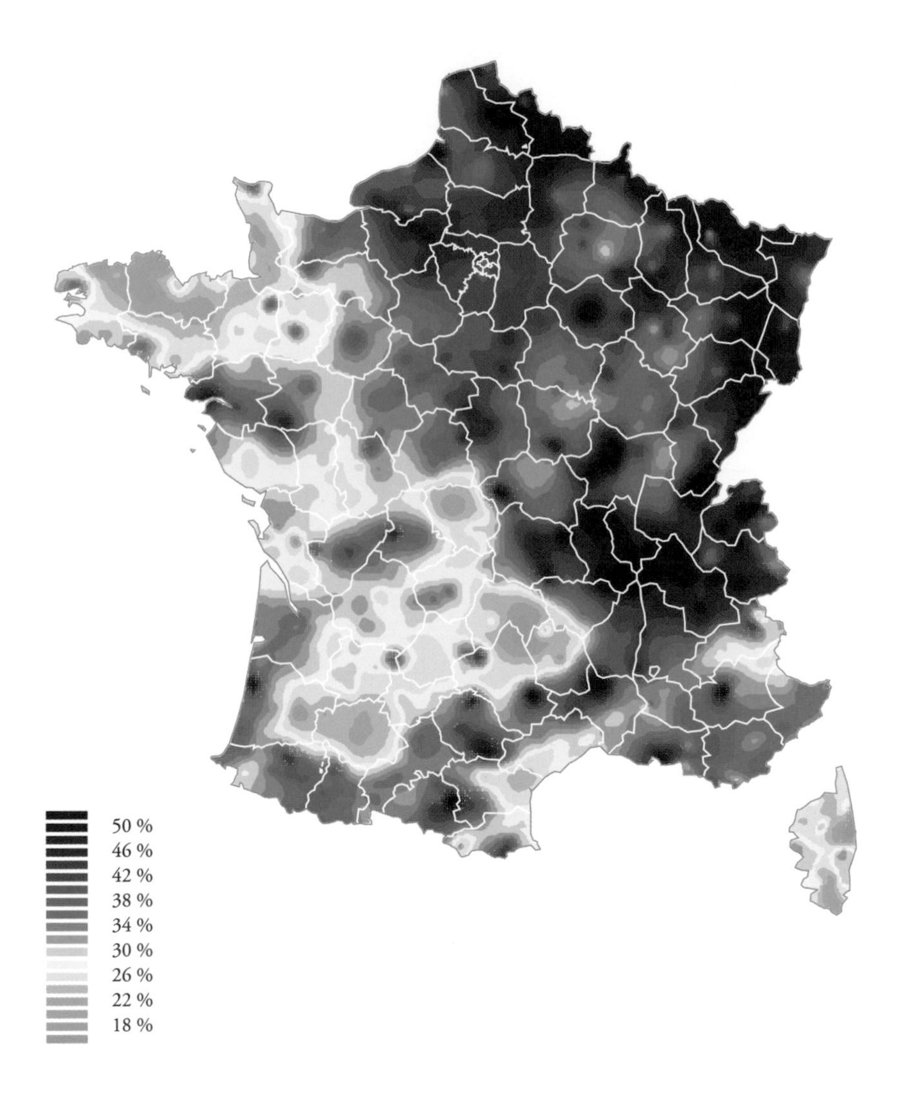

5-1 L'industrie en 1968

Pourcentage de la population active
dans le secteur secondaire en 1968

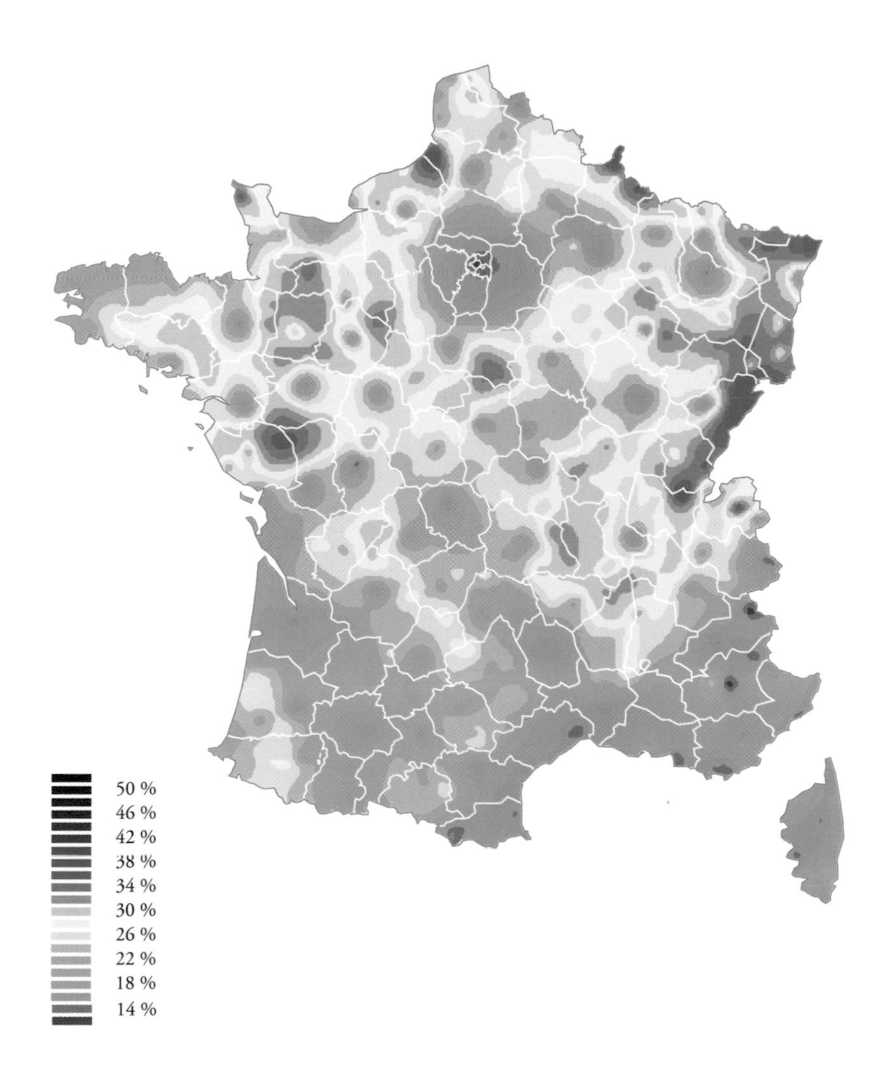

5-2 L'industrie en 2008

Pourcentage de la population active
dans le secteur secondaire en 2008

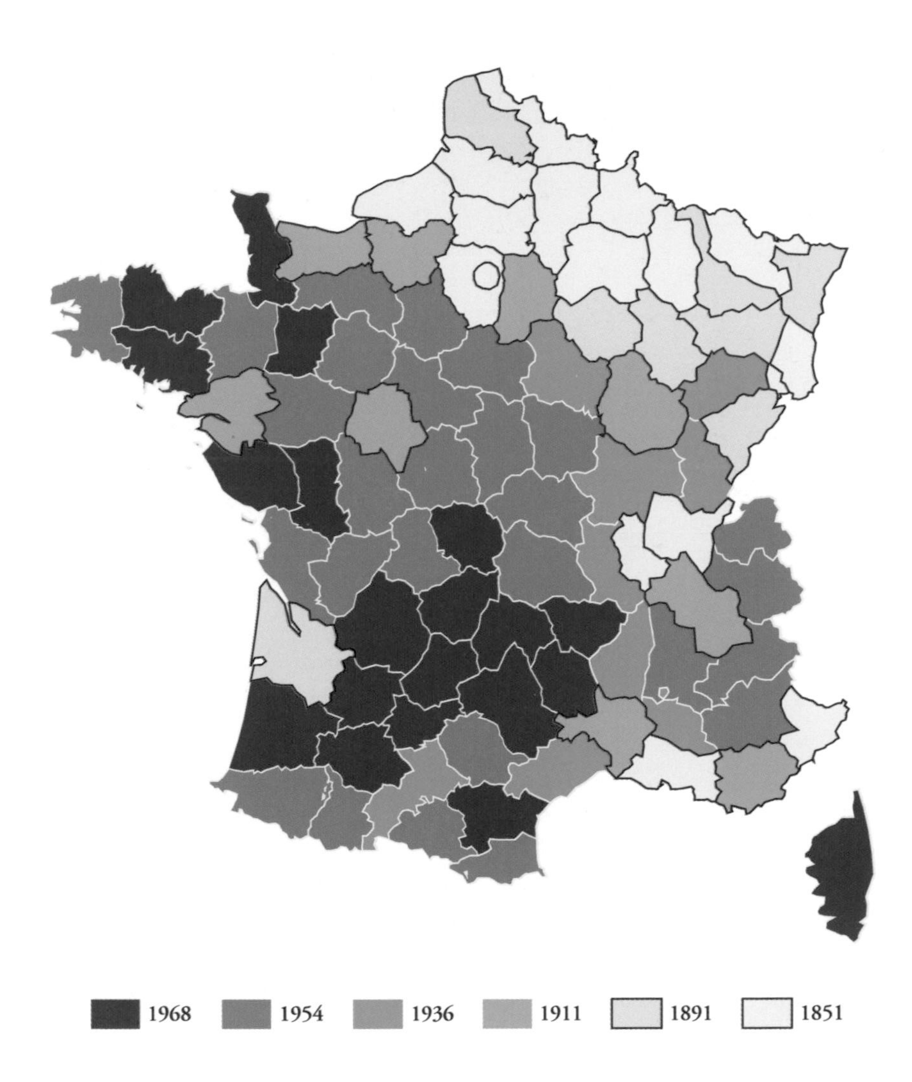

5-3 Le dernier exode rural

Date du recensement à partir duquel la population active
dans l'agriculture est passée au-dessous de 50 % des actifs

Nancy, Strasbourg, Reims ou Dijon accordaient moins d'importance à l'industrie que leur arrière-pays. Une certaine cohésion territoriale était ainsi assurée à l'intérieur de chaque région.

La situation change radicalement en 2008, non seulement comme effet de la rétraction du secteur secondaire, mais aussi à cause du nouveau partage des activités entre villes et territoires ruraux : désormais, partout, les villes refusent l'industrie, qu'il s'agisse des grandes agglomérations comme Lille, Paris, Lyon, Toulouse et Bordeaux, ou de cités plus modestes comme Mende, Digne, Mont-de-Marsan, Vannes ou Alençon. Les rares endroits où la proportion de travailleurs dans l'industrie dépasse 30 % sont situés à l'écart, sur les frontières des départements ou à la frontière nord-est, filant de Genève aux Ardennes.

L'examen de la distribution dans l'espace des catégories socioprofessionnelles va confirmer ce phénomène de rejet hors du cœur des villes de groupes sociaux entiers, dans une France pourtant urbaine à près de 80 %.

Sauver l'industrie, dans une société postindustrielle

Au lendemain de l'élection de François Hollande, la France a pris conscience de ce qu'une société avancée ne pouvait espérer préserver son indépendance économique sans industrie. Le débat est salutaire et urgent. Il ne doit toutefois pas conduire à une vision de la société postindustrielle comme « illégitime », comme une erreur de l'histoire dans un monde où la concurrence industrielle aurait remplacé la guerre. Le secteur tertiaire annoncé par Colin Clark et Daniel Bell contribue à notre bien-être ; l'éducation et la santé sont bien le cœur d'un développement normal dont la masse est postindustrielle. La spécialisation des tâches à l'échelle mondiale impose cependant le maintien d'un secteur industriel suffisamment exportateur pour assurer l'équilibre des comptes extérieurs. Or la

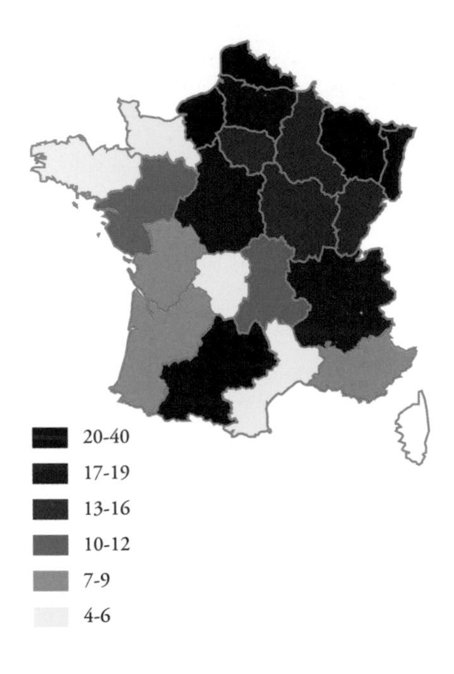

5-4 Exporter

Coefficients d'exportation en 2005

France des années 2000-2010 est entrée dans le rouge d'un déficit commercial qui risque de devenir structurel. Cette évolution, si elle se poursuit, ne peut avoir comme effet à long terme que la baisse du niveau de vie de l'ensemble de la société. Sur un territoire, les fonctions et les hommes sont solidaires.

Les cartes montrent que la France souffre d'une véritable dissociation entre dynamique des mentalités et niveau d'activité industrielle. La mise en carte de l'activité d'exportation (carte 5.4) donne la vision la plus cruelle du dilemme qu'affrontent les dirigeants du pays, du moins ceux qui comprennent que la sécurité

TABLEAU 6
Régions et exportations

	Proportion des exportations françaises assurées par la région %	Proportion des exportations françaises par habitant (multiplié par 10^7)
Alsace	6,42	36
Haute-Normandie	5,94	33
Midi-Pyrénées	6,09	22
Lorraine	5,14	22
Nord-Pas-de-Calais	8,62	21
Picardie	3,73	20
Rhône-Alpes	11,13	19
Centre	4,49	18
Franche-Comté	1,92	17
Île-de-France	18,76	16
Champagne-Ardenne	2,00	15
Bourgogne	2,27	14
Pays de la Loire	4,10	12
Auvergne	1,43	11
Aquitaine	3,24	10
Provence-Alpes-Côte d'Azur	4,77	10
Poitou-Charentes	1,38	8
Bretagne	2,12	7
Basse-Normandie	0,91	6
Limousin	0,44	6
Languedoc-Roussillon	1,29	5
Corse	0,00	0

Sources : Direction générale du Trésor et de la politique économique (MINEFI), et Assemblée des chambres françaises de commerce et d'industrie (décembre 2006).

de la France dépend de lieux comme Florange, nouveau désastre industriel et social. La contribution moyenne par habitant aux exportations du pays reste élevée dans la France du Nord « en difficulté éducative », au nord et à l'est d'une ligne Le Havre-Genève.

À l'opposé, la dynamique éducative a été maximale, vers 1990, dans les régions anciennement catholiques, dispersées sur la périphérie de l'Hexagone, après l'avoir été vers 1970 dans l'ensemble du Midi. Parmi les zones qui contribuent le plus positivement aux exportations, peu relèvent de cette sphère éducative privilégiée. Dans la moitié sud de l'Hexagone, seules les régions Rhône-Alpes, ce qui est traditionnel, et Midi-Pyrénées, grâce à Airbus, contribuent fortement et positivement aux échanges extérieurs français, et combinent donc, en simplifiant, éducation et exportation. La plus grande partie de la zone exportatrice est de médiocre dynamisme éducatif, et de plus amoindrie par une balance migratoire négative. Mais la zone qui souffre et se vide reste celle dont dépend l'équilibre économique extérieur de la France. Elle est économiquement exploitée et sacrifiée, et bien sûr culturellement dominée. Nous nous extasions sur les charmes de la Bretagne, de l'Aquitaine ou du Poitou, mais nous dépendons toujours pour notre niveau de vie de la Haute-Normandie, du Nord-Pas-de-Calais et de la Picardie.

CHAPITRE 6

L'exil des classes populaires

La carte 6.1 est l'une des plus claires de ce volume. Elle oppose nettement un Sud où la proportion d'ouvriers tombe à 20 % (en violet) à un Nord où elle reste supérieure à 30 % (en marron), mais troué de vides urbains, en violet. Elle combine un vaste zonage anthropologique venu du passé à un réseau urbain dont la montée en puissance est récente. Elle superpose la plus massive des modernités au plus évident des archaïsmes.

Le départ de l'industrie a donc entraîné celui des ouvriers. On voit sur la carte qu'ils sont d'autant plus nombreux que l'on est loin d'une agglomération importante. Ces villes sont souvent des préfectures, choisies en 1790 pour être facilement atteintes à pied par les ruraux, et donc placées au centre du département. C'est la raison pour laquelle les frontières des départements abritent les plus fortes proportions d'ouvriers. Éloignées des centres de décision, ce sont des zones de relégation où s'accumulent les éléments économiques et sociaux négatifs : dépopulation, transports difficiles, personnes âgées dans leurs maisons de retraite. Qui inclurait spontanément aujourd'hui, parmi les régions les plus ouvrières de France, le Vimeu, sous la baie de Somme, le plateau de Langres, les environs de Roanne, le Perche à la jonction de l'Orne, du Calvados et de la Manche ? Le dynamique Choletais

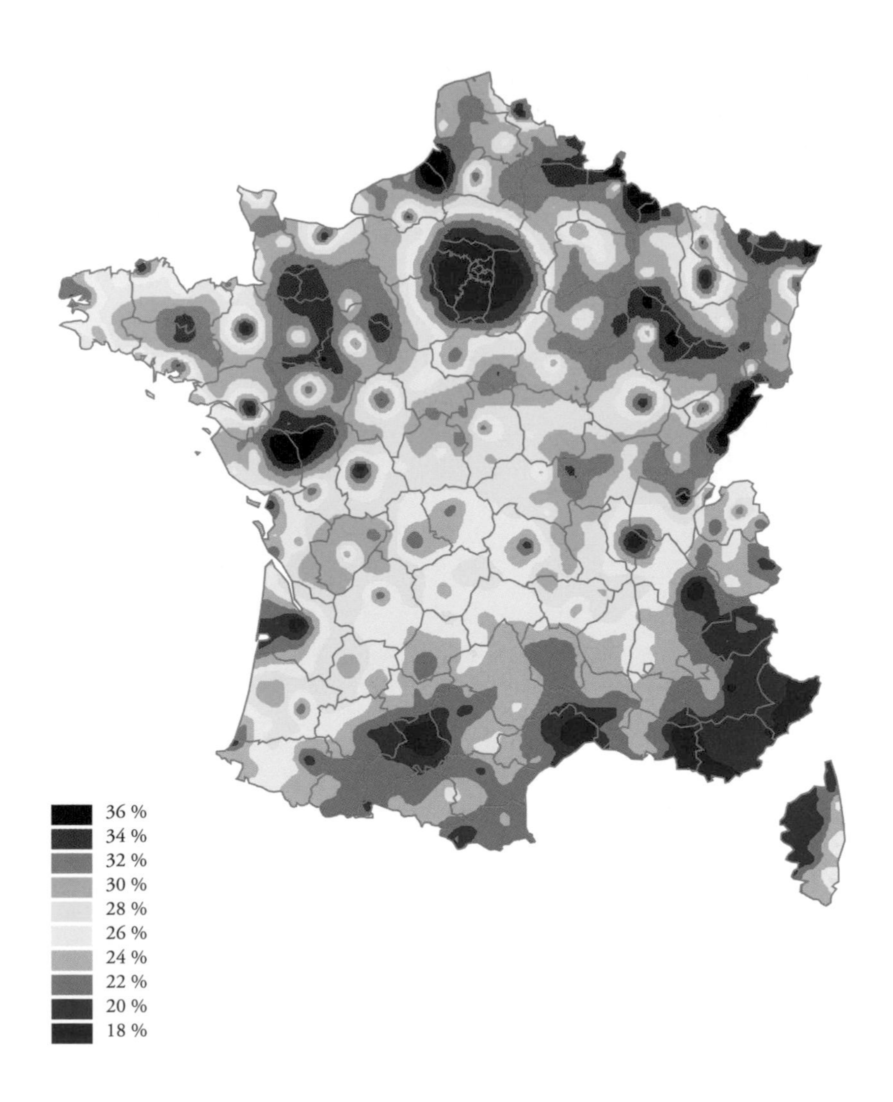

6-1 Les ouvriers en 2009

Pourcentage d'ouvriers dans la population active

seul, entre la Vendée et l'Anjou, échapperait peut-être à cet oubli. Ces petits pays ne regroupent certes pas la majorité des ouvriers français, mais ce sont ceux où ils sont le plus concentrés, des lieux où subsiste une classe ouvrière.

Ce monde de travailleurs est bien différent de celui qui habitait autrefois les faubourgs urbains, et était, lui, massif et doué d'une sociabilité autonome. Aujourd'hui, l'ouvrier idéal-typique, au sens de Max Weber, est rural et comme dissous dans le territoire. Il ne voisine pas avec ses compagnons de travail mais avec des agriculteurs et, plus encore, avec des employés, dont il est de plus en plus fréquemment le conjoint puisque près de 79 % des ouvriers sont des hommes et 78 % des employés des femmes.

TABLEAU 7
Les catégories socioprofessionnelles en France

	Proportion dans la population active en 2011 (%)	Proportion de femmes (%)
Agriculteurs exploitants	2	30
Artisans, commerçants, chefs d'entreprise	6,5	30
Cadres et professions intellectuelles supérieures	17,6	42
Professions intermédiaires	24,4	53
Employés	28,3	78
Ouvriers	21,1	21
dont :		
Ouvriers qualifiés	13,8	13
Ouvriers non qualifiés	7,3	37

Source : INSEE, enquête Emploi 2011.

Toujours la famille souche

Partout périurbaine ou rurale, l'implantation des ouvriers suit une autre régularité, qui oppose deux grandes parties de l'Hexagone : ils restent assez nombreux dans la partie nord de la France mais beaucoup moins au sud. Cette très ancienne division du territoire avait disparu pendant la période de forte industrialisation. Elle ressurgit, signalant qu'elle n'avait pas été arasée mais seulement recouverte. L'opposition famille nucléaire/famille souche se manifeste à nouveau, véritable leitmotiv anthropologique qui n'en finit pas de concurrencer le leitmotiv religieux, le couple catholicisme tardif/déchristianisation précoce.

La distribution des ouvriers dans l'espace national ne devrait pas être une surprise : elle dérive dans une large mesure de l'évolution éducative différentielle du nord et du sud du pays, elle-même déterminée en partie par les structures familiales. La carte 2.2 indiquait la proportion d'individus ayant obtenu le baccalauréat général ou plus entre 1962 et 1971 : elle faisait apparaître la même avance considérable du Sud, poussée qui a permis à un maximum d'individus de fuir la condition ouvrière dans les décennies qui ont suivi. L'impact positif et tardif du catholicisme sur l'éducation, dans l'enseignement général comme dans l'enseignement technique, devrait amener dans les années qui viennent un début de réconciliation cartographique entre le monde ouvrier et le niveau éducatif général. Les trous urbains de la carte renvoient quant à eux à l'afflux de jeunes éduqués du supérieur au cœur des villes, qui, de fait, les rend simultanément postindustrielles et postouvrières.

La relégation territoriale du prolétariat est un destin bien tragique pour la classe que Marx avait désignée comme agent principal de la transformation révolutionnaire. À moins justement que cette mise à l'écart ne représente le point d'aboutissement de deux siècles de luttes de classes et une absolue défaite du prolétariat. Ne pourrait-on d'ailleurs pas mettre sur le même plan l'expulsion des ouvriers hors des villes, vers des espaces intérieurs mais isolés de la nation, et l'utilisation d'ouvriers extérieurs beaucoup plus lointains, vivant en Chine ou dans d'autres pays émergents ? La relégation du prolétariat est générale.

Si nous situons maintenant dans l'espace les artisans et les petits commerçants (carte 6.2), nous voyons apparaître une opposition nord/sud complémentaire de celle des ouvriers : ces professions sont plus fréquentes dans le Midi, en pays de famille souche et de propriété paysanne. En France, en ce début de IIIe millénaire, le postindustriel ramène au préindustriel : les ouvriers subsistent dans ce Nord où les ouvriers agricoles étaient nombreux au XVIIIe siècle. Les artisans et commerçants prospèrent au Sud, où l'exploitation familiale par des paysans propriétaires dominait sous l'Ancien Régime (carte 6.3). Les traditions opposées du salariat et de la petite entreprise ont survécu à la brève parenthèse d'une société industrielle dominante. Les déterminations économiques passent, les structures anthropologiques restent. Les lieux ont décidément bonne mémoire.

Ouvriers, artisans et commerçants ont en commun de ne pas avoir accédé en masse à l'enseignement supérieur. La nouvelle stratification éducative les met en bas de l'échelle, ce qui va se traduire, en termes géographiques, pour les uns comme pour les autres, par une répartition périphérique dans l'espace,

Artisans et commerçants apparaissent, selon le recensement, aussi éloignés du centre des grandes villes que les ouvriers, et tout aussi concentrés sur les frontières des départements. La plainte récurrente des urbains, et particulièrement des Parisiens, de ne pas trouver un plombier ou un électricien trouve peut-être ici une confirmation chiffrée. N'oublions pas cependant que beaucoup de ces artisans et petits commerçants travaillent en ville mais habitent dans des banlieues lointaines, le métier de chauffeur de taxi optimisant cette alternance.

Si l'on trace la carte globale de la proportion d'ouvriers, artisans et petits commerçants (carte 6.4), on s'aperçoit qu'elle

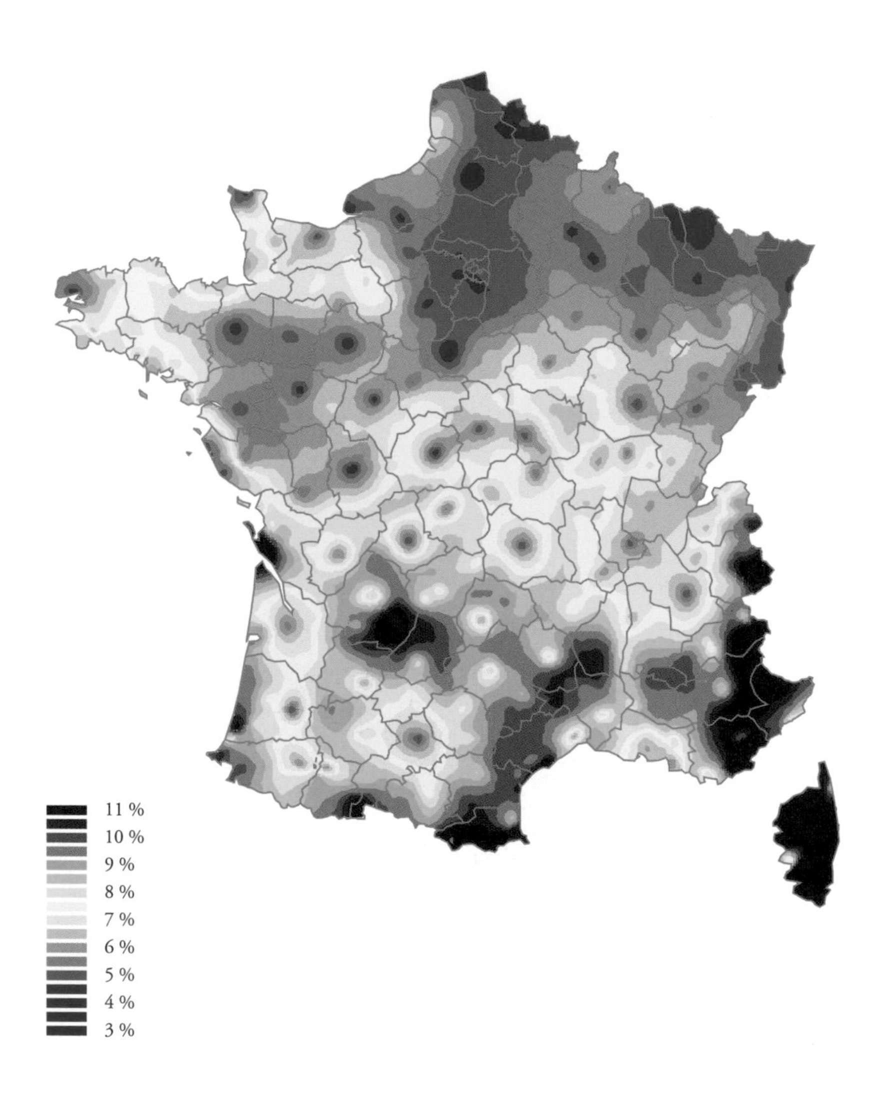

6-2 Les artisans et commerçants en 2009

Pourcentage d'artisans et de petits commerçants dans la population active

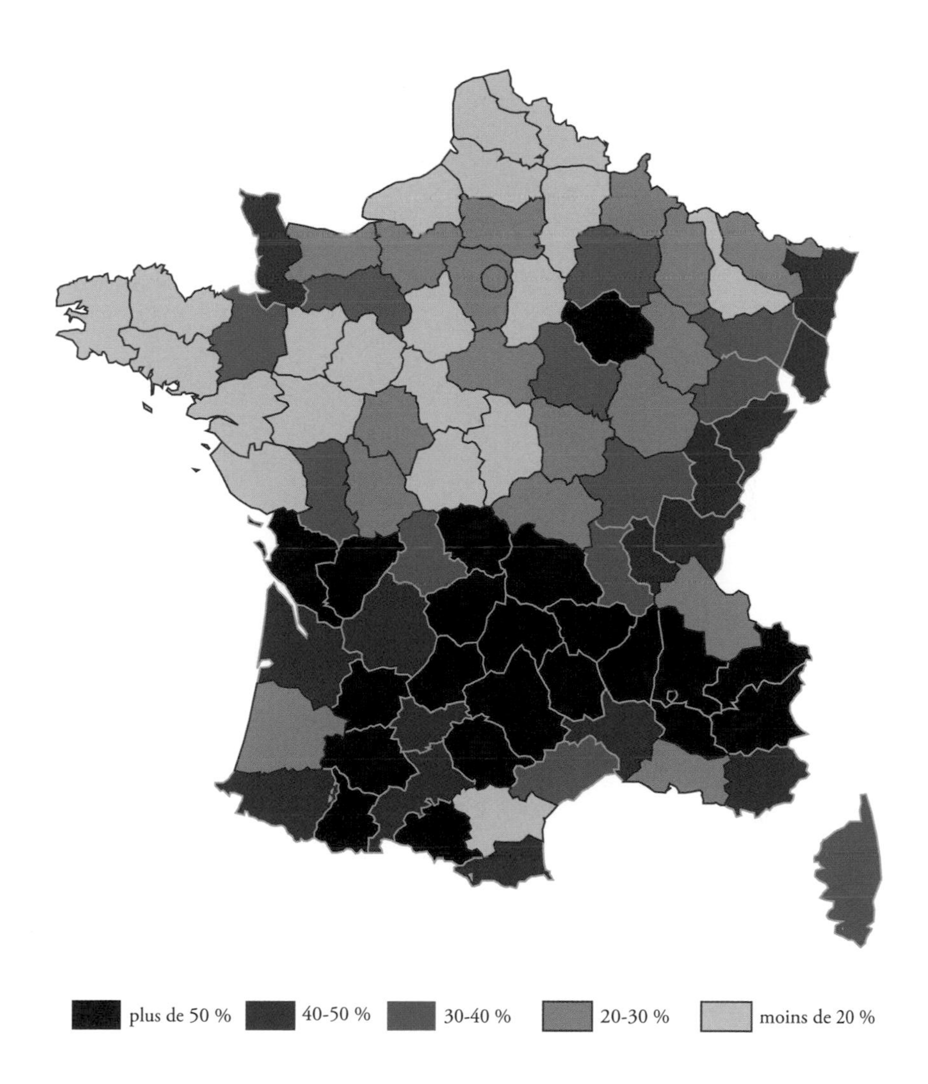

6-3 Paysans propriétaires en 1851

Pourcentage de paysans propriétaires de la majorité de leurs terres en 1851

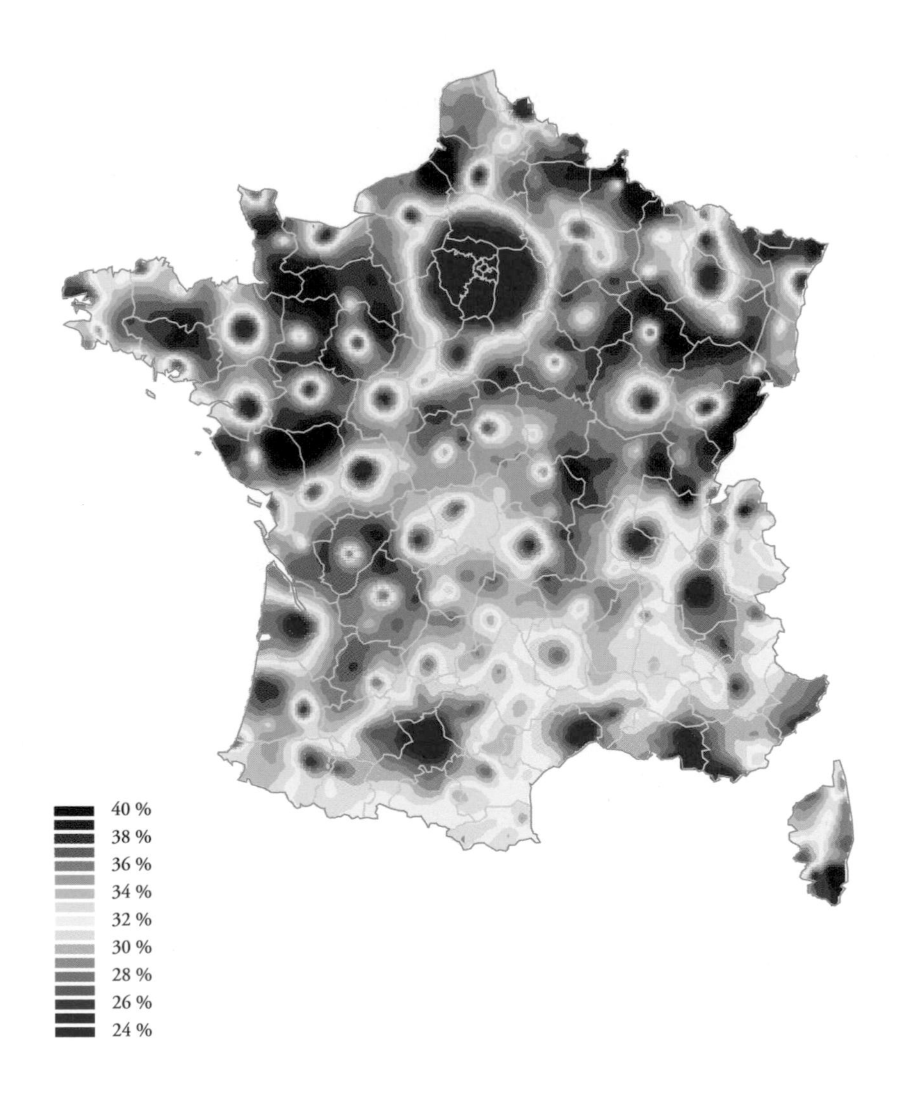

6-4 Les métiers populaires traditionnels en 2009

Pourcentage d'ouvriers, d'artisans et de petits commerçants dans la population active

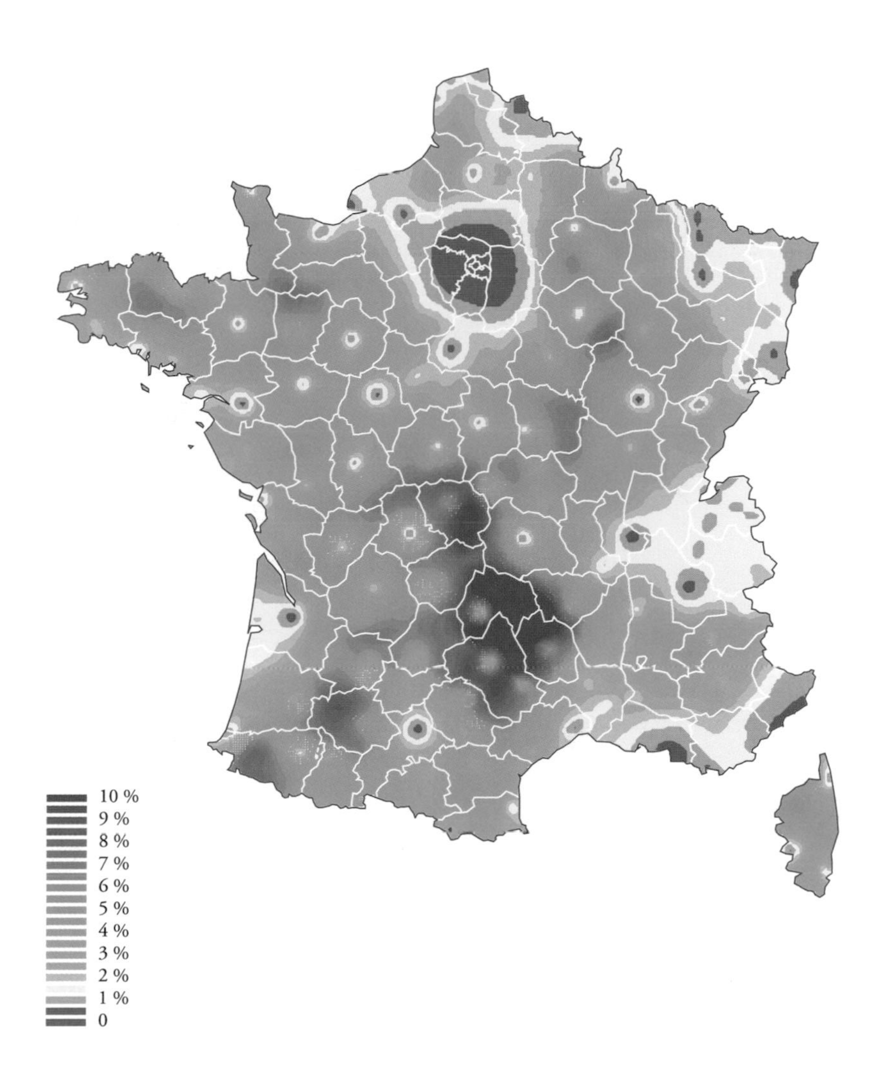

6-5 Les paysans en 2009

Pourcentage d'agriculteurs
dans la population active

ressemble, par son uniformité mitée par le système urbain, à celle des derniers agriculteurs (carte 6.5). Les professions culturellement dominées semblent toutes se réfugier à la campagne. Avant de disparaître ? Nous n'en sommes pas là puisque ces catégories représentent encore un bon tiers de la population active, plus de quinze fois le nombre des agriculteurs, Mais le dispositif de refoulement est en place. Une différence importante apparaît en Alsace et dans la région Rhône-Alpes où, à cause d'une dynamique industrielle plus forte, les agriculteurs sont quantitativement insignifiants. À l'est, la campagne – malgré quelques beaux vignobles alsaciens – n'est plus agricole mais toujours populaire.

Une nouvelle noblesse urbaine

Qui a remplacé les ouvriers et les artisans dans les villes ? La réponse porte le doux nom de *gentrification*. La reconquête des quartiers populaires des centres-ville progresse dans le monde entier, de Mexico à Pékin, de New York, où même Harlem devient chic, à Paris – où la Goutte d'or semble sur le point de devenir un autre Montmartre. La carte de la répartition des cadres et professions intellectuelles supérieures (carte 6.6) confirme ce mouvement jusqu'à l'absurde. Ces professions sont de trois à cinq fois plus présentes au centre des grandes villes que dans le rural profond, et elles se permettent en outre de choisir, parmi les villes, les plus belles, les plus universitaires, etc. Elles préfèrent Aix à Marseille, Montpellier à Nîmes, Rouen au Havre, Strasbourg à Mulhouse, Lyon à Saint-Étienne, bref ce que les géographes appellent les « villes de commandement », qui organisent et dirigent un territoire. Pour autant, toutes les petites villes ne sont pas négligées. On y trouve de nombreux cadres et professions intellectuelles supérieures : Aurillac, Bergerac, Saint-Dié… Les rares irrégularités laissant apparaître du cadre supérieur rural sont facilement explicables : installations de la

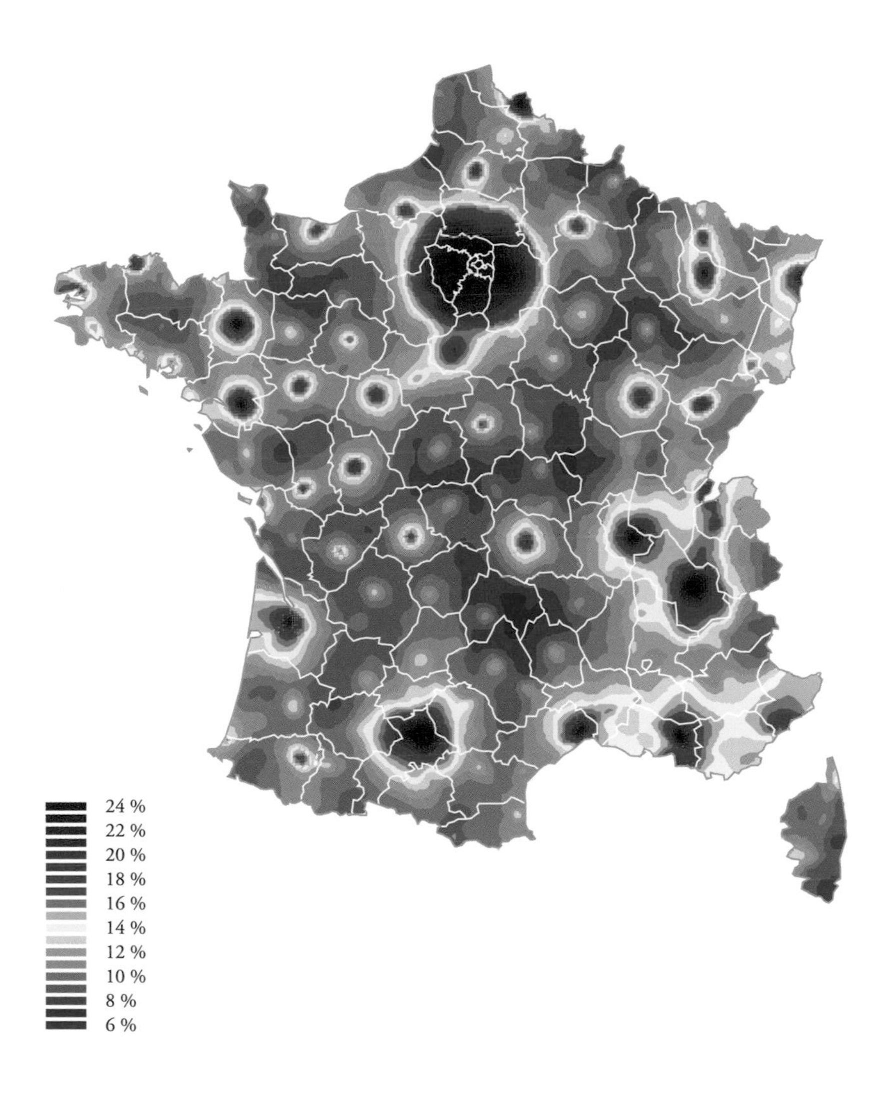

6-6 Les cadres en 2009

Pourcentage de cadres et professions libérales
dans la population active

recherche spatiale à Pleumeur-Bodou, au cœur des Côtes-d'Armor, résidences de fonctionnaires internationaux genevois à Annemasse, sur les bords du lac Léman. Les anciennes petites villes industrielles sont impitoyablement gommées : on chercherait en vain sur la carte Alès, Thionville, Montluçon, Roanne, Le Creusot ou Maubeuge.

La nouvelle pauvreté urbaine

L'histoire est rapide en ces temps de décollage éducatif et de globalisation économique, et l'image de villes privilégiées, régnant à la manière des cités italiennes de la Renaissance sur une campagne de métayers exploités, restera pour nous un instantané fugace. Le cadre supérieur bien payé est l'homme d'une génération qui vieillit, sexagénaire souvent, quinquagénaire parfois encore. Les diplômés du supérieur des générations suivantes, beaucoup plus nombreux, doivent affronter l'écrasement des salaires et l'instabilité des emplois qui résultent, conformément à la théorie économique, du libre-échange[1]. Le trop célèbre « bobo », s'il est effectivement bourgeois par le niveau éducatif, ne l'est guère par le niveau de revenu et peine à payer son loyer. S'il a des enfants et besoin d'un peu d'espace, il doit migrer vers une banlieue proche et s'estimer heureux d'y rester sans devoir aller jusqu'aux franges du périurbain.

Nous devons percevoir dans les villes une dynamique historique continue. Une fois de plus, l'éducation apparaît en moteur du mouvement. Dans un premier temps postindustriel, elle a fait des villes des pôles de privilège social ; dans un deuxième, qui ne fait que commencer, celles-ci deviennent les lieux de concentration d'une nouvelle pauvreté éduquée.

1. Selon le théorème de Heckscher-Ohlin, le facteur de production relativement le plus rare dans un pays donné est défavorisé : dans le monde développé, les jeunes et les ouvriers.

Complétons ici notre tableau social de cette ville postindustrielle qui ne réussira pas à chasser tous ses pauvres. Elle est aussi un lieu d'immigration. Qu'ils soient encore étrangers ou aient acquis la nationalité française, une large part des immigrés sont des ouvriers peu qualifiés. Beaucoup sont installés dans les agglomérations, particulièrement dans leurs centres. Leur distribution sur le territoire est donc presque l'inverse de celle des ouvriers nés de parents français : ils résident plus fréquemment dans les grandes agglomérations, et aussi au Sud. Ils ne sont pas en concurrence immédiate avec des ouvriers anciens mais ne sont pas non plus à leurs côtés. La « classe ouvrière » est encore parfois évoquée par les syndicats ou par quelques sociologues, mais elle devient fort abstraite, brisée et répartie en îlots, distincts spatialement et, au stade actuel, ethniquement.

Les professions « intermédiaires » sont spatialement intermédiaires

La répartition dans l'espace français des professions dites intermédiaires (carte 6.7) justifie cette catégorie en apparence fourre-tout de l'INSEE. Elle regroupe, entre autres, les instituteurs, les infirmières, les agents de maîtrise et les techniciens. Mais sa distribution géographique est claire. Elle s'intercale entre la concentration des cadres urbains et la dispersion des artisans et des ouvriers ruraux. Elle occupe l'espace interstitiel aux abords immédiats des grandes villes et des plus petites villes, qui refont ici surface sur la carte, ainsi Morlaix, Valenciennes, Saintes ou Bar-le-Duc, pour ne donner que quelques exemples. La réalité « géographique » de cette catégorie des professions intermédiaires montre que l'ancienne catégorie des ouvriers a commencé d'éclater en une élite technicienne, qui s'est rapprochée des classes supérieures, y compris dans l'espace, et un prolétariat

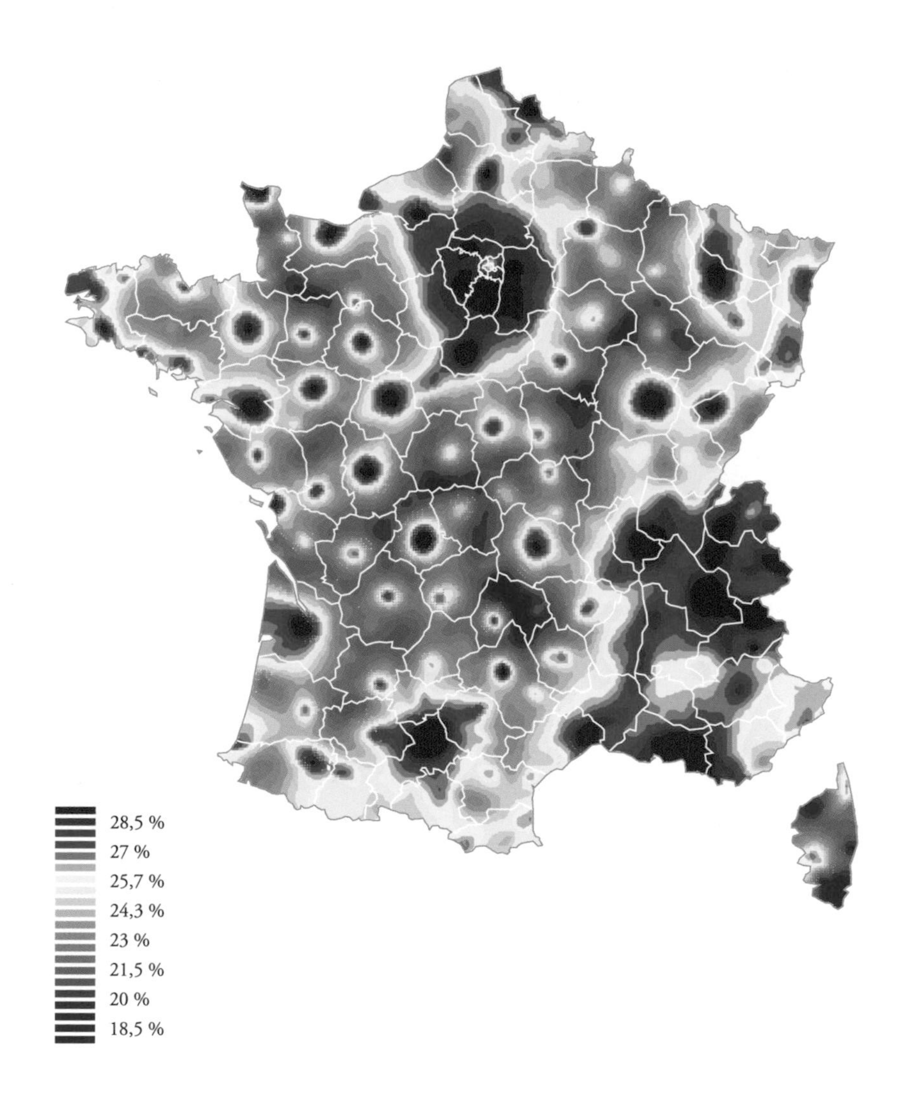

6-7 Les « intermédiaires » en 2009

Pourcentage de professions intermédiaires
dans la population active

peu qualifié qui s'est éloigné des centres, pulvérisé dans l'espace rural.

Les employés, les femmes et l'État

Nous avons laissé pour la fin la catégorie socioprofessionnelle la plus massive, la plus caractéristique, peut-être, de la société postindustrielle, les employés : 28 % de la population active, contre 24 % pour les professions intermédiaires, 21 % pour les ouvriers, 17,6 % pour les cadres et professions intellectuelles supérieures, 6,5 % pour les artisans commerçants et chefs d'entreprise, 2 % pour les agriculteurs. Près de 80 % des employés sont des femmes. Les professions intermédiaires qui les suivent immédiatement en termes de féminisation le sont à seulement 53 %.

La rareté des hommes dans le groupe suggère qu'il ne pourrait être autonome dans la vie sociale, sous peine de célibat généralisé. Les employées vont être femmes d'ouvriers, de cadres ou de techniciens, et ces liens multiples devraient entraîner une dispersion géographique des employées. Leur insertion dans l'espace serait dépendante de celle des autres groupes. Un tel raisonnement n'est pas dépourvu de sexisme puisque le groupe ouvrier, masculin à 80 %, doit aussi trouver ses conjoints à l'extérieur, chez les employées justement. Pourquoi la profession de l'homme déterminerait-elle plus que celle de la femme le lieu de résidence du ménage ?

Un premier coup d'œil à la carte des employés (carte 6.8) peut donner l'impression d'une répartition dépourvue de sens. Les villes ne définissent aucune polarisation claire. Quant aux grandes zones repérables, elles sont loin d'évoquer immédiatement une détermination quelconque : un axe horizontal rouge à l'extrême Sud entre les Alpes-Maritimes et les Hautes-Pyrénées, une large bande transversale entre la Gironde et la Nièvre, une troisième flaque couvrant le Nord et le nord-est du Bassin parisien. Quelle

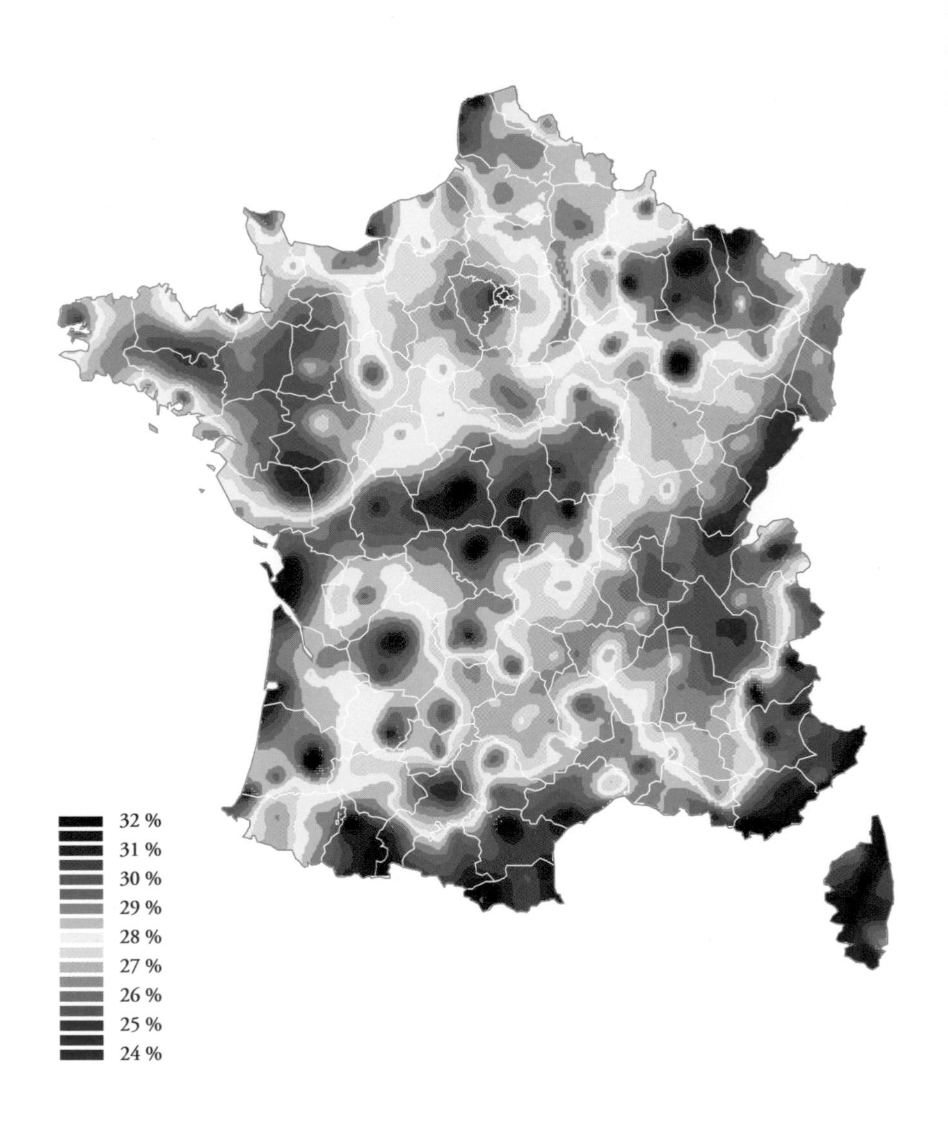

6-8 Les employés en 2009

Pourcentage d'employés dans la population active

cohérence derrière cette géographie des employés ? Une lecture inverse fixant les zones où le groupe est le moins représenté peut suggérer un rapport négatif au catholicisme : plus d'employés en zone de déchristianisation ancienne, de républicanisme précoce ? L'hypothèse n'est pas absurde mais certainement insuffisante. L'effet repoussoir du catholicisme semble beaucoup plus clair qu'une éventuelle stimulation par la laïcité : le cœur laïc du Bassin parisien ne semble guère encourager une multiplication du nombre des employés au-delà de la moyenne nationale.

Cherchant un élément positif, nous pouvons trouver un lien assez direct avec le politique. Allons tout de suite au cœur, non du côté de l'idéologie, de la religion ou des alignements partisans, mais du côté de l'État et de ses employés. Dans notre société postindustrielle, sa puissance coexiste bizarrement avec celle de l'idéologie néolibérale. On peut la mesurer par la pression fiscale ou par le nombre de ses agents. Par définition omniprésent dans l'Hexagone, l'État devrait-il être homogène, et répartir ses fonctionnaires équitablement sur l'ensemble du territoire national ?

La carte décrivant la proportion de la population employée dans la fonction publique (carte 6.9), qui inclut des cadres, des professions intermédiaires, des employés et quelques ouvriers, fait apparaître un zonage d'une grande simplicité avec des scores atteignant 32 à 35 % d'agents publics dans un vaste Midi, contournant la région Rhône-Alpes jusqu'à la Nièvre, et dans le nord-nord-est du Bassin parisien entre les Vosges et le Pas-de-Calais. Les petites villes sont bien représentées, les métropoles non.

En revanche, dans l'Ouest intérieur, au cœur du Bassin parisien, en région Rhône-Alpes et en Alsace, la proportion de la population active employée par le secteur public tombe à 25 %. Cette carte est explicable par le couple dissocié « dynamisme éducatif/dynamisme économique ». L'afflux de femmes éduquées nourrit l'État au sud, le reflux industriel accroît la masse relative de l'État au nord. Nous retrouverons cette carte fondamentale lorsque nous en viendrons à l'interprétation politique.

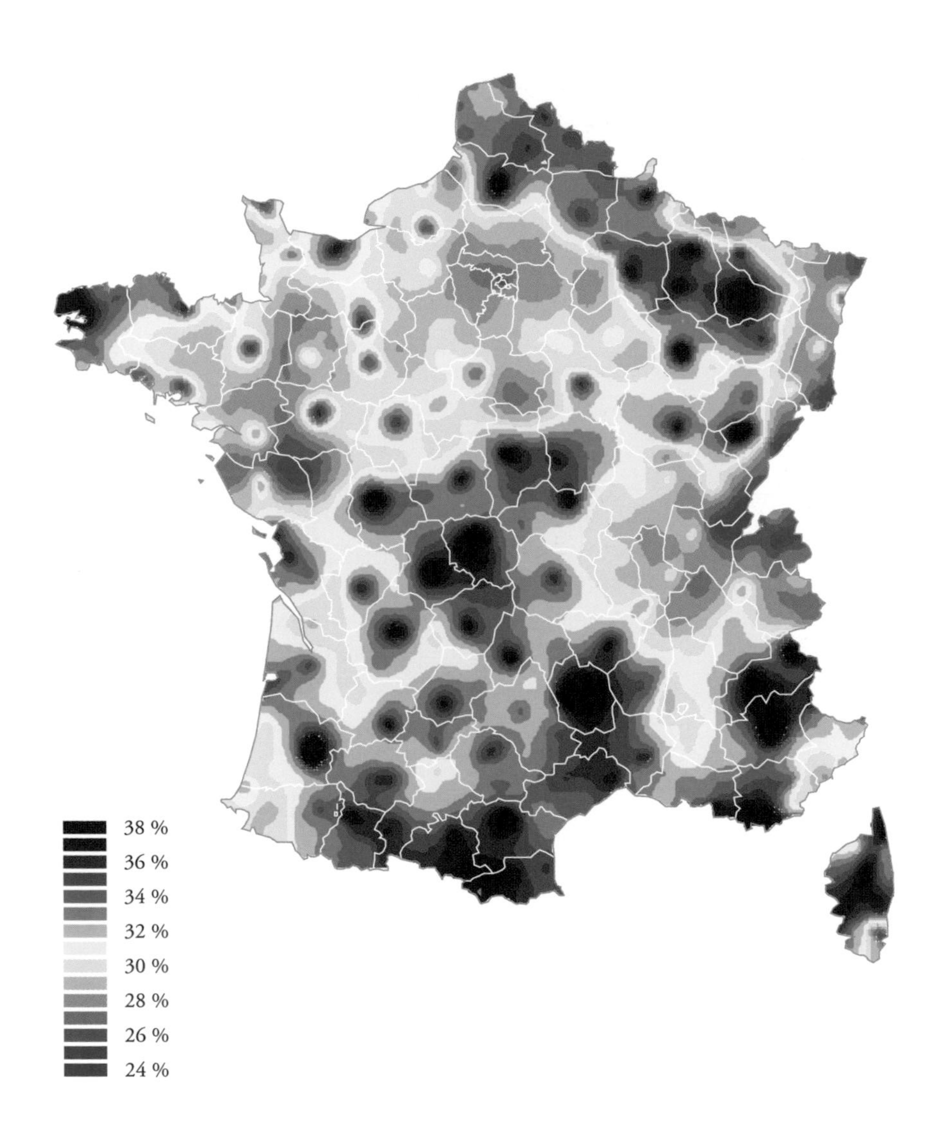

6-9 Les agents de l'État en 2009

Pourcentage d'actifs travaillant dans le secteur public

Dans le contexte plus restreint de ce chapitre, nous devons surtout voir le lien entre cette carte du secteur public et celle des employés. La correspondance est normale. En tant qu'agent économique, l'État opère surtout dans le secteur tertiaire, qui mobilise beaucoup d'employés. Notons toutefois que le tiers seulement des employés appartiennent au secteur public. La capacité de l'État à influer sur la distribution spatiale des employés n'en apparaît que plus remarquable. Il ne garantit pas l'homogénéité du territoire national en répartissant ses agents de façon égalitaire, mais en plaçant ou maintenant une partie de ses services en contrepoids de la dynamique du secteur privé. La carte cependant est loin de suggérer une répartition optimale. Si la masse relative des administrations publiques dans les zones industrielles sinistrées du Nord et du nord-est du Bassin parisien se justifie pleinement, le dynamisme étatique du Midi apparaît quelque peu exagéré, reflet d'une tradition locale de dépendance à la fonction publique plutôt que d'une juste politique d'équilibre entre les territoires.

CHAPITRE 7

Inégalités économiques

La montée des inégalités économiques sera sans doute pour les historiens futurs – avec Internet, l'émergence de la Chine, l'émancipation des femmes et le mariage pour tous – l'un des traits distinctifs de ce début de IIIe millénaire. L'OCDE, l'un des temples de l'orthodoxie néolibérale, a fini par s'en inquiéter. Plusieurs de ses études mettent en évidence la montée générale du coefficient de Gini, l'une des meilleures mesures de l'inégalité des revenus, ou de l'augmentation de la part du revenu national accaparée par les 10 % les plus favorisés par rapport à celle des 10 % les moins payés[1]. L'OCDE tente de minimiser le rôle de la globalisation économique dans cette progression de l'inégalité. Ses économistes restent, comme ceux des banques, des mercenaires. C'est sans importance : leur refus d'une interprétation admise par la plus orthodoxe théorie libérale du commerce international ne retire pas à ces études leur intérêt empirique.

Le coefficient de Gini varie de 0, si tous les revenus sont égaux, à 1 si une seule personne perçoit l'ensemble du revenu national. Il était, pour l'ensemble des pays de l'OCDE – revenus

1. « An Overview of Growing Income Inequalities in OECD Countries : Main Findings », *Divided we Stand : Why Inequality Keeps Rising*, OECD, 2011.

mesurés après transferts fiscaux et sociaux –, de 0,290 au milieu des années 1980. Il a atteint 0,316 vers 2010. Mais les différences d'évolution entre nations sont aussi fascinantes que le mouvement général.

La France semble une exception, aux côtés de la Belgique, de la Hongrie, de la Grèce et de la Turquie, par sa longue résistance à l'inégalité. Nous voyons la marche triomphale des revenus les plus élevés commencer aux États-Unis et au Royaume-Uni dès la fin des années 1970 (coefficients de Gini de 0,38 et 0,35 respectivement à la veille de la grande récession). Elle se généralise à la fin des années 1980, pour toucher enfin, au début des années 2000, des pays traditionnellement égalitaires comme l'Allemagne, la Suède, la Norvège, le Danemark et la Finlande. Ne confondons pas point de départ et mouvement. En termes d'inégalité, la France partait de plus haut, malgré la chute de son coefficient de Gini entre 1963 et 2007. En Allemagne, la hausse a seulement conduit au niveau de la France (0,30). Les pays scandinaves, malgré l'augmentation qui a fini par les atteindre, restent plus égalitaires (autour de 0,25).

De l'OCDE à Marx

Ne nous arrêtons pas à la méthode de l'OCDE. Dans chaque pays, le monde des riches est une poupée russe. À l'intérieur des 10 % se cachent les 1 % les plus riches, qui dissimulent eux-mêmes les 0,1 %, les 0,01 % et ainsi de suite. Le monde des riches est inégalitaire. Dans ses études comparatives, Thomas Piketty a judicieusement attiré l'attention sur l'évolution spécifique des plus hauts revenus – 1 %, 0,1 % ou 0,01 % –, qui peuvent diverger notablement de ces 10 % sur lesquels l'OCDE veut attirer notre attention. Dans le cas de la France par exemple, l'augmentation des revenus des 10 % supérieurs est pour l'essentiel entraînée par celle des 1 %, l'évolution positive étant des plus modestes pour les 9 % suivants. Les vrais gagnants sont bien sûr les 0,1 %, où nous retrouvons le monde des affaires, plus quelques chanteurs, acteurs et footballeurs, souvent issus de milieux modestes mais parfois transformés par l'inégalité des temps en feuilles de vigne de la classe capitaliste.

Dans le cas de la France, homogène dans sa résistance à l'inégalité jusqu'à l'approche de l'an 2000, les plus hauts revenus ont fini par se séparer de la masse des 10 % supérieurs dans la première décennie du IIIe millénaire. Ainsi que l'écrit Camille Landais, « les indicateurs d'inégalité fondés sur des comparaisons inter déciles, du type rapport du revenu au seuil du dernier décile sur le revenu au seuil du premier décile sont donc naturellement aveugles à cette explosion récente des très hauts revenus[1] ».

Cette explosion des revenus les plus élevés ne peut pas faire de la France un pays très inégalitaire dans le monde le plus développé. La part du revenu national accaparé par les 1 % les plus riches était, vers 2000 et avant transferts, de 7,8 % en France, contre 8,2 % au Japon, 11,2 % en Allemagne, 12,7 % au Royaume-Uni et 16,9 % aux États-Unis. Seule la Suède était, à cette date, plus égalitaire que la France avec 6,0 %[2]. Notons quand même la puissance inattendue de la classe supérieure allemande, masquée par l'analyse en termes de déciles.

Combinant l'approche OCDE par les 10 % et la technique utilisée par Thomas Piketty avec les 1 %, nous pouvons dessiner un modèle des rapports de forces entre classes qui ne se contente pas d'opposer la masse de la population à une fraction supérieure mal définie, mais qui distingue et oppose les classes vraiment supérieures (les 1 %, mais une étude plus fine devrait aussi cibler les 0,1 %) aux classes moyennes supérieures (les 9 % suivants). La spécificité de l'évolution française devient évidente. En France, les

1. Camille Landais, « Les hauts revenus en France (1998-2006) : Une explosion des inégalités ? », École d'économie de Paris, juin 2007, p. 7.

2. D'après Anthony B. Atkinson, Thomas Piketty *et al.*, *Top Incomes over the* XX*th Century* », Oxford, Oxford University Press, 2007.

classes supérieures ont tardivement réussi à se détacher de la masse, mais les classes moyennes supérieures y sont restées soudées et ne sont pas sorties du modèle égalitaire de l'après-guerre. Nous voyons donc se recréer la configuration de classes qui avait conduit à la révolution de 1789, avec une aristocratie coupée, non pas seulement du peuple, mais surtout de cette strate moyenne supérieure dont dépend l'équilibre politique de la société. Depuis Aristote, l'usage est de désigner cette couche, plus modestement, par l'expression « classe moyenne ». C'est cette distribution des forces qui a permis à François Hollande d'être élu en désignant les riches – implicitement les 1 % ou les 0,1 % supérieurs – plutôt que les immigrés comme problème principal de la société française.

Notre analyse, qui distingue, par exemple, la bourgeoisie financière des cadres de l'éducation et de la recherche, conduit à une étude précise des affrontements entre groupes dominants, différente mais cousine de celle proposée par Marx dans *Les Luttes de classes en France*[1].

Nous n'avons pas besoin de cartes pour localiser les 1 %. Nous savons qu'ils ont pour la plupart au moins une résidence à Paris ou dans l'une des métropoles provinciales. La cartographie des coefficients de Gini et des déciles nous permet en revanche de décrire des équilibres sociaux régionaux, et ce d'autant mieux que nous pouvons voir localement à quel point les 10 % supérieurs sont riches ou les 10 % inférieurs pauvres. N'oublions cependant jamais, si nous voulons comprendre le rapport de la France à l'égalité, que nous devons tenir compte des 1 % supérieurs, concentrés en un point du territoire mais dont l'ombre porte sur l'ensemble du système national.

1. Paris, Gallimard, 2002 (1850).

Adam Smith, l'égalité et la morale

Dans le monde enchanté des économistes, les inégalités ont un sens… économique. La foi de ces spécialistes de la richesse et de la pauvreté en la logique interne de leur discipline est compréhensible, identitaire au fond, mais elle représente une sérieuse rupture avec les traditions religieuses ou philosophiques antérieures. Celles-ci cherchaient plutôt du côté de la morale, ou plutôt de l'immoralité, la cause de l'inégalité de richesse entre les hommes. Il serait un peu facile de citer saint Augustin ou Rousseau. Constatons qu'Adam Smith, père fondateur de l'économie politique, n'avait pas fait le grand saut. L'inégalité ne se justifiait nullement pour lui par l'intelligence, la compétence ou l'efficacité intrinsèque des individus. Elle résultait de la division sociale du travail. La prétention actuelle des privilégiés du revenu à « valoir » plus que les autres, à justifier leurs privilèges par une utilité économique plus grande, aurait rendu perplexe, attristé peut-être, l'auteur de *La Richesse des nations*. Smith l'Écossais croyait en l'égalité des hommes et l'un de ses développements va nous préparer à l'examen des inégalités économiques, dont l'amplitude dépend largement, nous allons le voir, de facteurs extra-économiques, éducatifs et religieux.

« Dans la réalité, la différence des talents naturels entre les individus est bien moindre que nous ne le croyons, et les aptitudes si différentes, qui semblent distinguer les hommes de diverses professions quand ils sont parvenus à la maturité de l'âge, n'est pas tant la cause que l'effet de la division du travail, en beaucoup de circonstances. La différence entre les hommes adonnés aux professions les plus opposées, entre un philosophe, par exemple, et un portefaix, semble provenir beaucoup moins de la nature que de l'habitude et de l'éducation. Quand ils étaient l'un et l'autre au commencement de leur carrière, dans les six ou huit premières années de leur vie, il y avait peut-être entre eux une telle ressemblance que leurs parents ou camarades n'y auraient pas remarqué de différence sensible. Vers cet âge ou bientôt après, ils ont commencé à être employés à des occupations fort différentes. Dès lors a commencé entre eux cette disparité qui s'est augmentée insensiblement, au point qu'aujourd'hui la vanité du philosophe consentirait à peine à reconnaître un seul point de ressemblance[1]. »

La vanité que nous devons affronter aujourd'hui est plutôt celle de gens de la finance qui croient valoir leurs revenus plutôt que celle de philosophes qui surestiment le poids de leurs mots.

Huit cartes vont nous permettre d'analyser les inégalités dans l'espace français (cartes 7.1 à 7.8). Nous demandons au lecteur de les regarder tout d'abord rapidement les unes après les autres comme une séquence dynamique. Celle-ci permet de saisir une émergence, un processus, et de se projeter dans une certaine mesure vers l'avenir. La lecture détaillée de chacune de ces cartes ne devrait constituer qu'un second moment. Elles vont situer dans l'espace français, successivement : la richesse des plus riches, la pauvreté des plus pauvres, l'inégalité mesurée par le coefficient de Gini, le rapport entre décile supérieur et décile inférieur de la distribution des revenus, le taux de chômage total, le taux de chômage des plus de 55 ans, celui des 15-24 ans, et enfin les familles monoparentales. Nous considérons le chômage comme l'un des indicateurs fondamentaux de l'inégalité.

Privilège religieux

Ce qu'il faut sentir, lorsque l'on passe des riches aux pauvres, des vieux aux jeunes, puis lorsque l'on atteint les

1. *Recherches sur la nature et les causes de la richesse des nations*, Paris, Flammarion, 1999 (1776).

familles monoparentales, c'est la montée en puissance, dans l'explication de l'inégalité, de deux variables : en première instance, l'éducation et en seconde instance, la religion, ou son absence. L'inégalité qui se développe touche de plus en plus des zones de faible niveau éducatif, qui sont elles-mêmes de plus en plus souvent les zones anciennement déchristianisées de l'espace français. Au moment où nous écrivons, l'ajustement n'est pas achevé.

La carte 7.4 décrit l'inégalité par le rapport du décile supérieur au décile inférieur ; la carte 7.7 la saisit, plus brutalement encore, par le taux de chômage des 15-24 ans. Toutes deux se rapprochent tendanciellement des cartes détaillant au chapitre 2 les inégalités régionales d'éducation (cartes 2.3, 2.4 et 2.5).

Si nous remontons d'un cran dans la chaîne des causalités, nous devons admettre que les cartes de l'inégalité ou du chômage renvoient aussi à celles de l'opposition « déchristianisation ancienne/catholicisme tardif » (cartes 1.5 et 1.6 du chapitre premier). Nous avions évoqué, pour comprendre l'ultime poussée éducative des années 1985-1995, le dynamisme spécifique induit par la disparition finale du catholicisme dans ses bastions, et l'effet positif du « catholicisme zombie ». L'affection traditionnelle de l'Église pour le travail manuel expliquait quant à elle une spécialisation professionnelle et technique protectrice dans le contexte économique actuel. On pourrait, symétriquement, souligner les moindres performances – qu'il s'agisse d'éducation ou d'emploi – des anciennes zones révolutionnaires, et notamment des populations de tradition communiste. Il est particulièrement cruel de voir une montée spécifique de la pauvreté et donc de l'inégalité s'inscrire peu à peu dans ces régions, inversion tragique du message révolutionnaire, que celui-ci ait été républicain ou bolchevique.

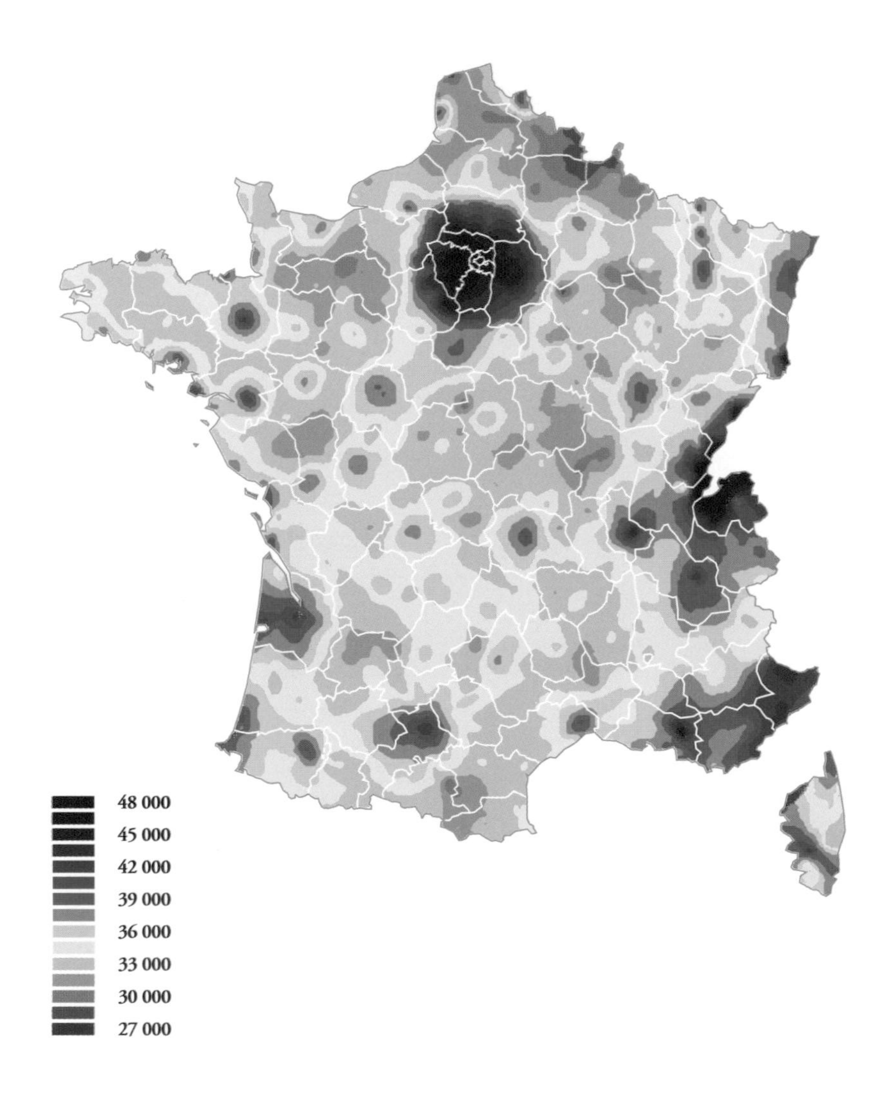

7-1 Riches parmi les riches

Revenu annuel du dernier décile (montant au-dessus duquel on trouve les 10 % de revenus les plus élevés) (en euros en 2010)

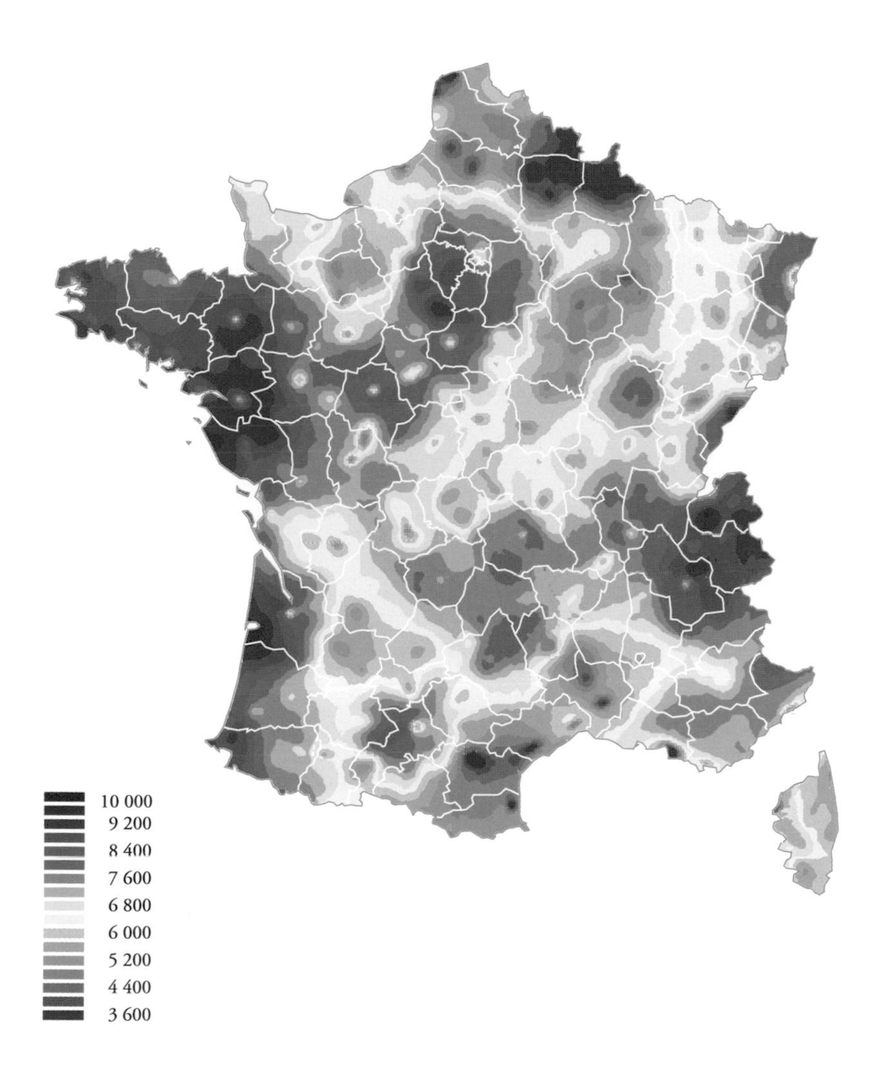

7-2 À quel point pauvres ?

Revenu annuel du premier décile (montant au-dessous duquel on trouve les 10 % de revenus les plus faibles) (en euros en 2010)

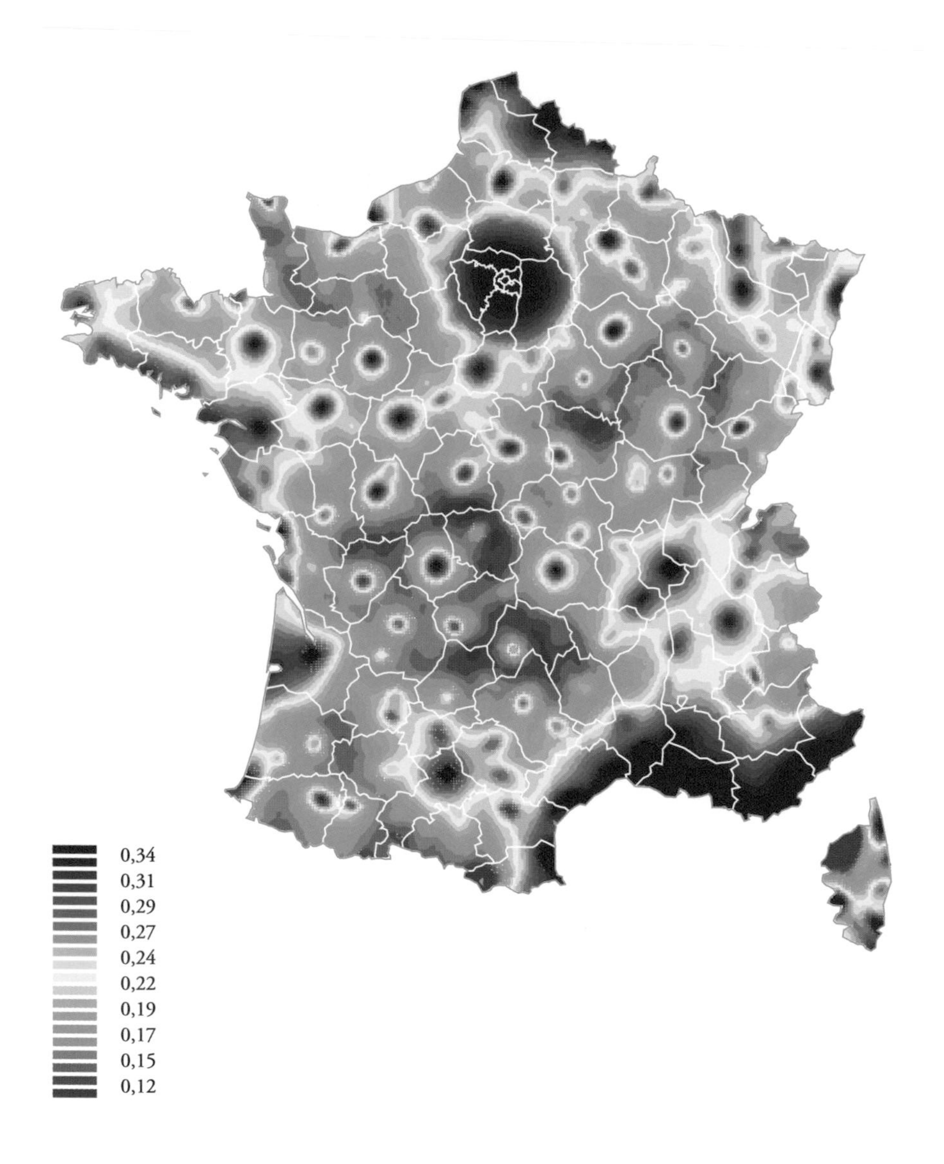

7-3 Inégalité 1 : le coefficient de Gini

Inégalité des revenus par unité de consommation en 2010

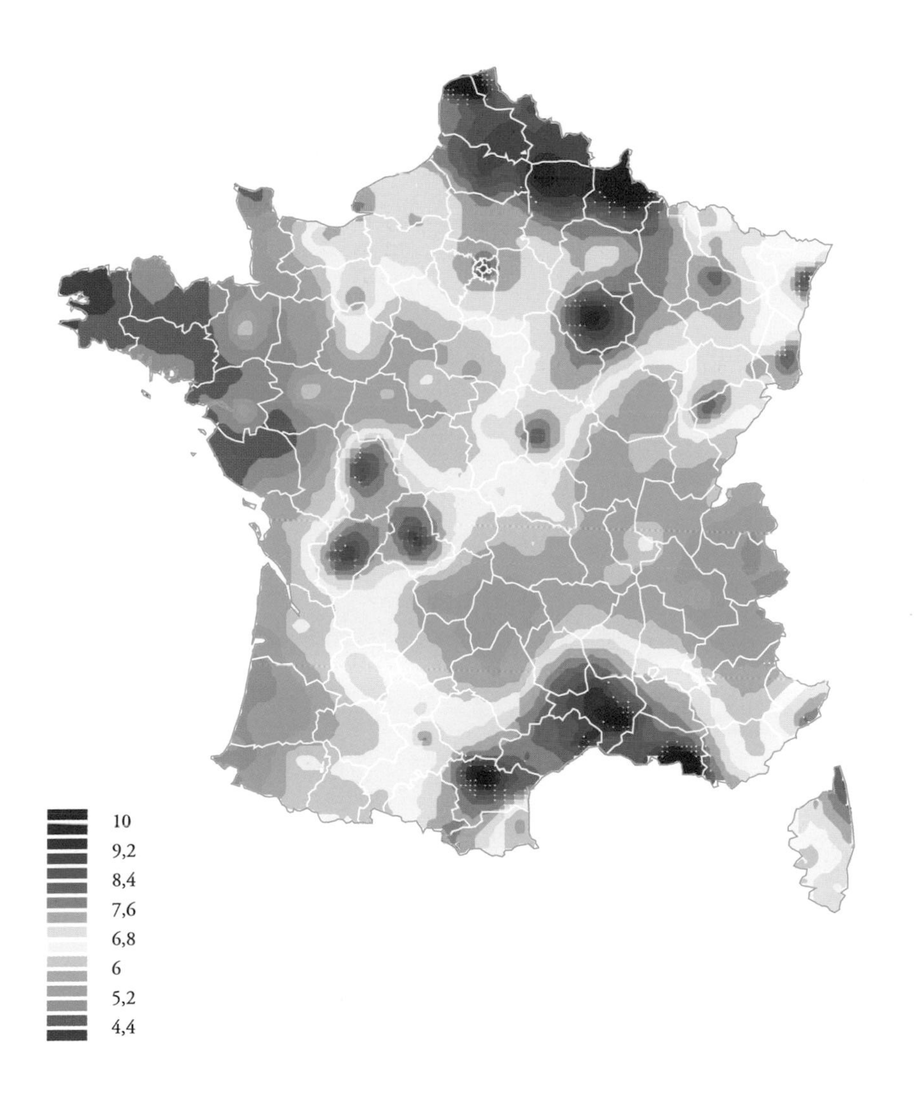

7-4 Inégalité 2 : le rapport inter-décile

Revenu du dernier décile (le plus riche) divisé par le revenu du premier décile (le plus pauvre) en 2010

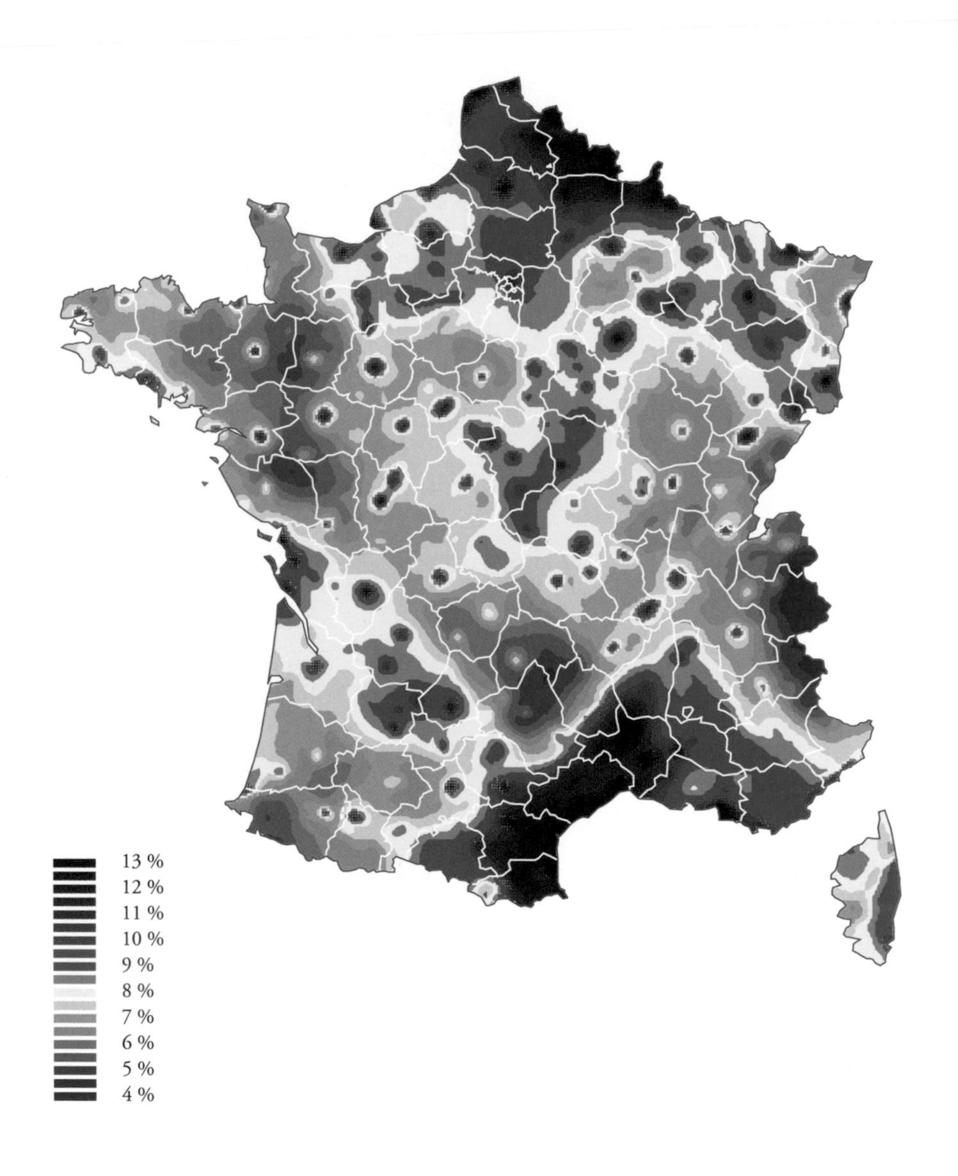

7-5 Taux de chômage en 2008

Pour les hommes de 25 à 55 ans

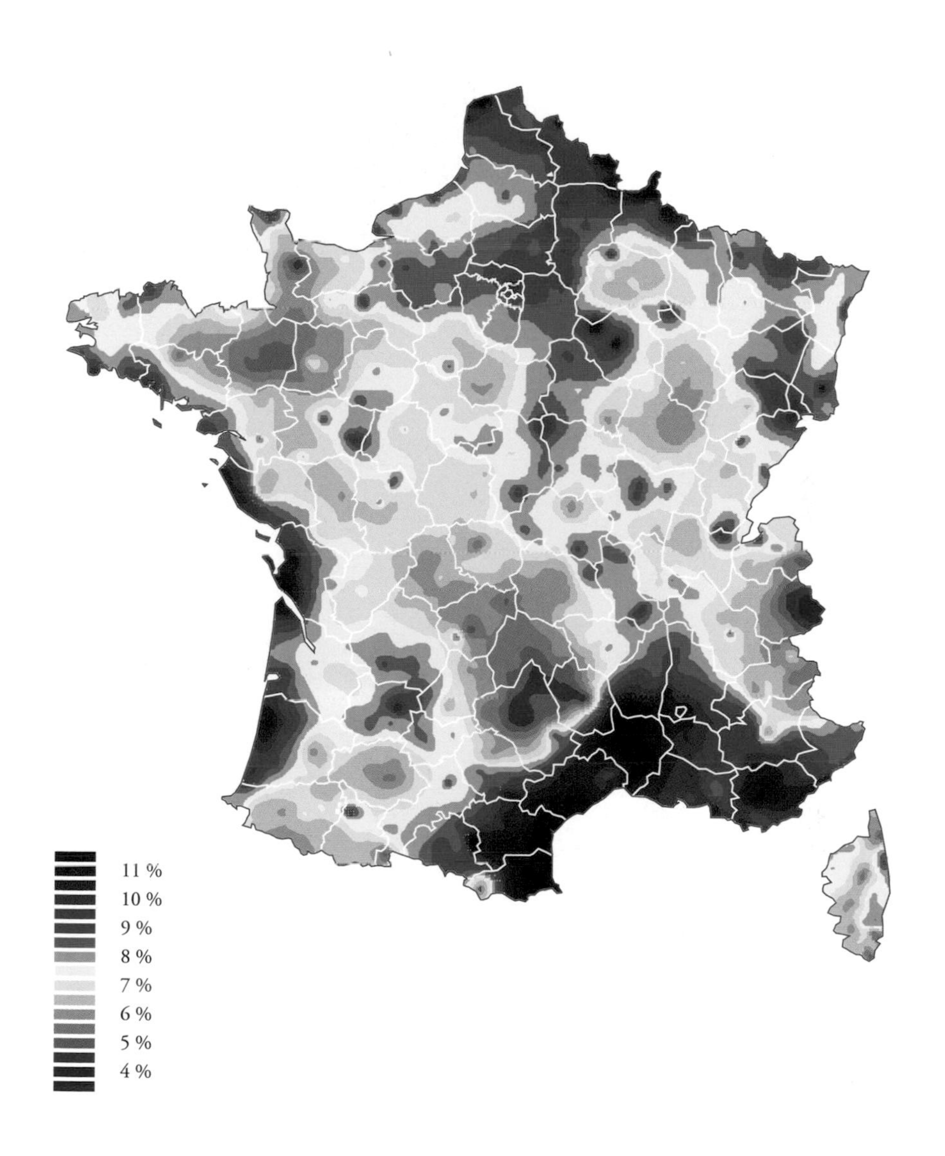

7-6 Le chômage avant la retraite

Taux de chômage en 2008 pour les actifs de 55 à 65 ans

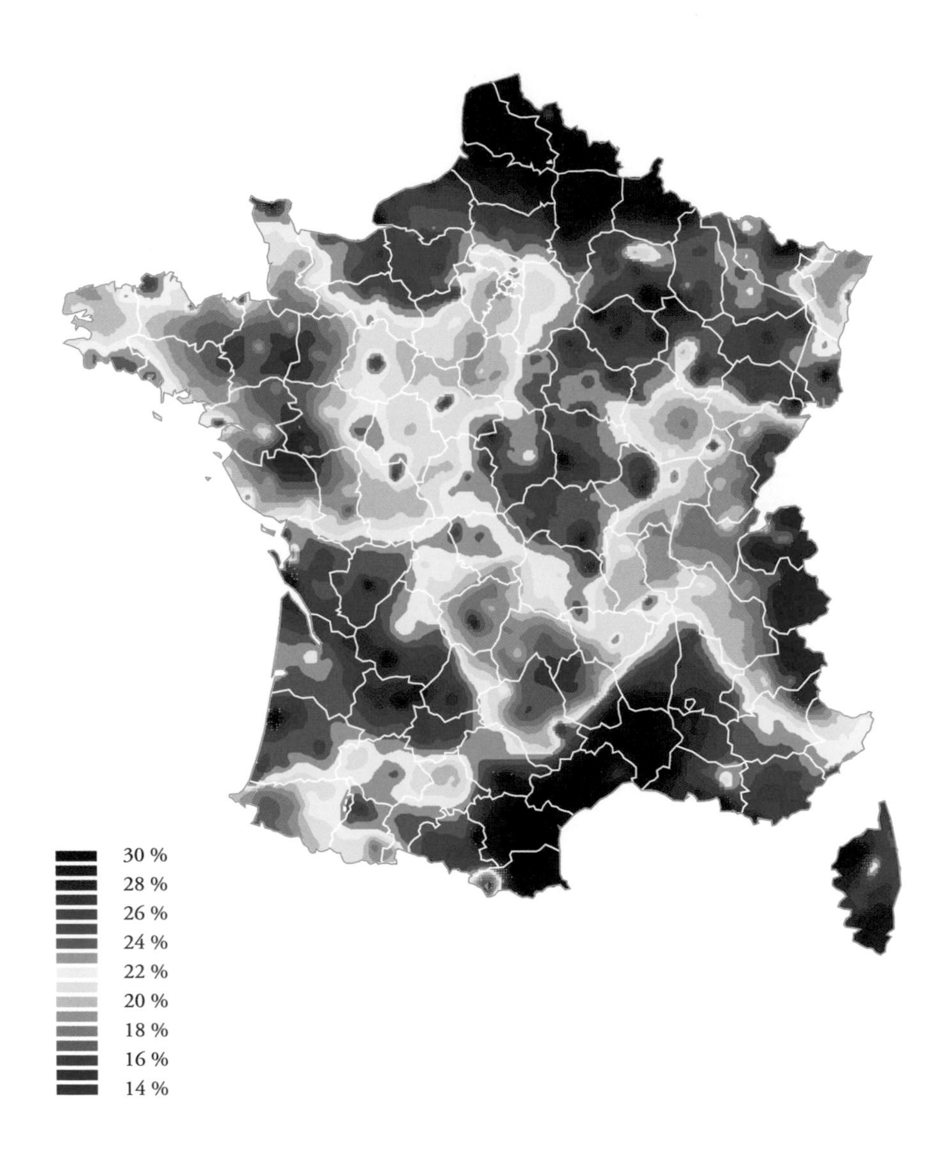

7-7 Le chômage des jeunes

Taux de chômage en 2008 pour les actifs de 16 à 24 ans

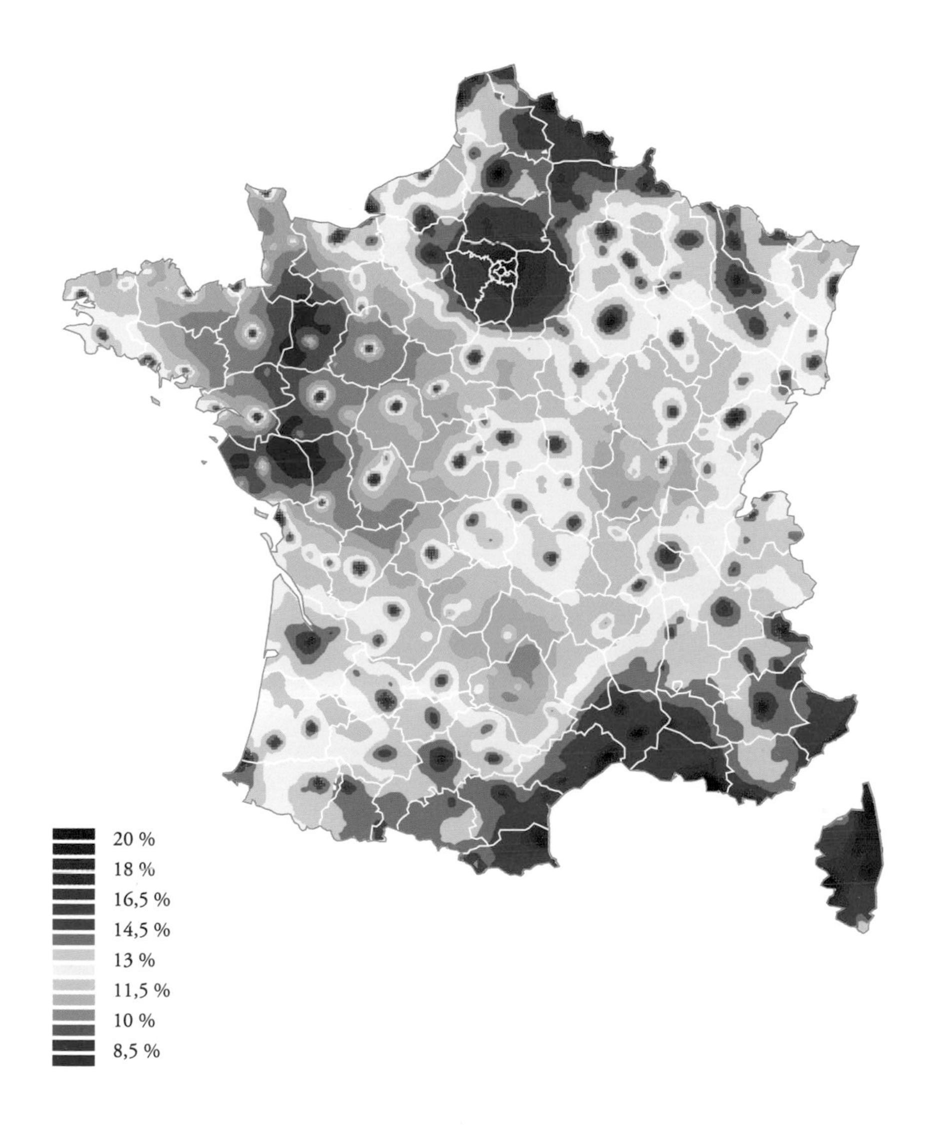

7-8 Familles monoparentales

En pourcentage de l'ensemble des familles en 2009

Dépression postcommuniste

Nous devons comprendre cette inversion, qui fait partie du mystère français. Il n'est pas impossible d'imaginer, répondant silencieusement et tristement au sentiment positif de libération intellectuelle des catholiques de l'Ouest, d'Alsace, des Alpes, du Massif central ou du Pays basque, une déprime idéologique et culturelle des populations anciennement laïcisées. On aurait tort de sous-estimer l'effet dépressif sur la société française de l'effondrement de la croyance communiste. Le PCF portait, dans les banlieues qu'il contrôlait, une véritable foi en la culture bourgeoise, qu'il voulait accessible à tous. Il portait cette moralité révolutionnaire que Tocqueville avait su apprécier à sa juste valeur[1]. Nous avons dit au premier chapitre que le communisme avait été une couche protectrice, au sens schumpetérien élargi de système de valeur encadrant les individus dans le monde froid de la rationalité capitaliste[2]. Or nous devons effectivement constater, dans les régions où les milieux populaires étaient sous influence communiste, une accumulation de phénomènes négatifs depuis la disparition du PCF. Une partie du chômage s'expliquerait sans doute, indépendamment de la performance éducative, par une préférence patronale pour les populations plus dociles formées par le catholicisme. Mais les problèmes éducatifs des vieilles régions laïques suggèrent un poids encore plus important de la perte de sens qui a résulté de l'implosion communiste. Le phénomène est complexe et mériterait un livre complet. Ce qui est sûr, à ce stade de simple identification du problème, c'est qu'une partie de la société française vit dans l'amnésie, pour ne pas dire le mensonge : la foi révolutionnaire, et spécifiquement communiste, a existé. Mais une notion de honte a fini par s'y attacher qui a entraîné,

1. *Cf. supra*, p. 66.
2. *Cf. supra*, p. 70 .

pour les générations communistes qui ont vécu l'effondrement et pour leurs enfants, une perte de confiance en l'avenir, un abandon de la notion de progrès. Une telle interprétation n'exclut pas, on le verra plus loin, l'hypothèse distincte et complémentaire d'un rapport complexe, pour ne pas dire pervers, du communisme à la pratique de l'égalité. Mais, quoique difficilement quantifiable, la dépression postrévolutionnaire a représenté pour la société française une perte d'énergie culturelle et sociale considérable, massive.

Nous n'excluons d'ailleurs pas la possibilité d'une crise analogue touchant dans l'avenir le « catholicisme zombie ». Régions révolutionnaires et catholiques vivent des histoires décalées dans le temps. Les provinces périphériques, qui viennent d'échapper à la discipline de l'Église, bénéficient aujourd'hui de l'enthousiasme résultant de leur récente ouverture au monde terrestre. Viendra le temps où le bonheur de la liberté retrouvée ne pourra plus remplacer l'absence de Dieu.

Face à des données en pleine évolution, abstenons-nous de toute conclusion définitive. Chacune de ces huit cartes présentées fourmille de détails fascinants qui valent par eux-mêmes. Relevons les plus importants.

Riches parmi les riches

La carte 7.1 nous indique, pour chaque lieu, le seuil de revenu au-dessus duquel on peut trouver les 10 % d'individus (ou unités de consommation[1]) les plus favorisés. Plus ce seuil est élevé, plus les riches sont riches. Les revenus sont donnés avant

1. Le revenu n'étant connu qu'au niveau des ménages, pour le calculer au niveau des individus, on attribue le poids 1 au premier adulte du ménage, le poids 0,5 à chaque autre membre du ménage âgé de plus de 14 ans, et le poids 0,3 aux plus jeunes. Le total des poids dans un ménage est la somme des « unités de consommation ». En divisant le revenu du ménage par cette somme, on obtient le revenu par unité de consommation.

transferts sociaux. L'échelle des teintes nous indique une variation allant du simple au double, de 25 000 à 50 000 euros annuels par unité de consommation. Les privilégiés de la région parisienne règnent évidemment sur le pays. Mais nous pouvons observer la persistance de groupes très favorisés – des bourgeoisies, des noblesses ? – dans les métropoles du Sud, Bordeaux, Toulouse, Aix plutôt que Marseille, Nice qui se spécialise dans le riche retraité. Les villes du Nord, et notamment Rennes, Nantes et Lyon, n'apparaissent que plus modestement sur la carte, et Lille pas du tout. L'accumulation de riches vraiment riches en région Provence-Alpes-Côte-d'Azur n'est pas une surprise. En revanche, leur concentration aux abords de la Suisse, telles des grenouilles autour d'une mare, est réellement merveilleuse. On connaissait le rapport de la Suisse à l'argent mais l'ampleur du phénomène – niveau de revenus très élevés le long de la frontière, auquel s'ajoute une vaste tache couvrant le gros de la Franche-Comté et des Alpes du Nord – dépasse ce que l'on pouvait anticiper. Dans la mesure où les 10 % du haut de l'échelle de revenus semblent se porter bien en Alsace aussi, on finit par percevoir un effet global de la frontière est. Les facteurs en sont multiples, mêlant travail frontalier de Français à revenus élevés et fuite résidentielle vers la France d'Allemands, de Suisses, de Piémontais ou de Ligures, mais la bordure est de la France apparaît bien globalement comme un monde où les hauts revenus sont vraiment hauts. Nous verrons l'influence de ce fait sur la droitisation politique dans cette étrange région frontalière.

À quel point pauvres ?

La carte 7.2 nous indique le seuil de revenus par unité de consommation au-dessous duquel on trouve 10 % de la population. À ce niveau par définition très inférieur, nous trouvons une dispersion plus frappante que pour les riches, avec des seuils s'étageant entre 3 000 et 10 000 euros annuels. Cela nous explique pourquoi les mesures régionales synthétiques de l'inégalité (cartes 7.3 et 7.4) dépendent plus des écarts de revenus entre les pauvres qu'entre les riches. La zone de pauvreté classique des dernières années commence d'apparaître, en vert sombre sur la carte : nord et est du Bassin parisien, parties centrale et orientale de la façade méditerranéenne, plus une flaque qui s'étend et progresse, à la suite de déficiences éducatives relatives et récentes, entre Toulouse, Bordeaux et Angoulême. Dans ces régions, 10 % des unités de consommation touchent moins de 6 000 euros par an, soit moins de 500 euros par mois.

On hésite à parler de pauvres « privilégiés ». Parlons donc de pauvres moins pauvres, avec des seuils atteignant 8 000 à 10 000 euros annuels. La carte du catholicisme commence d'apparaître, en orange ou rouge sur la carte, avec la Bretagne, la Vendée, les Alpes du Nord, l'Alsace. La religion n'explique pas tout. Un arc de cercle relie la région parisienne aux pays de la Loire, qui manifeste l'impact positif du dynamisme spécifique de l'économie privée dans ces régions sur les revenus des moins favorisés. Symétrique de l'effet frontière est des 10 % supérieurs, on perçoit un effet « Atlantique », allant d'ailleurs jusqu'au pied du Cotentin. Le long de toute la côte ouest, les pauvres ne semblent pas trop pauvres. Un coup d'œil à la carte 7.6, qui nous donne les taux de chômage des plus de 55 ans, fournit un élément d'explication. Les grandes régions de chômage y apparaissent, comme sur la carte 7.5 du chômage total : Midi méditerranéen, Nord, quoi que fort atténué dans ce dernier cas. Mais nous voyons aussi se dessiner un curieux « mur de l'Atlantique », de la pointe du Raz aux rochers de Biarritz, où le taux de chômage des plus de 55 ans dépasse le plus souvent 8 %. Impossible de ne pas faire l'hypothèse d'une variété de préretraite. La façade Atlantique est peut-être aux moins favorisés ce que la frontière est représente pour les riches, un refuge. Dans les deux cas, le mouvement migratoire ne peut être que celui de gens d'un certain âge. Vers 2010, dans tous les milieux sociaux, le privilège inclut le plus souvent une dimension générationnelle.

Louis Chauvel l'a montré dans *Le Destin des générations*[1] : les groupes d'âges coexistent dans la société à un moment donné, mais vivent, depuis la Seconde Guerre mondiale, des trajectoires distinctes. Plus qu'à aucune autre époque dans l'histoire, les vieux achèvent avec une retraite décente une vie qui n'aura pas été trop perturbée par la compression des salaires ou le chômage. Ils sont très souvent propriétaires de leur logement. Nous parlons ici de quelques générations nées entre 1930 et 1960 approximativement. Les jeunes en cours d'appauvrissement risquent fort de ne pas devenir des vieux relativement protégés comme ceux d'aujourd'hui. Le chômage préretraite de la façade Atlantique marque sans doute le point terminal d'une période heureuse.

Mères seules avec enfants

Nous terminons à dessein cet examen des inégalités par une variable décalée, qui aurait pu aussi bien figurer dans l'examen de la famille ou de la fécondité : la distribution des familles monoparentales, qui sont, dans 85 % des cas, des mères seules avec enfants. Toute la pauvreté du monde développé ne résulte pas en effet de l'évolution inégalitaire des revenus. La fragilisation du lien conjugal est en elle-même génératrice de difficultés économiques et agit comme un facteur autonome sur la distribution des inégalités. Sur la carte (7.8) donnant la proportion de familles monoparentales nous distinguons la plupart des centres urbains, à l'exception de Rennes et de Nantes. Une mère célibataire (pour simplifier, nous incluons dans le concept les mères divorcées avec enfants et les veuves) qui travaille ne peut se déplacer quotidiennement entre centre et banlieue. Nous observons un nouvel effet maritime, sur la côte bretonne (sud en particulier), normande et picarde et surtout

1. Louis Chauvel, *Le Destin des générations. Structure sociale et cohortes en France au* XXe *siècle,* Paris, PUF, 1998.

tout le long de la côte méditerranéenne, où les proportions de familles monoparentales, sont les plus élevées de toute la France. Comme dans le cas des chômeurs de plus de 55 ans, nous imaginons dans le comportement des mères isolées un mélange de détresse et d'ajustement rationnel. Les prestations de l'État-providence ne sont pas forcément attachées à des lieux et réservées aux habitants des zones les plus désagréables. Dans une société moderne et mobile, l'adversité semble souvent mener vers les régions maritimes, et parfois ensoleillées.

Le gros de la carte des familles monoparentales renvoie cependant à la classique polarité religieuse de la France. Elles sont particulièrement peu nombreuses dans l'Ouest, les Pyrénées-Atlantiques, le sud du Massif central, le nord des Alpes, la Franche-Comté et l'Alsace. La carte du catholicisme n'explique pas tout. En Bourgogne, Poitou et sur la Loire, les mères seules avec enfants ne sont pas particulièrement nombreuses malgré l'appartenance de ces régions à l'espace laïque ancien.

On peut expliquer aussi certaines pointes par des éléments non religieux de culture locale : au Nord par le fond culturel ouvrier et mineur, dans l'espace méditerranéen par la survie, en dépit des migrations, d'une culture familiale particulière. Nous avions noté au chapitre 4 la forte séparation des rôles masculin et féminin dans la culture ouvrière du Nord. Nous avions défini au chapitre premier un type familial particulier sur la Méditerranée, centré sur les hommes. Dans le Nord ouvrier comme dans le Midi méditerranéen, on peut supposer que l'émancipation des femmes pose des problèmes spécifiques à des cultures fortement sexuées, et qu'elle entraîne par conséquent plus de ruptures de couples.

La règle associant fond catholique et faiblesse de la proportion des familles monoparentales n'est donc pas absolue. Mais l'évolution n'est pas achevée et rien n'interdit de supposer un processus dynamique d'ajustement à ce paramètre ancien.

La disparition de la régulation par le mariage est l'un des traits centraux de la nouvelle modernité, y compris en zone catholique. Ce que nous saisissons peut-être ici est une stabilité plus grande du lien entre partenaires, même en l'absence du lien conjugal, dans les régions de tradition catholique. Ce serait un bel exemple de rémanence des comportements après la disparition des formes juridiques qui les encadraient.

Le parti communiste, l'Église et l'égalité

L'analyse cartographique nous mène donc à une contradiction entre égalité réelle et égalité rêvée. Sans que la correspondance soit encore absolue, les régions les plus travaillées par l'inégalité économique sont celles que nous avions définies, au terme de notre premier chapitre, comme les plus attachées *a priori* à l'idéal d'égalité, soit parce que les structures anthropologiques y définissaient des frères égaux et des villageois solidaires, soit parce que le reflux précoce du catholicisme y avait tôt laissé les hommes libres des conceptions hiérarchiques de l'Église. En pays égalitaire, les hommes et les femmes furent toutefois privés, pour deux siècles, de ces couches protectrices que sont toujours, malgré leur disparition, la famille souche et l'encadrement religieux. Plus de deux siècles après la Révolution, et alors que s'est éteint le parti communiste français, nous devons affronter une dure réalité : l'égalité concrète a été mieux préservée dans les sociétés holistes de la périphérie française, fortement intégratrices des individus, que dans l'espace central où a régné l'individualisme égalitaire du projet révolutionnaire.

Nous retrouvons, au fond, dans l'espace français un paradoxe présent à l'échelle continentale. Les sociétés germaniques et scandinaves n'ont pas un fond anthropologique et religieux égalitaire. La structure familiale paysanne – famille souche en Allemagne ou en Suède, famille nucléaire sans règle d'héritage ferme au Danemark, mélange de ces deux types en Norvège – n'y fut jamais vraiment égalitaire. Seule la Finlande relève pour une part du type familial communautaire, égalitaire et autoritaire, mais sous une forme très atténuée par la présence et l'influence suédoises. Quant à la religion protestante, qui couvre l'ensemble du monde scandinave et les deux tiers de l'Allemagne, elle répudie officiellement, par le concept de prédestination, l'idée d'une égalité métaphysique des hommes, condamnés, avant même leur naissance, à mort ou à vie par un choix fort peu égalitaire de l'Éternel. Pourtant, l'Allemagne fut jusqu'à très récemment économiquement plus égalitaire que la France ; quant au monde scandinave, malgré un effritement récent, il l'est toujours. L'égalité rêvée et l'égalité économique concrète ne semblent guère marcher du même pas.

L'accumulation de données régionales épaissit le mystère français, si nous plaçons au cœur de ce mystère la résistance de la nation à la montée de l'inégalité. Certes, la nation est globalement et officiellement attachée à l'égalité, mais c'est dans la partie de l'Hexagone qui s'y intéresse le moins que la résistance à la montée des inégalités a été la plus efficace.

Pour progresser vers la résolution de ce paradoxe, nous devrons examiner le fonctionnement de la valeur d'égalité dans le champ politique. Avant d'aborder ce problème, nous devons comprendre pourquoi les cultures régionales françaises n'en finissent pas d'être actives, malgré la très réelle mobilité des populations. Il faut expliquer comment les migrations n'ont pas affecté la mémoire des lieux.

CHAPITRE 8

Les migrations et la stabilité du système

Les Français bougent beaucoup. Entre 2004 et 2009, 26 % des jeunes de 20 à 25 ans ont changé de département, 22 % des personnes de 25 à 40 ans et 8 % de celles de 40 à 55 ans. À ce rythme, chaque personne devrait changer de département en moyenne 1,7 fois durant son existence. Les changements de commune ont été, sur la même période, encore plus fréquents puisqu'ils ajoutent au total des mouvements les migrations entre communes d'un même département. Tous âges confondus, 25 % des résidents français ont déménagé au moins une fois d'une commune à une autre durant ces cinq dernières années. La fréquence des mouvements est très variable selon la région et selon la dimension des agglomérations, comme on le voit sur la carte 8.1. Le Nord-Est et le centre de la France reçoivent peu de nouveaux venus, tandis que sur les côtes atlantiques et dans les grandes villes proches, près du tiers de la population communale est installé depuis moins de cinq ans. Comment le comportement anthropologique de chaque région peut-il se maintenir avec un tel brassage de la population ? Existerait-il en chacun des Français une capacité d'adaptation instantanée aux mœurs du lieu où il s'installe, illustration hexagonale du proverbe sénégalais : « Lorsqu'on arrive dans un village où tous marchent sur une seule jambe, le mieux est de marcher aussi sur

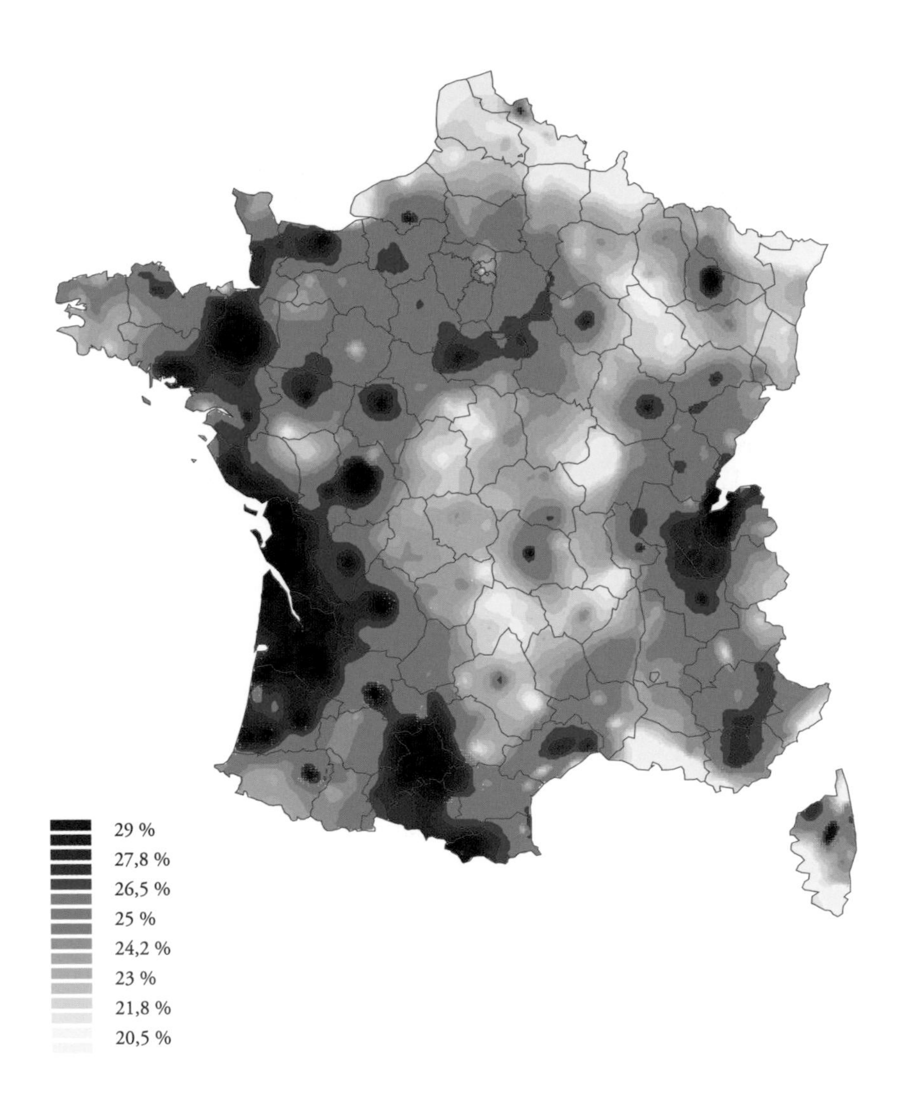

8-1 Mobilité générale

Pourcentage des habitants en 2008 qui ne résidaient pas dans la commune en 2003

une seule jambe » ? Il n'y aurait en réalité ni Bretons, ni Alsaciens, ni Picards, ni Bourguignons, mais seulement et essentiellement une Bretagne, une Alsace, une Picardie et une Bourgogne ?

Mais pourquoi cette adaptation instantanée serait-elle inaccessible aux Roumains, Marocains ou Turcs, condamnés, selon les Diafoirus de l'immigration, à cinq générations d'efforts pour maîtriser les usages et coutumes de leur pays d'accueil ? Existerait-il un mystérieux caractère permettant un changement immédiat de mœurs, possédé seulement par les habitants français, indépendamment des spécificités de leur région d'origine ? C'est peu vraisemblable.

La contradiction apparente entre l'intensité des migrations internes et le maintien des spécificités régionales a une explication plus simple : les mouvements d'un individu au cours de sa vie ne sont pas indépendants les uns des autres. On retourne souvent à son point d'origine, on circule entre des départements voisins relevant du même univers culturel. Tel le parcours de nomades repassant indéfiniment par les mêmes lieux, la migration interne s'apparente souvent à un mouvement sur place. Nous allons vérifier cette explication de deux façons complémentaires : dans un premier temps une comparaison entre le département de naissance et le département de décès, comparaison qui efface les migrations intermédiaires, et dans un second temps une évaluation de la progression dans l'espace des noms de famille au cours du dernier siècle.

Lieux de brassage, lieux de stabilité

La carte 8.2 représente la proportion de personnes décédées dans le département où elles sont nées. Elles peuvent avoir vécu dans d'autres départements une partie de leur vie, mais sont, dans ce cas, revenues mourir à leur lieu d'origine.

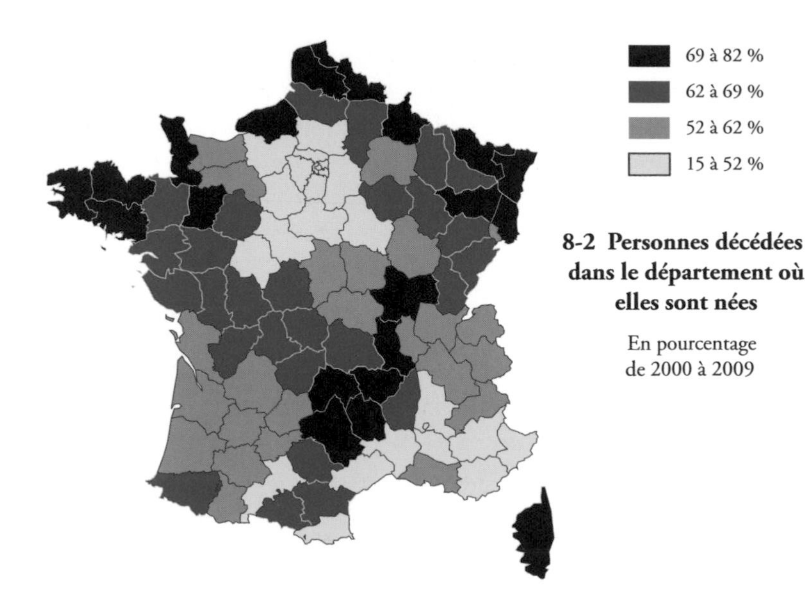

8-2 Personnes décédées dans le département où elles sont nées

En pourcentage de 2000 à 2009

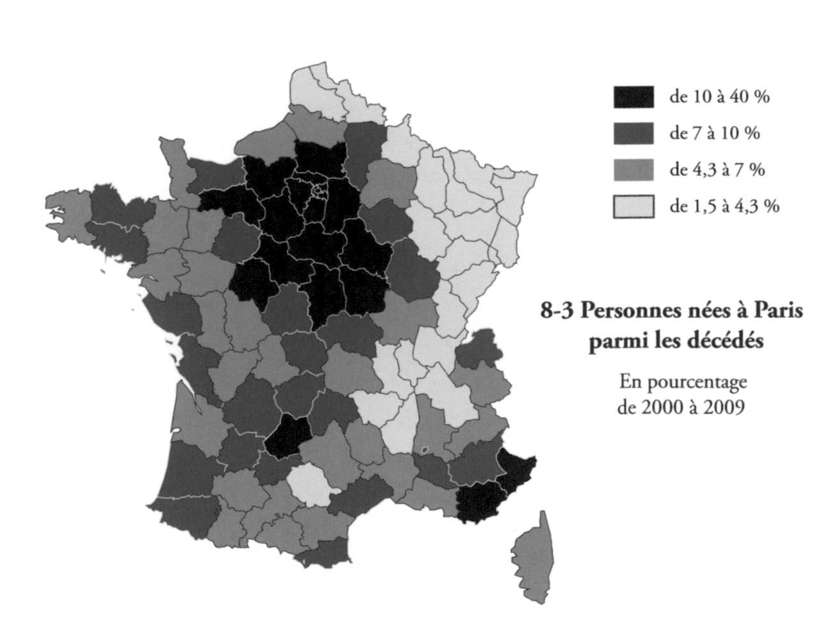

8-3 Personnes nées à Paris parmi les décédés

En pourcentage de 2000 à 2009

Dans les zones les plus claires, ces personnes sont minoritaires. Le brassage de population y a été important : une grande région parisienne, un vaste sud-est centré sur la Méditerranée mais englobant la région lyonnaise et, à un niveau un peu plus faible, le Sud-Ouest, de Toulouse à Bordeaux. Les bassins des grands fleuves définissent les axes du mouvement de la population. À leurs frontières et à celles du pays, le mouvement cesse : 75 % des personnes meurent dans le département où elles sont nées et où elles ont sans doute vécu la majeure partie de leur vie. Ces zones de stabilité comptent parmi les plus religieuses du pays, phénomène normal : l'éloignement par rapport aux grands centres d'animation favorise le maintien des structures d'encadrement traditionnelles.

Au total, 60 % des personnes décèdent dans leur département de naissance, 23 % des décès proviennent des 25 départements les plus proches, 10 % de l'Île-de-France et 7 % de départements lointains. Ces chiffres expliquent la persistance des mœurs. Plus des trois quarts des individus restent attachés à leur région d'origine. Les 7 % qui arrivent effectivement de loin, porteurs d'autres habitudes et coutumes, se fondent d'autant mieux dans la masse qu'ils ne constituent pas un groupe homogène mais proviennent d'horizons divers. Restent les 10 % originaires de l'Île-de-France, qui incluent une proportion importante de retraités.

Le rôle de Paris

Le pourcentage de ces Parisiens immigrés, au sens large, varie beaucoup selon la région, comme on peut le constater sur la carte 8.3 : sur la bordure est de la France, de Calais à Genève, ils ne représentent pas 5 % des décès. À l'Ouest et au Sud, au contraire, leur proportion est souvent deux fois plus élevée. Le lien démographique avec Paris est un élément essentiel du système français. Son relâchement est l'indice d'une autonomie anthropologique qui peut favoriser un affaiblissement du lien national. L'autonomie démographique est manifeste dans la région Rhône-Alpes, et surtout plus au nord, où l'on peut supposer qu'elle contribue à la crise du sentiment national et au vote d'extrême droite. N'imaginons pas une détermination simple : l'extrême droite est aussi très présente sur les côtes méditerranéennes où les originaires de la région parisienne sont nombreux. Mais ils n'y sont pas les seuls immigrés de l'intérieur. Les originaires de départements lointains, rares dans le reste de la France, sont en revanche fréquents dans les départements du Sud-Est : 30 % des décédés du Var et des Alpes-Maritimes étaient nés dans un lointain département du Nord, de l'Est ou de l'Ouest. Ces immigrés de l'intérieur représentent moins de 5 % des décès au Nord ou à l'Est. Les Méridionaux disent souvent ne plus reconnaître leur pays et s'y sentir étrangers. En ce cas, c'est bien un sentiment d'invasion qui peut stimuler le vote d'extrême droite. Les Méridionaux placent sans doute l'origine des envahisseurs au sud, mais la réalité démographique la place au nord. Ce sont bien des « vrais » Français, venus de tous les horizons, qui perturbent le Midi méditerranéen.

Coupure verticale : les Plantagenêts face à la Lotharingie

« Tous les horizons » est une expression trop forte. Les migrants originaires de départements lointains ne se dirigent pas vers n'importe quel sud indistinctement : ceux du Nord-Est gagnent le Sud-Est, ceux du Nord-Ouest le Sud-Ouest. Les cartes 8.4 et 8.5 indiquent le département de naissance des personnes décédées entre 2000 et 2009 dans les départements du Var et des Pyrénées-Atlantiques. Le contraste est saisissant. Dans le Pays basque, on arrive plus souvent de Seine-Maritime ou du Pas-de-Calais que de l'Ardèche ou du Rhône, pourtant beaucoup plus proches. De même, dans le Var, on vient de Moselle et de Côte-d'Or plutôt que

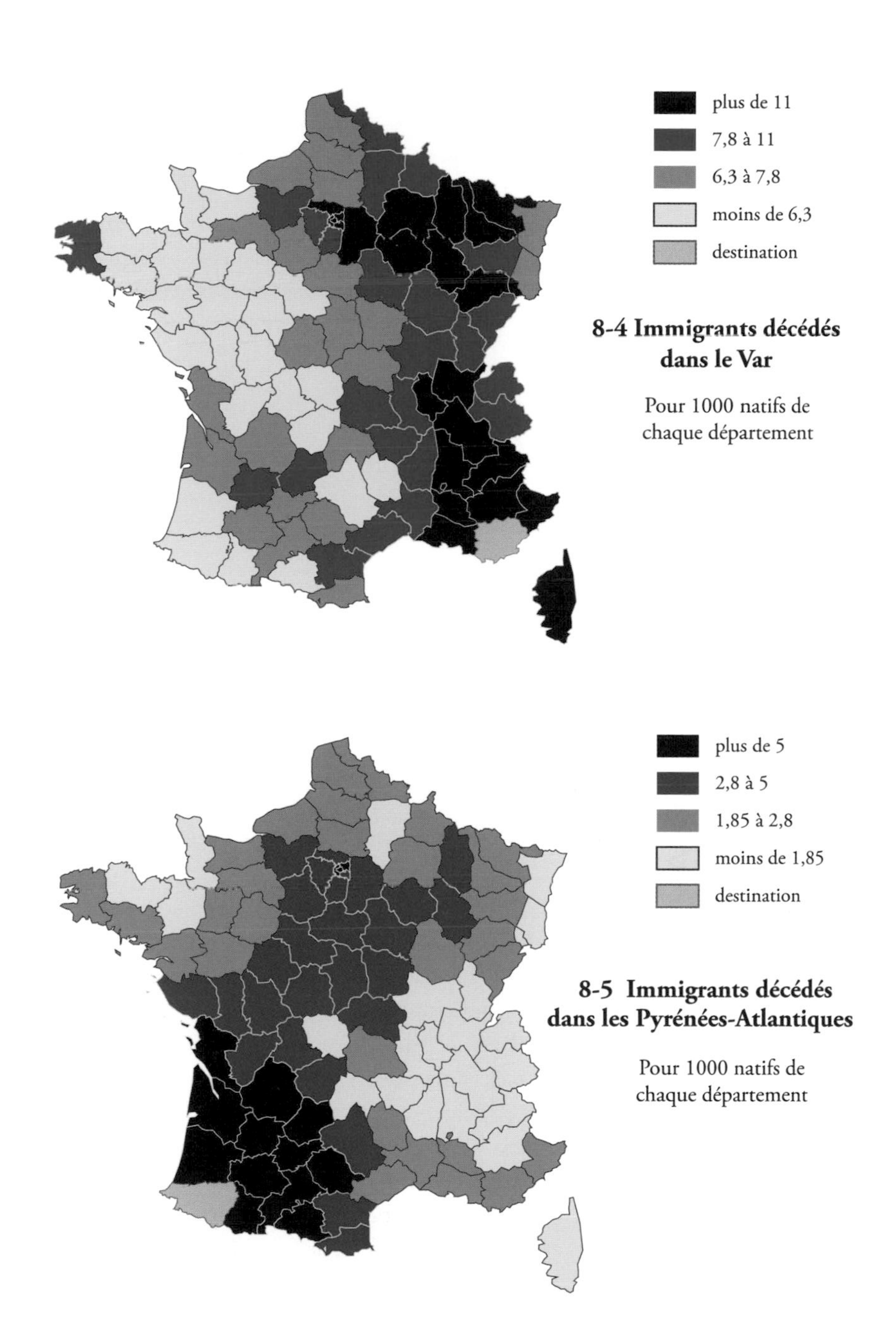

8-4 Immigrants décédés dans le Var

Pour 1000 natifs de chaque département

8-5 Immigrants décédés dans les Pyrénées-Atlantiques

Pour 1000 natifs de chaque département

de l'Aveyron et de Haute-Garonne ou, bien sûr, du Maine-et-Loire. Ce ne sont pas des cas isolés. Des constats analogues pourraient être faits pour tous les autres départements du Sud-Ouest et du Sud-Est. Un historien facétieux pourrait suggérer une persistance de la Lotharingie germanique à l'Est et de l'empire Plantagenêt anglais à l'Ouest… Dure résistance de l'histoire et du relief: les circulations restent entravées en France par une barrière verticale composée de deux éléments superposés: la région parisienne qui, telle un trou noir géant, attire ceux qui passent à proximité, et le Massif central, obstacle si bien nommé.

Cette coupure verticale entre Est et Ouest a des conséquences profondes. Elle entraîne des rapprochements de comportements sociaux et politiques indépendants dans les moitiés est et ouest de l'Hexagone.

Itinéraires des noms de famille

On peut aussi saisir les migrations précautionneuses des Français en suivant la distribution d'un nom de famille donné au cours du temps. L'INSEE fournit la distribution des naissances selon le patronyme par département, pour quatre périodes de 25 années chacune, entre 1890 et 1990. Les noms sont très localisés durant la première période, puis s'étendent lentement, très lentement en fait si l'on se souvient du volume important des migrations entre départements. Nous avons cartographié trois noms, caractéristiques chacun d'une région française distincte – Le Bihan, patronyme breton, Müller, alsacien-lorrain, et Fabre, occitan. Leur répartition est dessinée pour les quatre périodes successives d'un quart de siècle sur les cartes 8.6, 8.7 et 8.8. Sont représentés, par une échelle de teinte allant du très foncé au très clair, d'abord les départements qui englobent plus de la moitié des naissances du nom en question, puis le quart suivant, puis les 15 % suivant, si bien que les trois premières

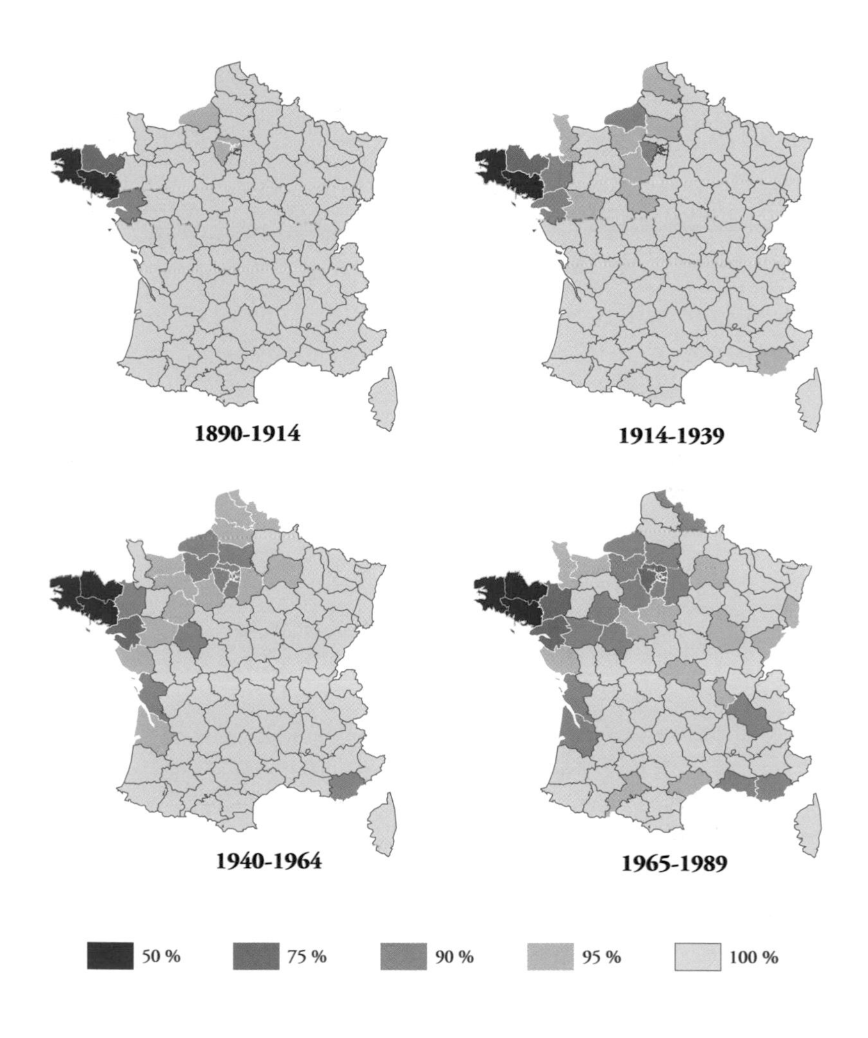

8-6 Les Le Bihan

Expansion géographique du nom de famille Le Bihan de 1890 à 1990 (50 % des naissances de ce nom dans les départements en bleu foncé, 75 % avec le bleu moyen, puis 90 % et 95 %)

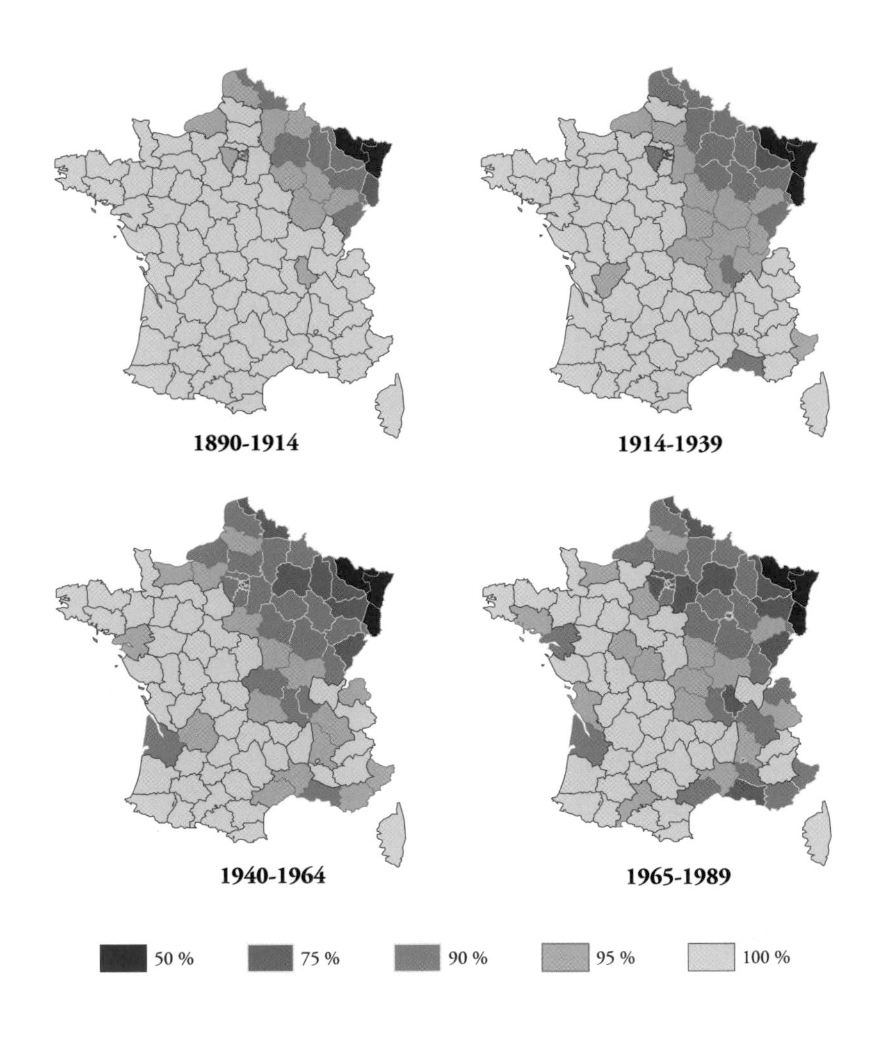

8-7 Les Müller

Expansion géographique du nom de famille Müller de 1890 à 1990 (50 % des naissances de ce nom dans les départements en bleu foncé, 75 % avec le bleu moyen, puis 90 % et 95 %)

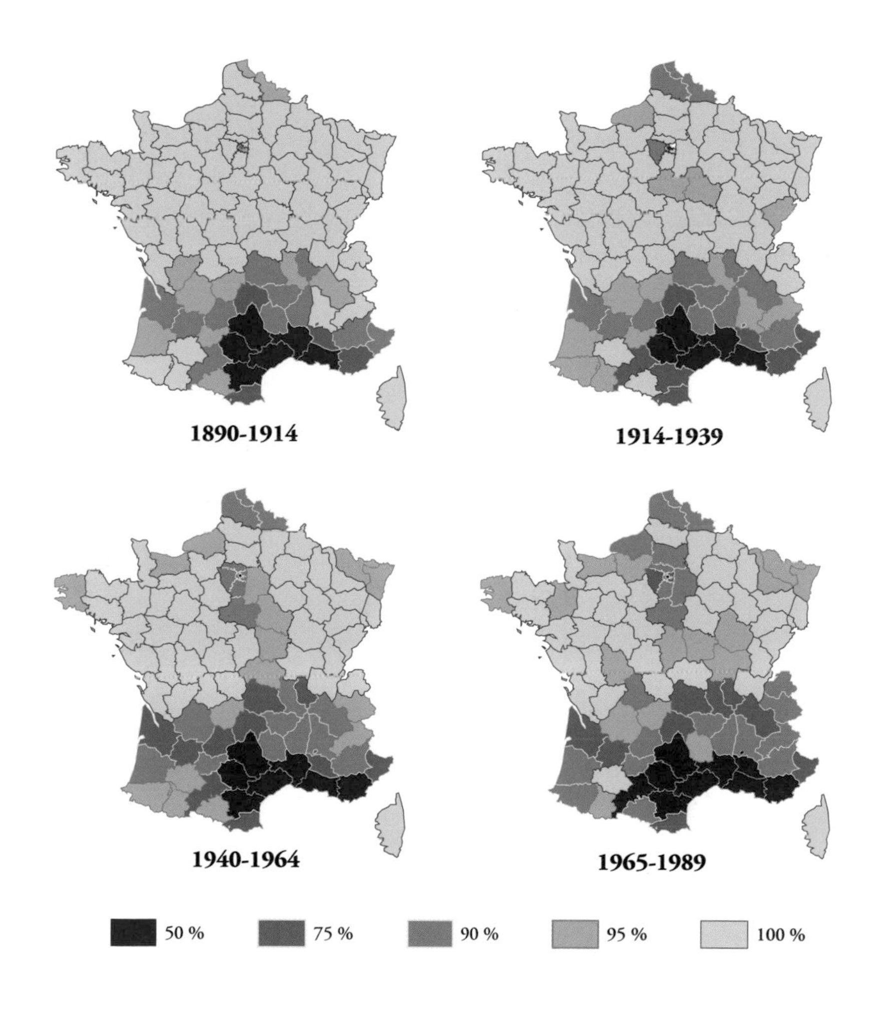

8-8 Les Fabre

Expansion géographique du nom de famille Fabre de 1890 à 1990 (50 % des naissances de ce nom dans les départements en bleu foncé, 75 % avec le bleu moyen, puis 90 % et 95 %)

teintes regroupent 90 % des cas. On trouve dans des teintes encore plus claires les 5 % suivants, et finalement les départements où ont été enregistrées les 5 % de naissances restantes.

Le cas des Le Bihan est exemplaire : 50 % des naissances portant ce nom entre 1890 et 1914 sont survenues dans deux départements bretons, et 95 % dans 5 départements seulement, hors région parisienne. Au cours du quart de siècle suivant, la progression est lente et limitée au quart nord-ouest du pays. Un demi-siècle après 1890, 4 départements bretons concentrent encore 75 % des naissances. L'apparition de Le Bihan dans le Var résulte de la circulation entre les arsenaux et les bases marines de Lorient, Brest et Toulon. Dans la période la plus récente, la concentration bretonne se maintient avec 75 % des naissances dans les 5 départements bretons et en région parisienne. Les départements qui apparaissent ensuite obéissent à une logique implacable : le long des côtes et des fleuves à partir de la Bretagne, puis les grandes villes, Lille, Lyon, Marseille, Toulouse, Montpellier, Dijon et Reims.

Initialement, les Müller apparaissent un peu plus dispersés que les Le Bihan. Ils s'échelonnent le long de la frontière nord-est à partir de l'Alsace. Mais ensuite, ils progressent très lentement. Au cours de la période la plus récente, ils atteignent la Méditerranée par la vallée du Rhône et s'installent dans quelques rares grandes villes du reste de la France, comme Nantes et Bordeaux. Cependant, plus de 50 % d'entre eux sont encore dans les trois départements d'Alsace-Lorraine. Leur distribution actuelle est très proche de celle de l'origine des décédés dans le département du Var, ce qui confirme à un niveau fin ce que les migrations dessinaient au niveau plus général. Non seulement les natifs des départements de l'Est et du Nord-Est ont tendance à se rendre dans le Sud-Est, mais les lignages individuels font de même.

Le dernier nom de famille, Fabre, se comporte un peu différemment. Il est initialement plus répandu que les deux précédents, de la vallée de la Garonne à la frontière italienne. 75 % des naissances portant ce nom ont lieu dans 10 départements (contre 3 pour les

Müller et les Le Bihan). Mais ensuite, la situation évolue peu. Les Fabre restent cantonnés dans le Midi de la France avec une petite pointe vers la région parisienne au cours de la dernière période. Aujourd'hui, comme au temps de la croisade contre les Albigeois, c'est le Nord de la France qui envahit le Sud et non l'inverse, non pas sans doute parce que le soleil est plus généreux au Sud, mais parce que la fécondité y est plus faible et que l'insuffisance démographique doit être compensée.

Lieux de décès des individus et géographie des patronymes mettent en lumière les caractères essentiels des migrations internes. Celles-ci se produisent de proche en proche sur de courtes distances. Les migrants venant de loin sont minoritaires et d'origines assez diverses. Ils doivent donc s'adapter rapidement aux comportements locaux. Enfin, la région parisienne joue un rôle de pivot de redistribution pour les migrations proches comme lointaines. Elle facilite les évolutions dans les régions les plus éloignées, sans toutefois brusquer les tempéraments locaux, parce que ceux qui viennent de Paris ont souvent des liens anciens avec le département où ils émigrent. Tous ces éléments contribuent à effacer les frontières culturelles. Entre les pôles historiques bien identifiés – la Bretagne, l'Alsace-Lorraine, le littoral méditerranéen, la région lyonnaise –, de larges zones de transition assurent l'interface. Personne ne peut dire où commence la Bretagne, l'Aquitaine ou toute autre région culturellement typée. Ces transitions cimentent la France. À la fin du XIXe siècle, le géographe allemand Friedrich Ratzel avait décrit cet équilibre dans son « anthropogéographie » : « Les lentes migrations pacifiques par déplacements individuels eurent au cours des siècles plus de poids par leur effet cumulatif que les migrations massives[1]. »

L'immigration étrangère a suivi jusqu'à la Seconde Guerre mondiale ce modèle de mouvement de proche en proche,

1. *Géographie politique*, Paris, Éditions régionales européennes et Economica, 1988 (1897), p. 15.

immigrations juive, polonaise et yougoslave exceptées. La nature des migrations a changé depuis lors. Une bonne partie des difficultés d'intégration aujourd'hui attribuées à la différence culturelle résulte en fait d'un changement dans la forme géographique des migrations.

Arrivée des étrangers

Dès la seconde moitié du XIXe siècle, des étrangers ont commencé d'immigrer en France. La faible croissance démographique du pays ne fournissait plus suffisamment de main-d'œuvre pour, à la fois, l'agriculture et l'industrie. Dans le Nord, tandis que les enfants de paysans devenaient ouvriers et mineurs, des Belges les remplaçaient comme ouvriers agricoles. Un mécanisme analogue aspirait des Italiens dans le Sud-Est. Comme on le voit sur la carte 8.9, ces migrations étrangères obéissaient aux mêmes règles que les migrations internes actuelles. Elles restaient localisées sur les frontières, à proximité des pays dont provenaient les immigrants : Flandres, pays de Bade, Wurtemberg, Piémont, Suisse romande, Catalogne. Les cartes montrent la lente progression des étrangers, depuis 1851, à partir des frontières terrestres et de la façade méditerranéenne. Concentrée à leur voisinage jusqu'au début du XXe siècle, l'immigration s'est étalée ensuite jusqu'à la Seconde Guerre mondiale. Si l'on compare la carte de 1936 à celle de 1982, on voit que l'immigration tend finalement à s'immobiliser, non parce que les arrivées cessent, mais parce qu'elle s'accumule dans les mêmes lieux tandis que naturalisations et départs réduisent sa masse.

Le changement de modèle d'implantation remonte à l'entre-deux-guerres. Dans les années 1920, la pénurie aggravée de travailleurs a conduit le patronat à rechercher une main-d'œuvre plus lointaine en Pologne ou en Yougoslavie. Une rupture intervient alors entre le lieu de départ et le lieu d'arrivée, par exemple entre les cités de mineurs polonais et leur pays d'origine. Le cas très

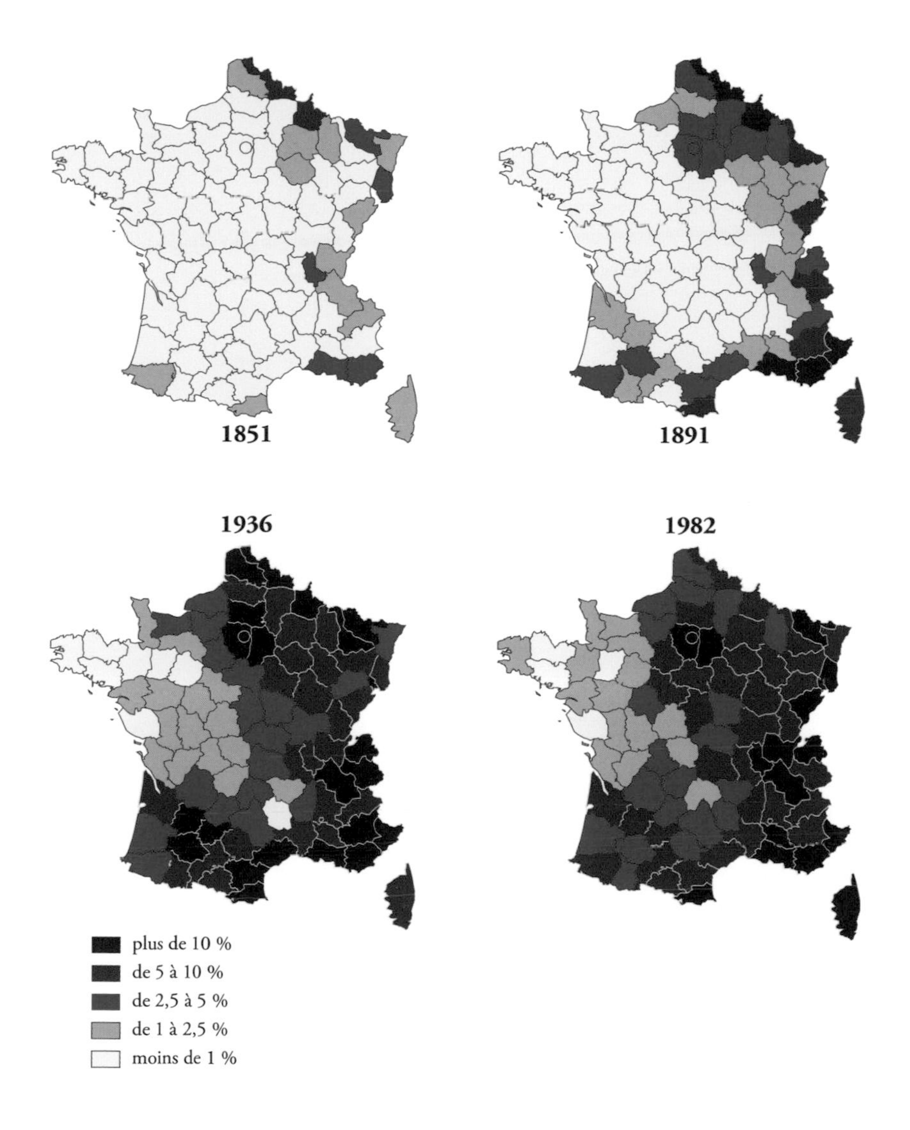

8-9 Étrangers

Pourcentage d'étrangers dans la population totale
en 1851, 1891, 1936 et 1982

minoritaire des Juifs arrivés directement à Paris d'Europe de l'Est à partir de 1905 avait préfiguré cette mutation[1]. Les mécanismes traditionnels de transition entre cultures d'origine et d'arrivée ne peuvent plus opérer. Deux solutions extrêmes commencent à être envisagées par les « idéologues de l'immigration » : soit l'assimilation pure et simple qui signifie l'abandon immédiat par les immigrés de leurs comportements et attributs culturels, soit la rotation rapide des travailleurs étrangers, phénomène qui prendra dans les années 1960 le nom de « noria ».

Avant la Seconde Guerre mondiale, l'assimilation l'emporte facilement en raison de la stagnation démographique de la France. Après 1945, le baby-boom et la baisse de mortalité relancent la croissance de la population française, et le concept de « noria » passe au premier plan.

Les travailleurs migrants s'entassent alors dans des villes ou des banlieues industrielles sans essaimer à proximité. L'arrivée des populations étrangères n'est pas spontanée. Comme au début des années 1920, les rabatteurs des grands groupes industriels vont les chercher au fond de l'Algérie et du Maroc. Elles sont installées à Mantes, Nanterre, Villeurbanne ou Sochaux, mais les petites villes et les villages à dix kilomètres de là n'en accueillent pas.

Les Algériens, les Marocains, les Tunisiens d'abord, les Turcs et les Africains du sud du Sahara ensuite ont pu dans un premier temps quitter lentement leurs lieux d'atterrissage, acquérir la nationalité française et se fondre dans le reste de la nation. Mais les nouveaux arrivants des mêmes pays ont continué à s'installer dans les mêmes localités que leurs devanciers. Sur les cartes 8.10a et 8.10b, nous avons indiqué où se trouvaient les Algériens en France en 1982 et en 2008, en adoptant la même convention que précédemment pour les noms de famille. Les départements qui comprenaient la population algérienne la plus importante, jusqu'à englober 50 %

1. À cause de la fermeture du Royaume-Uni, lieu d'immigration principal en Europe de l'Ouest, sur la route des États-Unis, jusqu'à cette date.

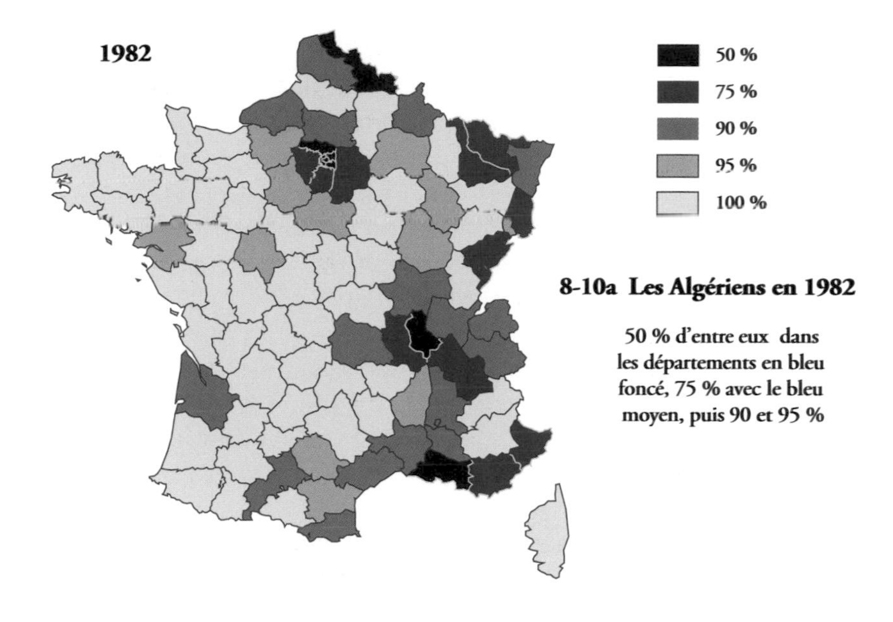

8-10a Les Algériens en 1982

50 % d'entre eux dans
les départements en bleu
foncé, 75 % avec le bleu
moyen, puis 90 et 95 %

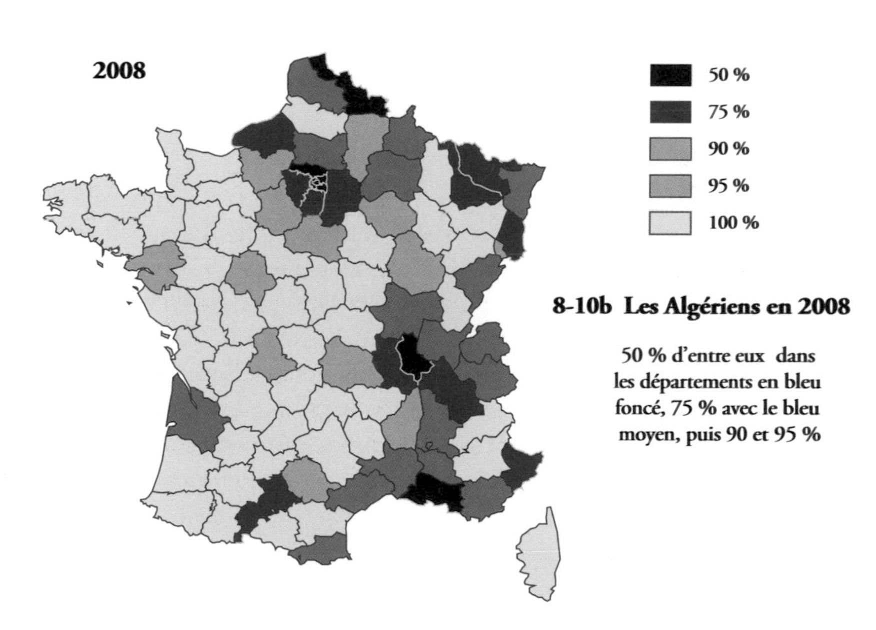

8-10b Les Algériens en 2008

50 % d'entre eux dans
les départements en bleu
foncé, 75 % avec le bleu
moyen, puis 90 et 95 %

du total, sont en bleu foncé, jusqu'à 75 % en bleu moyen, à 90 % et à 95 % en teintes les plus claires. On voit que, en 1982 comme en 2008, 50 % de la population de nationalité algérienne est concentrée dans la région parisienne et 12 départements, tandis que 47 départements n'en reçoivent que 5 %. À deux exceptions près, ce sont les mêmes départements qui contiennent les résidents algériens en 1982 et en 2008, et les mêmes où ils sont rares. La corrélation entre les proportions d'Algériens en 1982 et 2008 est supérieure à 0,99, preuve de cette immobilité.

Les derniers arrivés

Les Marocains et les Tunisiens ont été placés dans des lieux différents mais voisins. La fixité de leur implantation est analogue à celle des Algériens. Ils sont arrivés à peine plus tard. En revanche, les vagues les plus récentes, en provenance du sud du Sahara et de pays européens non latins, ont été contraintes de trouver de nouveaux territoires, peu occupés par des migrants plus anciens. Une sorte de partage s'est opéré, les Africains s'installant dans le quart nord-ouest et les Européens dans le quart sud-ouest, les uns comme les autres sans continuité avec leurs nations d'origine (cartes 8.11a et 8.11b).

Le phénomène n'est pas propre à la France mais s'observe à l'échelle de toute l'Europe. Les Espagnols et les Portugais, puis les Yougoslaves, les Grecs et les Italiens se sont dirigés vers les pays les plus proches où ils pouvaient trouver un emploi. Mais les derniers venus, Moldaves, Irakiens, Ukrainiens et Roumains, n'ont pas eu cette possibilité : ils ont migré vers les pays d'Europe leur offrant des opportunités, mais encore délaissés par leurs devanciers, le Portugal, la Suède, la Finlande où ils ont parfois constitué le contingent étranger le plus important à partir des années 2000.

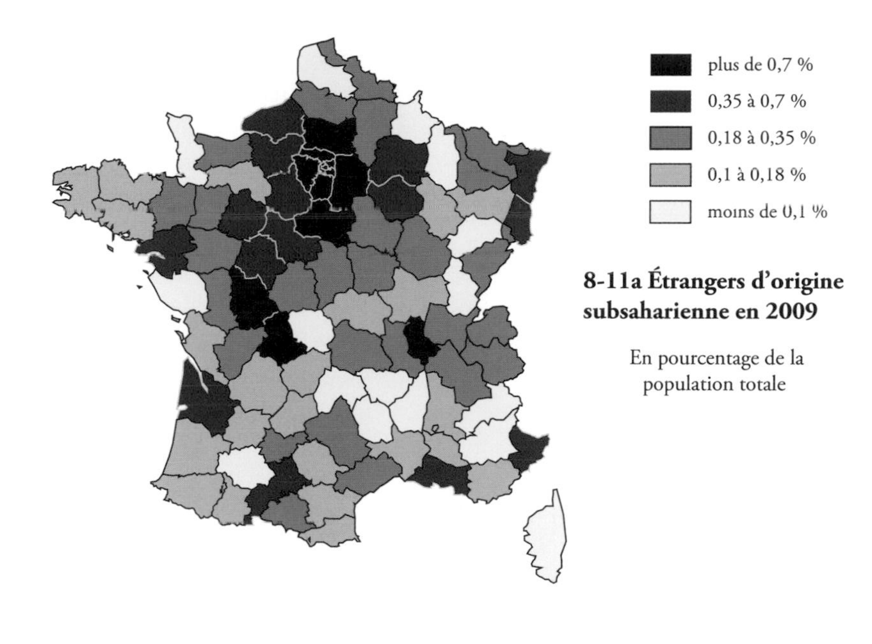

8-11a Étrangers d'origine subsaharienne en 2009

En pourcentage de la population totale

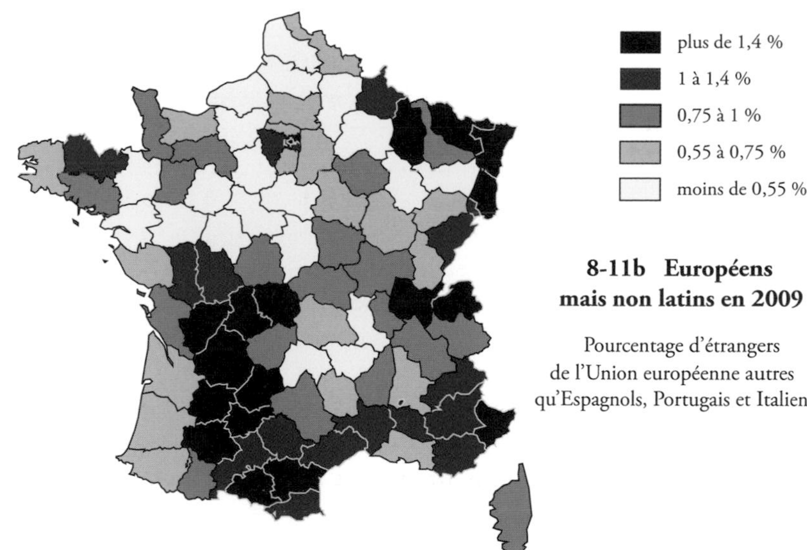

8-11b Européens mais non latins en 2009

Pourcentage d'étrangers de l'Union européenne autres qu'Espagnols, Portugais et Italiens

Étrangers et naturalisés : une dispersion arrêtée

Après avoir acquis la nationalité française, et en raison de leur ancienneté dans le pays, les Algériens et les membres des autres nationalités ayant immigré au cours des Trente Glorieuses auraient pu commencer à se diffuser dans les régions voisines de leurs premiers pôles de peuplement, puis dans des régions plus lointaines selon le modèle observé pour les noms de famille. Cela n'a pas été le cas ainsi que le révèle une comparaison au niveau communal entre le nombre des « étrangers » et celui des « immigrés », cette dernière catégorie ajoutant aux étrangers les naturalisés. S'il y avait eu diffusion, les étrangers auraient été relativement plus nombreux dans leurs points de fixation initiaux, les départements urbains de la ligne Paris-Lyon-Marseille et les départements industriels du Nord et de Lorraine. Les immigrés, à l'inverse, auraient été plus nombreux en dehors de ces pôles de première arrivée. La carte 8.12 indiquant la proportion d'étrangers parmi les immigrés au niveau local montre l'inverse : les étrangers constituent une fraction plus importante des immigrés dans le centre-ouest, le nord-ouest de la France et sur la frontière Est.

Les raisons en sont multiples, mais nous croyons identifier des retraités britanniques en Bretagne et dans le Périgord, et des résidents suisses ou allemands en Franche-Comté et en Alsace. Une fois encore, l'envahisseur n'est pas celui qu'on pense. Si les immigrés naturalisés d'Afrique du Nord s'étaient dispersés sur le territoire national, ces régions périphériques aux zones d'atterrissage de l'immigration – Alsace mise à part – auraient dû comprendre plus de naturalisés et donc une plus faible proportion d'étrangers par rapport aux immigrés.

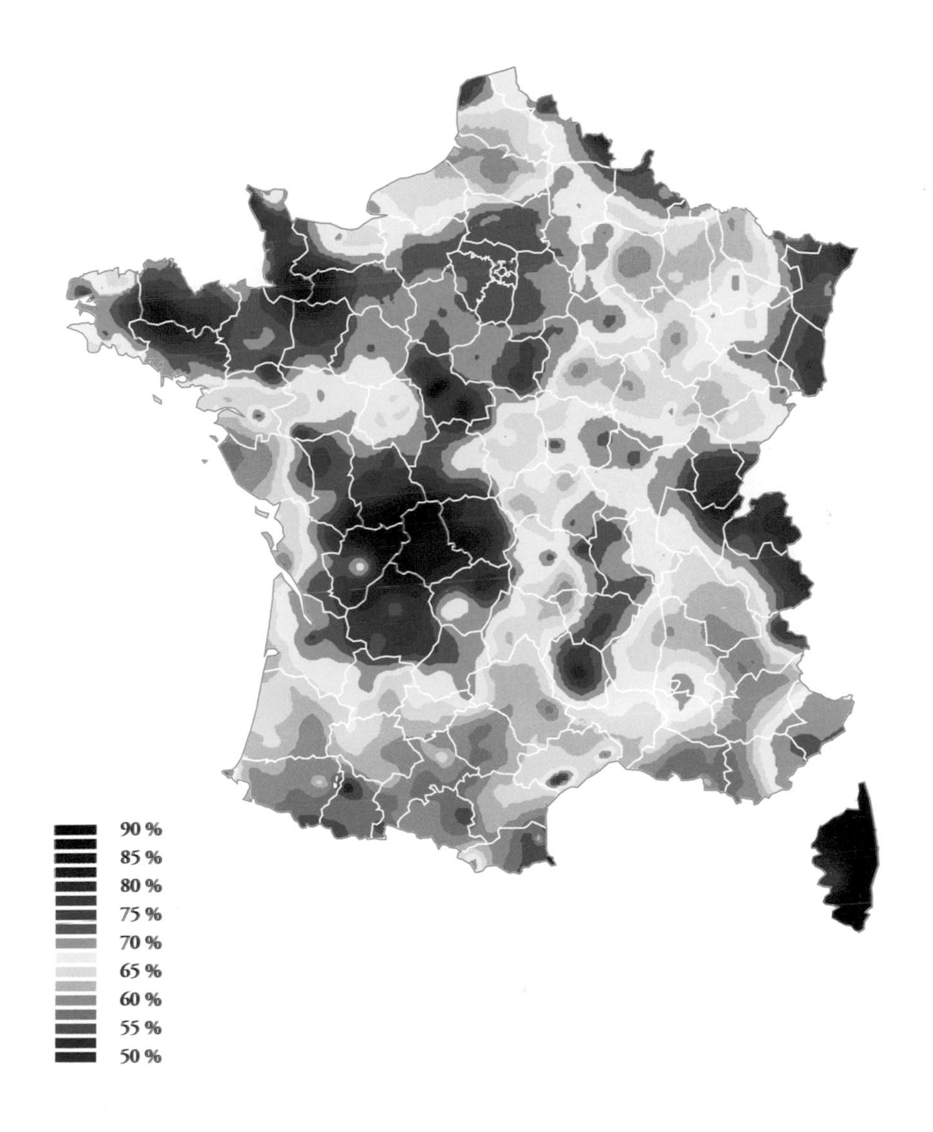

8-12 Pourcentage d'étrangers dans la population immigrée

Au recensement de 2008

Pause dans la dispersion : la preuve par le mariage mixte

Deux grandes enquêtes sur l'insertion des immigrés dans la société française, réalisées à 17 ans d'intervalle par l'INED et l'INSEE, nous permettent de vérifier par l'analyse des mariages mixtes l'existence d'un modèle spécifique d'entrée dans la société française des groupes arrivés en France depuis la guerre. Ici encore, le cas des Algériens et de leurs enfants est particulièrement éclairant. Le taux de mariage mixte de la deuxième génération, vite important, a marqué une pause entre 1992 et 2008. L'absence de dispersion géographique se reflète dans une dispersion matrimoniale qui n'est pas achevée.

Nous reproduisons l'ensemble d'un tableau publié par Beate Collet et Emmanuelle Santelli, qui nous permet d'observer comment se marient (ou vivent maritalement) les descendants d'immigrés en distinguant leurs conjoints, non pas seulement selon la nationalité, mais aussi selon l'origine[1]. Or, si 46 % des hommes et 41 % des femmes descendant d'immigrés algériens se marient en 2008 dans la « société française centrale », c'est-à-dire avec des enfants de parents nés français ou des enfants de couples mixtes ou d'origine sans rapport avec la leur, 54 % et 59 % respectivement continuent de se marier à l'intérieur de leur groupe d'origine. Ils vivent soit avec des individus arrivant d'Algérie (30 % et 34 %), soit avec des descendants de parents de même aire culturelle (24 % et 25 %).

Nous sommes ici confrontés à la situation classique d'un verre que l'on peut voir soit à moitié plein, soit à moitié vide. Si nous comparons ces taux à ceux des descendants d'immigrés venus d'Europe du Sud – Italie, Espagne ou Portugal –, nous pouvons

1. Beate Collet et Emmanuelle Santelli, « Les couples mixtes franco-algériens en France ; d'une génération à l'autre », *Hommes et Migrations*, n° 1295, janvier février 2012, p. 62.

considérer que l'endogamie algérienne reste forte. Si nous comparons les Algériens aux Juifs émancipés en 1791 par la Révolution française, mais qui ne commencèrent de pratiquer le mariage mixte qu'après la Première Guerre mondiale, nous devons considérer que l'absorption des Algériens est, malgré la pause, très rapide.

Tableau 8
Exogamie et endogamie des immigrés

Conjoint	immigré même aire %	descendant même aire %	sans ascendance migratoire %	autre %	exogamie %
Hommes descendant d'immigrés d'origine :					
algérienne	30	24	31	15	46
marocaine	33	25	34	9	43
tunisienne	29	8	34	29	63
sahélienne	32	9	38	21	59
turque	62	18	11	9	20
européenne du Sud	7	13	59	22	81
Vietnam, Laos, Cambodge	15	9	41	35	76
Femmes descendant d'immigrés d'origine :					
algérienne	34	25	25	16	41
marocaine	44	27	17	13	30
tunisienne	51	13	16	21	37
sahélienne	57	6	12	26	38
turque	75	18	4	3	7
européenne du Sud	10	15	55	20	75
Vietnam, Laos, Cambodge	9	23	41	32	73

Autres : enfants de couples mixtes ou de parents immigrés d'une autre aire géographique.
Source : Beate Collet et Emmanuelle Santelli, « Les couples mixtes franco-algériens en France ; d'une génération à l'autre », *Hommes et Migrations*, n° 1295, janvier-février 2012, p. 62.

Les données très riches contenues dans le tableau évoquent des déviations par rapport à notre modèle central d'après guerre, comme la fermeture plus grande du groupe turc et l'ouverture plus rapide du groupe asiatique. Résistance de certaines cultures immigrées et attitude spécifique de la France vis-à-vis de certains groupes expliquent ces différences. Elles ne représenteront pourtant dans la longue durée que des variations temporaires par rapport à un modèle standard auquel les populations sahéliennes semblent d'ailleurs se conformer.

Ni la concentration persistante des immigrés sur certains axes, ni la pause dans la progression des mariages mixtes n'empêchent par ailleurs un ajustement rapide des immigrés aux mœurs de la France moderne, comme ce fut le cas pour les Juifs entre 1791 et 1914.

Le rôle nouveau des villes

L'immigration cependant continue d'évoluer. Elle est de plus en plus constituée d'individus éduqués qui ne ressemblent guère aux travailleurs analphabètes des Trente Glorieuses. Les plus jeunes arrivants se fixent dans les grandes villes. La carte 8.13 est particulièrement claire : nous avons indiqué la proportion de jeunes de 20 à 30 ans au sein de l'immigration, au niveau communal : les grandes agglomérations ressortent. C'est normal puisque beaucoup sont étudiants, mais la prédominance du quart nord-ouest de l'Hexagone, zone de dynamisme du secteur privé, évoque une dimension économique. Face aux difficultés de l'embauche, les jeunes immigrés ne peuvent que miser sur la ville où ils possèdent des relais. Leur insertion sociale et spatiale n'est pas sans rappeler – au-delà de toutes les différences – celle des Juifs à partir du Moyen Âge, dont la spécialisation urbaine fut créée par l'interdiction de posséder ou de travailler la terre. Le désavantage initial des Juifs, massif dans le contexte d'une société agraire traditionnelle, se retourna en un avantage non moins massif

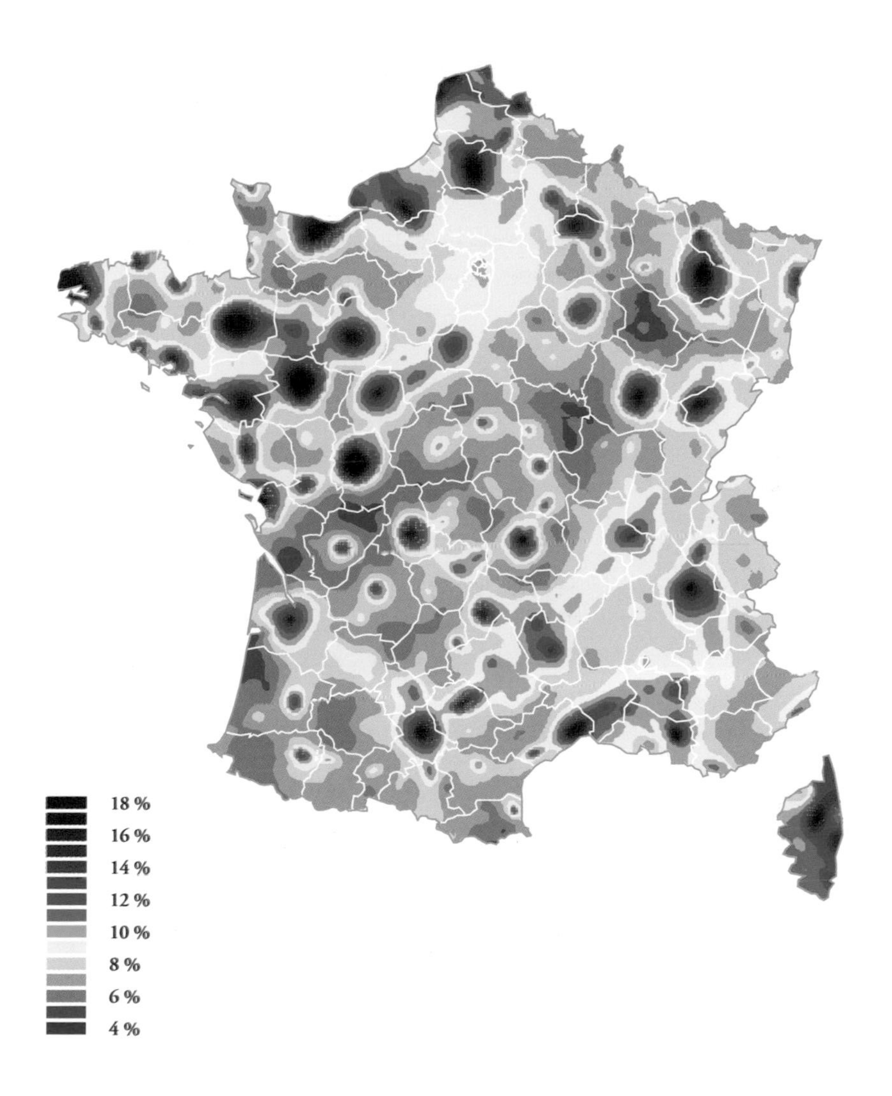

8-13 Jeunes étrangers

Pourcentage de jeunes de 15 à 24 ans dans la population étrangère
(au recensement de 2008)

dans la phase suivante, urbaine, de l'histoire. Si nous essayons de discerner dans nos données des évolutions futures, nous devons envisager la possibilité de tels retournements pour les « beurs » maltraités de seconde ou troisième génération, comme pour les arrivés les plus récents de toutes origines.

Le mécanisme actuel de l'intégration n'est pas arrêté mais spécifique. L'absorption des étrangers n'est plus induite par ces migrations de voisinage qui assuraient une transition sans à-coups entre les régions de cultures différentes. Elle résulte de la localisation des immigrés dans les grandes agglomérations, c'est-à-dire dans les lieux qui dominent l'espace français par leur potentiel éducatif, leur richesse et leur proximité à la décision politique.

La pause dans la dispersion pourrait donc bien être suivie par une accélération, d'autant plus importante que les nouveaux arrivants ont un bagage éducatif important – d'après les dernières statistiques de l'OCDE, supérieur à celui de la moyenne des Français. Immigrés et enfants d'immigrés sont aujourd'hui fortement désavantagés, dans les banlieues françaises ou au cœur des villes. La position de ces jeunes dans l'espace garantit toutefois qu'eux-mêmes ou leurs descendants seront au cœur de la culture française, dans un avenir qui est si peu lointain qu'il s'agit déjà d'un présent. Le succès de Jamel Debbouze et d'Omar Sy, au-delà de leur talent, revêt un sens sociologique.

La centralité géographique et culturelle des immigrés explique certains mécanismes – conscients ou inconscients – de jalousie, notamment l'apparition d'une nouvelle islamophobie, non pas dans les milieux populaires mais, bizarrement, dans certains secteurs de l'*intelligentsia* qui ne souffrent pas vraiment du malaise des banlieues. Nous sommes cependant ici aux frontières du politique, dont nous allons maintenant voir qu'il n'échappe pas mieux que l'éducation ou l'économie à la mémoire et à la logique des lieux. La crise du politique est bien réelle, profonde, tout à fait moderne, mais elle s'inscrit pour l'essentiel dans les espaces anthropologiques et religieux traditionnels.

CHAPITRE 9

À droite tous

Une France férocement divisée : c'est le sentiment que donne tout d'abord le résultat du second tour de l'élection présidentielle de 2012, représenté sur la carte 9.1. Dans plusieurs régions, en particulier sur la frontière Est, Hollande ne recueille pas le tiers des suffrages exprimés, tandis que dans le Sud-Ouest et en Bretagne, il en obtient parfois plus des deux tiers. Ces contrastes masquent pourtant le sens d'un vote qui signe aussi la fin d'une guerre de plus de deux siècles entre la France laïque et la France cléricale. Le retour de la gauche au pouvoir résulte paradoxalement d'une droitisation générale du système politique français. C'est la conclusion inévitable à laquelle on arrive lorsque l'on compare méthodiquement l'élection de François Hollande en 2012 à celle de François Mitterrand en 1981.

En 1981, le spectre politique se composait de quatre couleurs : l'extrême gauche (essentiellement le parti communiste), la gauche (le parti socialiste), le centre et la droite. En 2012, il existe toujours quatre couleurs, mais elles se nomment gauche, centre, droite et extrême droite. L'ensemble du corps électoral a glissé d'une teinte vers la droite. L'extrême gauche a presque disparu et l'extrême droite s'est installée durablement dans le paysage.

Le phénomène de droitisation n'est pas propre à la France puisqu'on l'observe dans la plupart des pays développés, particulièrement en Europe. Les causes de ce déplacement vers la droite

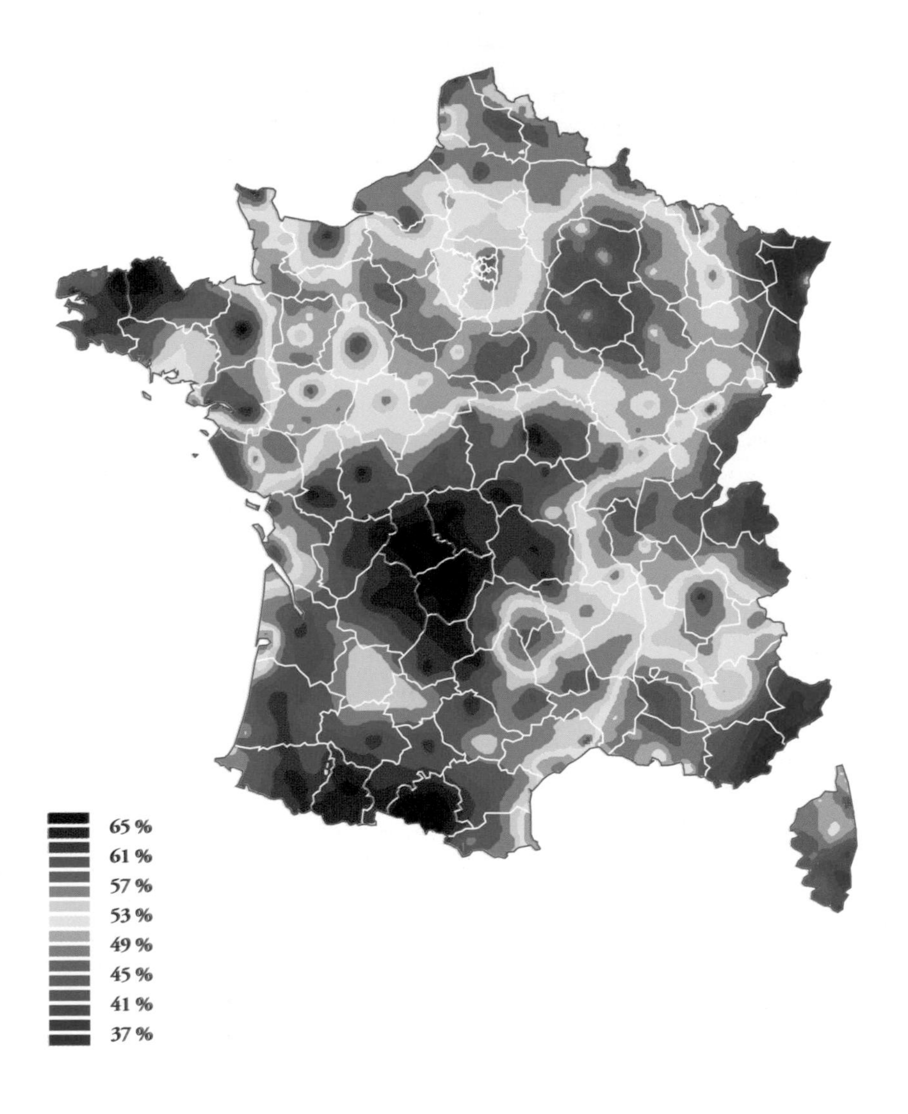

9-1 Hollande au second tour de 2012

Pourcentage de suffrages exprimés pour Hollande au second tour de l'élection présidentielle de 2012

sont partout les mêmes. Il y a, bien sûr, le phénomène politico-idéologique mondial que furent l'implosion de l'Union soviétique et le discrédit du communisme. Mais les causes sociales internes aux nations sont plus puissantes dans la durée : enrichissement des personnes âgées dont la masse augmente sans cesse à cause de l'allongement de l'espérance de vie, nouvelle stratification éducative qui a fabriqué des sociétés où l'on craint surtout de ressembler à ceux du bas, atomisation individualiste qui mine la capacité d'action collective. Ces trois thèmes, récurrents dans ce livre sur la France, pourraient être traités dans chacun des pays développés. En contraste avec cette universalité des causes, l'ajustement des partis à la droitisation de l'électorat a largement varié. En Italie, l'extrême droite de Gianfranco Fini a été digérée par la droite de Silvio Berlusconi, le centre et la gauche ont éclaté, pour finir par se rapprocher. Au Royaume-Uni, la droite s'est radicalisée, le travaillisme blairiste a légitimé un mouvement vers les thèmes conservateurs et l'extrême droite peine toujours à émerger. En Espagne, au Portugal, en Grèce, en Irlande, la droite et la gauche ont glissé parallèlement vers le conservatisme en maintenant un rapport de forces équilibré, ce qui a multiplié les cas d'alternance à des dates rapprochées.

Mais en France ? Superficiellement, la droitisation s'y est soldée par l'élection d'un président de gauche, d'une Chambre de gauche, d'un Sénat de gauche et de 20 sur 22 exécutifs régionaux de gauche. Au-delà des mots, des programmes et des postures, la réalité révélée par les cartes est qu'une course-poursuite s'est engagée, dans laquelle chaque parti a cherché et trouvé sur sa droite un nouvel électorat. À ce jeu, le parti socialiste l'a temporairement emporté, mais la droite a servi de moteur. La dérive de l'UMP vers l'extrême droite a libéré un espace au centre, vite envahi par un PS déjà renforcé par la récupération des électeurs d'un communisme et d'un gauchisme en pleine déliquescence. L'irruption du PS au milieu du spectre a semé la confusion dans le vieux centre politique, produisant d'abord les hésitations de

François Bayrou, puis son vote pour Hollande, en même temps qu'une perte totale de visibilité du Nouveau Centre immergé dans l'UMP. Pendant que les ténors politiques cafouillaient face à la droitisation de l'opinion, l'électorat a changé à son rythme, suivant des lignes de pente anciennes. L'évolution du vote de gauche, de Mitterrand à Hollande, illustre bien le mécanisme.

Hollande, l'Église et le FN

L'égalité des scores – 51,76 % des voix pour Mitterrand en 1981, 51,63 % pour Hollande en 2012 – masque des mouvements d'ampleur tectonique. Si l'on reporte sur une carte (9.2a) la différence entre les pourcentages de voix obtenues par Mitterrand et par Hollande aux seconds tours des élections présidentielles de 1981 et de 2012, deux changements majeurs sautent aux yeux : l'effacement du catholicisme de droite et la montée de l'extrême droite. Les zones de plus forts progrès de Hollande par rapport à Mitterrand (en rouge) ont été les anciens bastions de la pratique religieuse : la Bretagne et l'Ouest intérieur, le Pays basque, le sud-est du Massif central. Manquent seulement l'Alsace, la Lorraine, la Franche-Comté et une partie de la région Rhône-Alpes, nous verrons pourquoi. Le bond en avant final qui mena la gauche à l'Élysée s'effectua en pays catholique.

La carte 9.3 qui évalue la progression du vote Hollande de 2012 par rapport aux votes de gauche cumulés du premier tour de 2002 – l'absence de Jospin au second tour contraint à cette approximation – le démontre.

Revenons maintenant à la période entière des années 1981-2012, et examinons les pertes plutôt que les gains de la gauche. Les régions où Hollande a obtenu des scores nettement inférieurs à ceux de Mitterrand sont toutes des places fortes du FN : pourtour méditerranéen, vallée du Rhône, nord-est du Bassin parisien, moyenne vallée de la Garonne.

On peut facilement vérifier que ces deux clés explicatives,

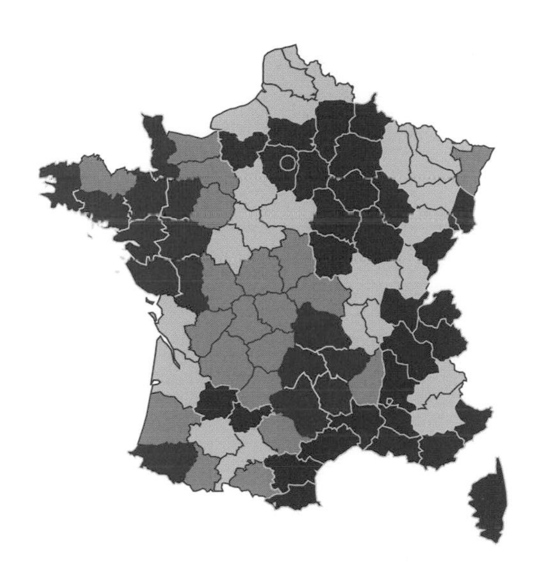

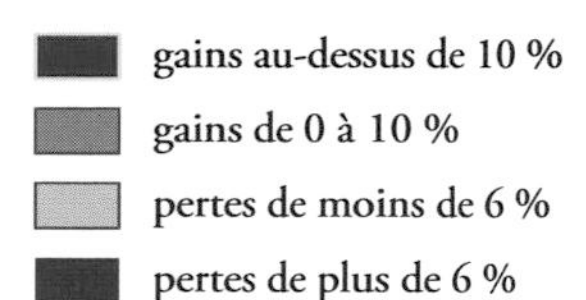

9-2a De Mitterrand à Hollande

Différence entre le % de voix de Hollande et le % de voix de Mitterrand (deuxièmes tours des élections présidentielles de 2012 et de 1981)

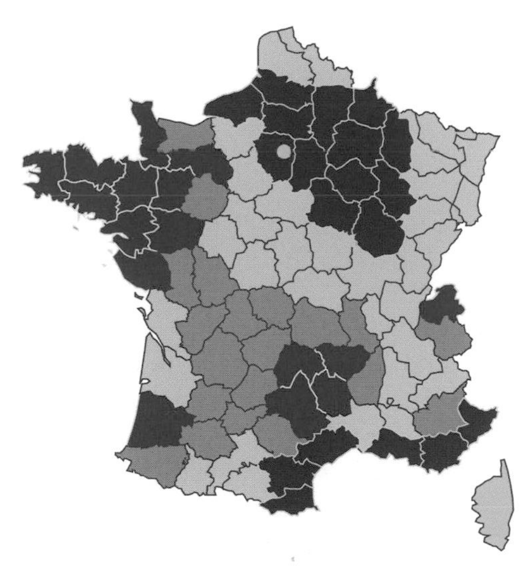

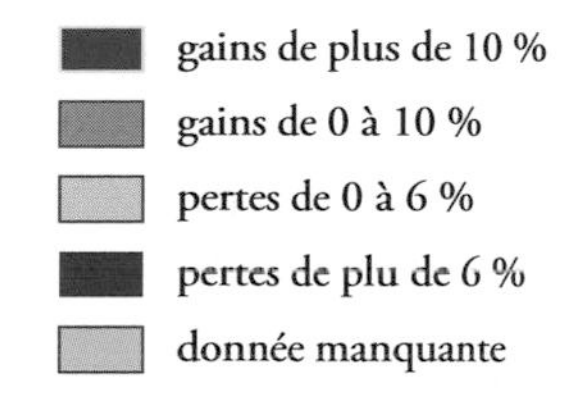

9-2b Religion, Front national et vote de gauche

Ajustement de la carte précédente par la différence entre le niveau de pratique religieuse et le vote FN à la présidentielle de 2002 (en bleu, fort vote FN et faible pratique religieuse, en rouge, l'inverse)

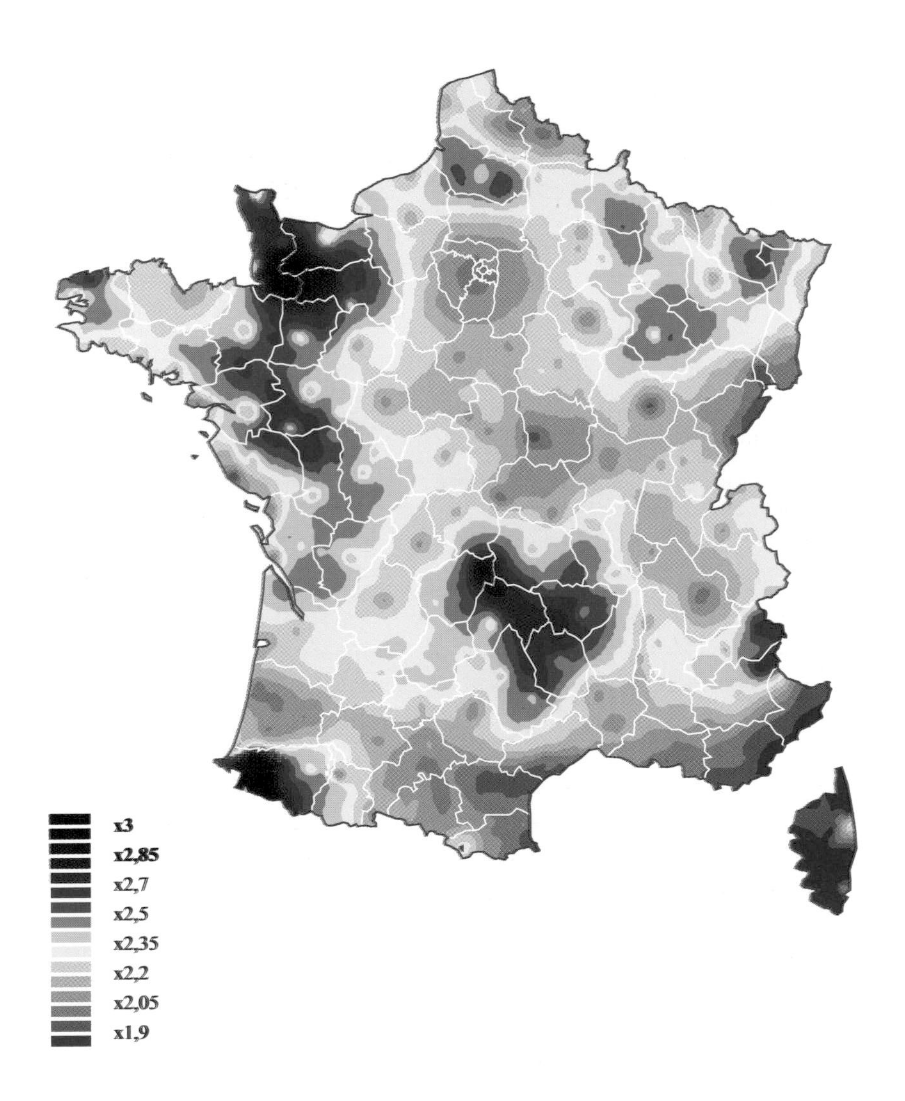

9-3 De Jospin à Hollande

Rapport du vote en faveur de Hollande (second tour de la présidentielle 2012) au vote de gauche (Jospin + Hue + Chevènement) au premier tour de la présidentielle de 2002

Église et Front national, dominent toutes les autres : il suffit de dessiner une carte combinant le niveau standard de pratique religieuse d'après guerre – facteur favorable à Hollande – et le vote pour Marine Le Pen en 2012 – facteur défavorable[1]. Nous soustrayons, dans chaque département, par une méthode statistique adaptée, l'effet du score de Marine Le Pen à celui du niveau de la pratique religieuse[2]. La carte 9.2b qui représente le résultat de l'opération est presque identique à la carte 9.2a des différences entre les votes Hollande et Mitterrand, qu'elle explique donc presque parfaitement[3].

Les causes Église et Front national ne rendent pas compte de tout – il serait beau mais inquiétant qu'un déterminisme aussi implacable s'impose ici. Les écarts entre les deux cartes ont toutefois aussi un sens sociologique.

Le long de la frontière Est, entre Metz et Nice, les pertes de Hollande par rapport à Mitterrand sont plus fortes que celles anticipées par la combinaison du catholicisme et du vote FN. C'est la France des riches vraiment riches, identifiée par la carte 7.1.

De plus, au nord-est du Bassin parisien, dans une vaste zone peu peuplée, les pertes de Hollande sont plus importantes que prévues. Cette région a des caractéristiques anthropologiques et culturelles particulièrement claires, ainsi qu'on l'a vu au chapitre premier : la famille nucléaire égalitaire et le village groupé, ainsi qu'un taux élevé de difficultés éducatives qui stimule la peur de ressembler à « ceux d'en bas ».

1. Nous avons mené cette comparaison en effectuant une régression linéaire multiple des votes pour Hollande sur le niveau de pratique religieuse et sur celui du vote FN du second tour de la présidentielle de 2002.

2. Plus exactement, on a déterminé quelle était la combinaison de ces deux facteurs qui se rapprochait le mieux de la différence observée entre les votes pour Hollande et pour Mitterrand (régression multiple).

3. Le coefficient de corrélation entre les deux cartes est r = 0,81, valeur très élevée indiquant que les deux causes alléguées expliquent les 2/3 des variations du vote (exactement 64 % de la variance).

Enfin, à Paris et dans sa première couronne, la progression du vote de gauche a été particulièrement importante. À l'échelle départementale, qui est celle des deux cartes, on ne peut pas voir ce qu'une analyse plus fine révèle : à Paris et dans presque toutes les grandes agglomérations, le cœur urbain est passé à gauche. Le rôle des jeunes éduqués en cours d'appauvrissement est ici important.

Disparition de l'extrême gauche

Comment se sont conjuguées dans le temps, entre 1981 à 2012, les deux causes principales, reflux de la pratique religieuse et montée de l'extrême droite, de l'évolution structurelle du vote de gauche ? En 1984 surgit le vote FN, à l'occasion d'élections européennes qui semblent définir immédiatement une implantation géographique stable et contrastée. En apparence simultanément, le parti communiste s'effondre. Mais, électoralement, les deux phénomènes ne sont pas liés puisque le coefficient de corrélation entre le vote frontiste de 1984 et le vote communiste de 1978, dernière date à laquelle le PCF a dépassé 18 % des suffrages, est nul. L'implosion du PC libère des voix qui se reclassent à travers tout le spectre politique et, souvent, se perdent dans l'abstention. Il manque dès lors au PS des suffrages des régions laïques au second tour des élections, car les voix communistes provenaient, géographiquement et métaphysiquement, des sphères les moins catholiques du pays.

Les trotskistes peuvent un instant penser que leur heure est venue parce que leur vieux rival stalinien est à terre. Effectivement, leur score s'élève pour finalement dépasser 10 % au premier tour de l'élection présidentielle de 2002. Le soufflé retombe pourtant si vite qu'en 2012, Philippe Poutou et Nathalie Arthaud atteignent ensemble à peine 2 % des voix. Où les plus fortes pertes ont-elles été enregistrées ? On voit sur la carte 9.4 qu'elles se situent surtout dans le Nord et dans le centre, deux des régions où le PC obtenait ses meilleurs scores. Mais l'Ouest chrétien, autrefois fortement PSU, est aussi une zone de régression du gauchisme tardif.

Où sont passées les voix trotskistes ? Comme dans le cas du PC, il est impossible de le savoir. Mais, comme dans le cas du PC, ces voix ne sont plus acquises à la gauche au second tour des élections, d'où un nouvel affaiblissement de la composante laïque du vote de gauche. À l'issue de ces évaporations du communisme et du trotskisme, la géographie du vote pour Jean-Luc Mélenchon (carte 9.5a) ne correspond plus à celle de l'extrême gauche. Elle ressemble à celle du vote Hollande du premier tour (carte 9.5b) : les deux socialistes ne se partagent pas la France, ils chassent sur les mêmes terres, preuve qu'ils représentent deux interprétations de la gauche socialiste plutôt qu'une extrême gauche dure s'opposant à une gauche socialiste molle.

Sarkozy et Bayrou : droite décomplexée et droite malgré elle

Le glissement de l'extrême gauche vers la droite ne pourrait faire plus que stabiliser la gauche, la maintenir en l'état, si toutes ses voix se reportaient fidèlement. C'est son extraordinaire glissement au centre qui va permettre au parti socialiste de gagner, en devenant majoritaire au sein même de l'électorat de tradition catholique, dernière étape d'un mouvement amorcé dès le milieu des années 1960.

Le premier acte de l'ultime comédie se joue en 2007, lorsque Nicolas Sarkozy décide de faire campagne en droitisant son programme et ses proclamations. Il est élu. L'UMP paiera le prix de sa radicalisation en 2012, et avec des intérêts, bien au-delà d'une

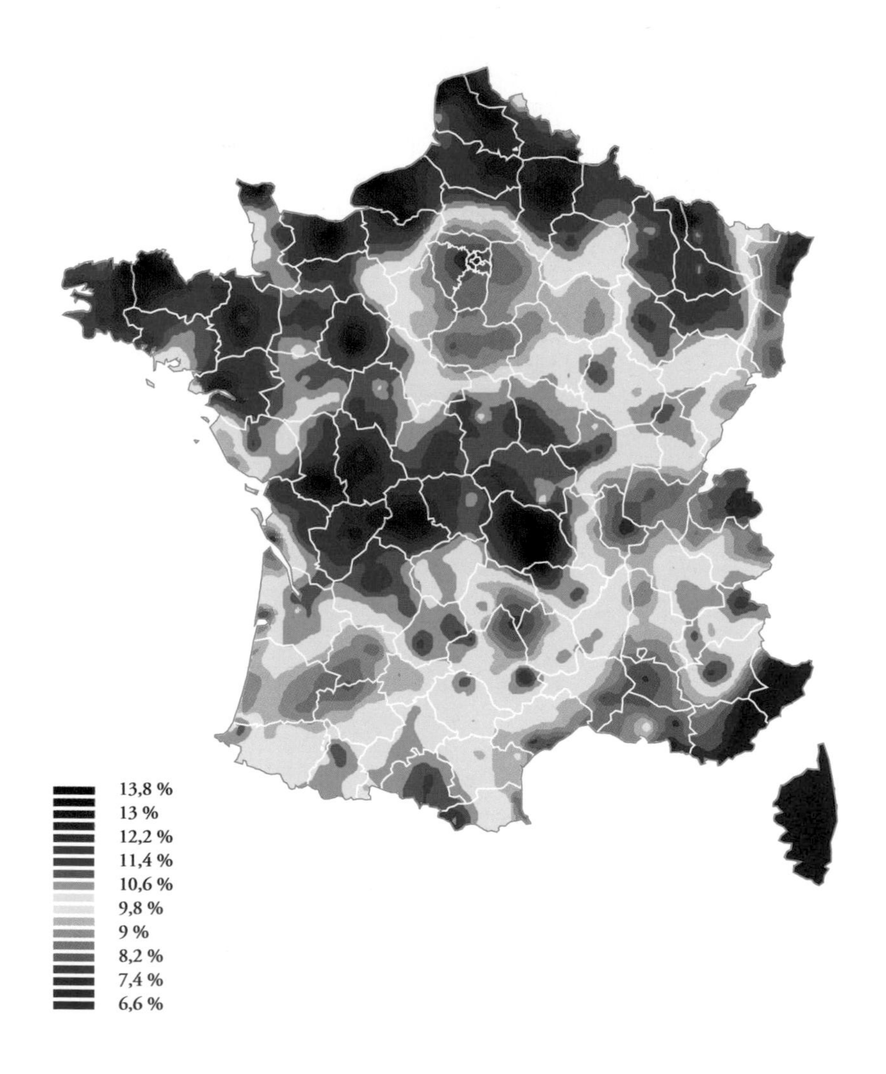

9-4 La chute du trotskisme

Pertes des candidats trotskistes entre le premier tour de la présidentielle de 2002 et le premier tour de 2012 (en différences des pourcentages obtenus en 2002 et 2012)

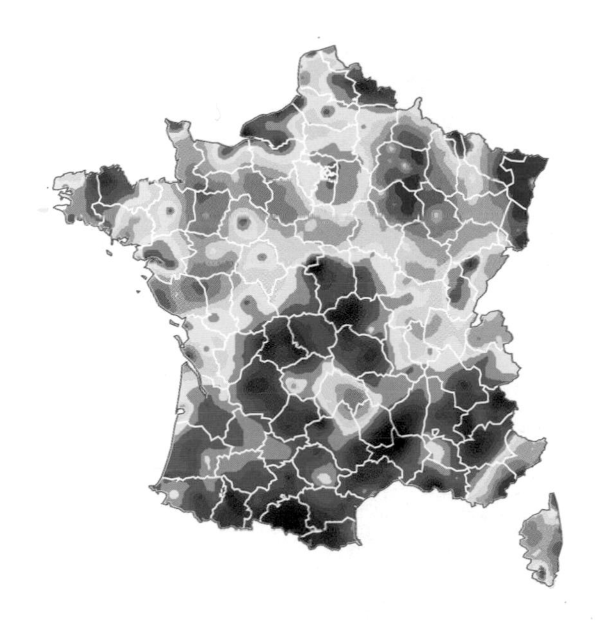

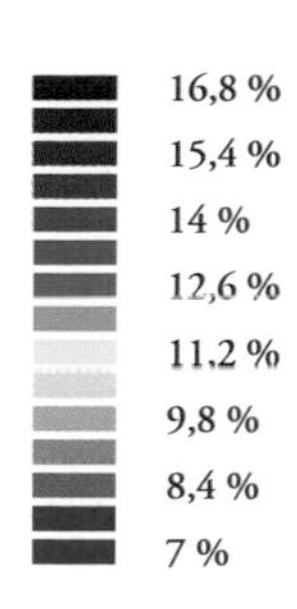

9-5a Mélenchon au premier tour

Pourcentage de voix au premier tour de l'élection présidentielle de 2012

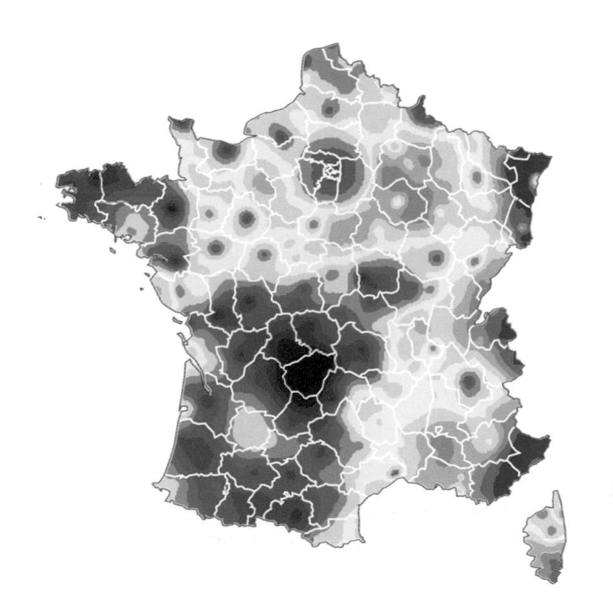

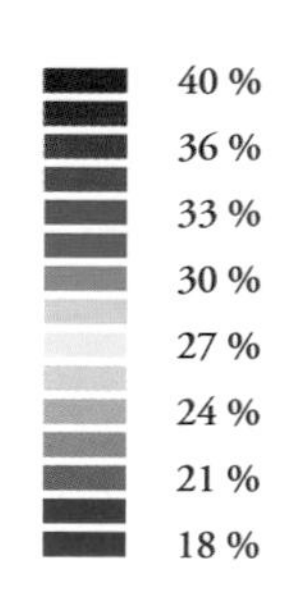

9-5b Hollande au premier tour

Pourcentage de voix au premier tour de l'élection présidentielle de 2012

simple défaite à une présidentielle, par une désintégration de son électorat et de ses structures. La carte 9.6a montre les gains de Sarkozy au premier tour de 2007 par rapport au score de la droite en 2002, que nous obtenons en faisant la somme des scores des candidats Jacques Chirac, Christine Boutin et Alain Madelin, tous trois membres du RPR. Les gains de Sarkozy dessinent exactement la carte du vote FN. Pari gagné donc pour ce qui va devenir la droite forte, ou décomplexée, qui récupère près de 7 % de voix en provenance du FN, mais victoire à la Pyrrhus, car les pertes de Sarkozy sont considérables dans les régions catholiques. Par sa droitisation à marche forcée, Sarkozy heurte la composante démocrate-chrétienne de la droite, encore fortement présente avant lui dans l'électorat du parti néogaulliste. L'électeur de tradition catholique voit surtout dans l'absence de complexes à droite l'effet d'une mauvaise éducation. Il vote pour Bayrou. Le score de celui-ci bondit de 7,5 % en 2002 à 18 % en 2007, essentiellement par l'apport de la droite modérée, comme on le voit sur la seconde carte (9.6b) où ses gains sont représentés.

Les aspects paradoxaux de la droitisation apparaissent ici dans toute leur ampleur : Sarkozy, parce qu'il a droitisé son programme, s'est déplacé vers l'extrême droite. La droite modérée, elle, se gauchise, si l'on peut dire, en se tournant vers le centre de Bayrou, mais ce dernier se droitise, puisque le centre de gravité de son électorat se déplace, du fait de cet apport, vers la droite. Ce remue-ménage ne modifie pas la frontière entre la droite et la gauche, mais la rend perméable : le mouvement des électeurs devient vraiment facile entre une gauche presque débarrassée de son extrême gauche et la partie de la droite qui n'accepte pas le rapprochement avec l'extrême droite.

Le second acte de la comédie se joue à la présidentielle de 2012. Sarkozy, à court d'idées dans une ambiance de déroute économique, veut rejouer la même partie qu'en 2007, mais avec surenchère. L'électorat du Front national, cette fois, ne suit pas l'étalage indécent de xénophobie orchestré par son « *spin doctor* »,

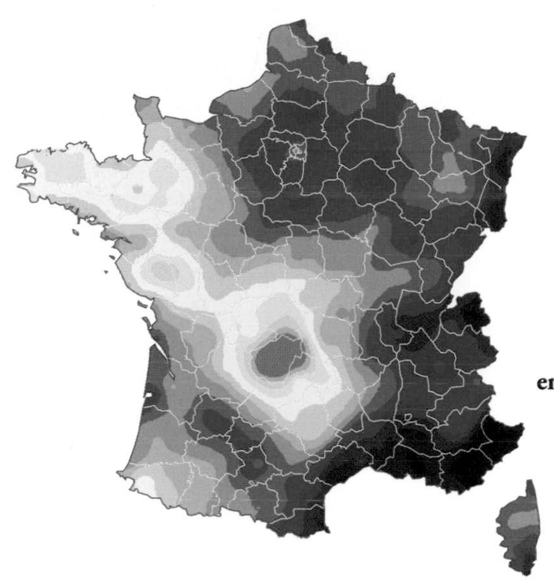

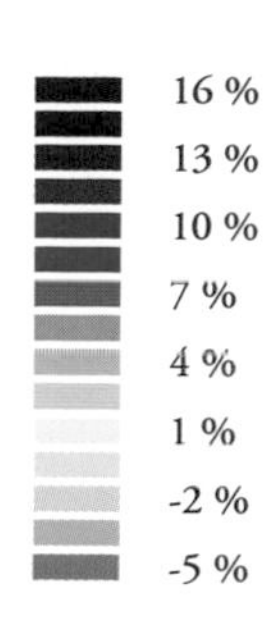

9-6a Gains de Sarkozy en 2007 sur la droite en 2002

(premiers tours de la présidentielle)

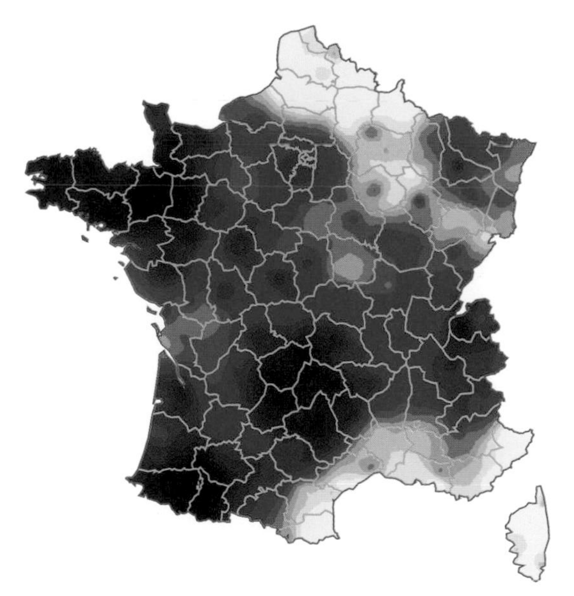

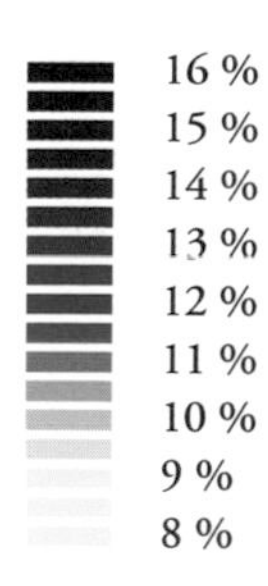

9-6b Gains de Bayrou entre 2002 et 2007

(premiers tours de la présidentielle)

le maurassien Patrick Buisson. À deux points près, Marine Le Pen retrouve les scores additionnés de son père et de Bruno Mégret au premier tour de la présidentielle de 2002. La carte des pertes de Sarkozy entre les premiers tours de 2007 et de 2012 n'est pas très éloignée de celle de ses gains entre 2002 et 2007 (carte 9.7a). Mais il y a une différence capitale, vengeance de l'histoire : s'il a perdu les voix FN gagnées en 2007, Sarkozy n'a pas récupéré les voix démocrates-chrétiennes passées chez Bayrou. Son seul gain apparent en pays catholique est enregistré en Vendée parce que Philippe de Villiers, qui s'était présenté en 2007, n'a pas renouvelé sa candidature en 2012.

Les voix modérées de l'UMP qui avaient fait défaut à Sarkozy en 2007, et qui ne sont pas revenues au bercail en 2012, se sont-elles établies chez Bayrou ? Probablement. Mais en déportant le MODEM sur sa droite, elles ont provoqué le même genre d'effet que Sarkozy à l'UMP en 2007 : la fraction la plus à gauche du centrisme a réagi en votant pour Hollande. Et voilà donc Bayrou, gagnant sur sa droite et perdant sur sa gauche, revenu finalement en 2012 à son score de 2002. La carte de ses pertes entre 2007 et 2012 ressemble beaucoup à celle de ses gains entre 2002 et 2007 (carte 9.7b). S'y ajoutent toutefois des pertes plus fortes dans les villes grandes et moyennes, qui correspondent bien aux gains de la gauche au premier tour de la présidentielle de 2012.

Droite et catholicisme dans la longue durée

Cette évolution résulte-t-elle des paris douteux d'hommes politiques qui comprennent mal leur électorat ? En réalité, parlementaires, ministres et présidents n'ont fait qu'accompagner, cahin-caha, l'évolution de longue durée des régions cléricales. Alors qu'à la première élection présidentielle, en 1965, et plus encore à

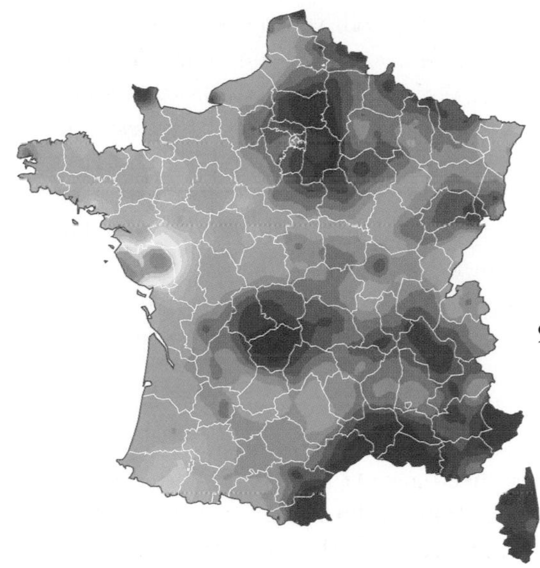

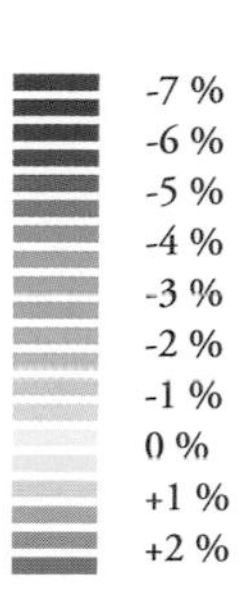

9-7a Pertes de Sarkozy entre les deux premiers tours des élections présidentielles de 2007 et 2012

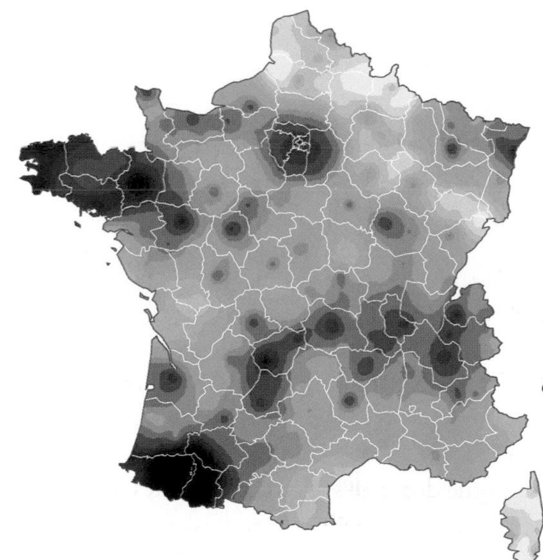

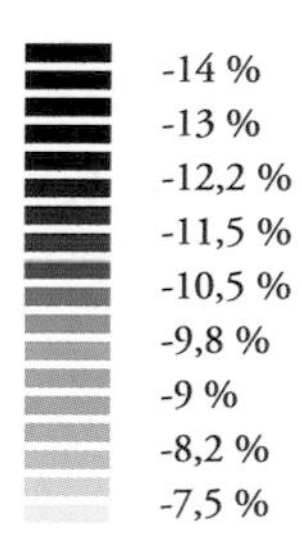

9-7b Pertes de Bayrou entre les deux premiers tours des élections présidentielles de 2007 et 2012

celle de Valéry Giscard d'Estaing en 1974, la séparation entre régions de droite et régions de gauche recoupait presque parfaitement l'opposition entre catholicisme tardif et déchristianisation, la relation s'est distendue progressivement pour finalement disparaître. La forte corrélation négative entre pratique religieuse et score du candidat de gauche au second tour de l'élection présidentielle a diminué constamment depuis 1974, pour atteindre une valeur nulle en 2007, comme on le voit ci-dessous.

TABLEAU 9
Corrélations entre vote de gauche au second tour des élections présidentielles et pratique religieuse

Année	Corrélations
1965	-0,603
1974	-0,680
1981	-0,570
1988	-0,370
1995	-0,275
2007	-0,004
2012	+0,069

Sources : ministère de l'Intérieur, cahiers élections du journal *Le Monde*, et François-André Isambert et Jean-Paul Terrenoire, *Atlas de la pratique religieuse des catholiques en France*, *op.cit.*

L'opposition, structurante pour la politique française durant presque tout le XXe siècle, a donc cessé d'exister. Son importance avait émergé sous la IIIe République avec l'instauration du suffrage universel. La corrélation était montée en puissance entre 1890 et 1906, menant dès 1905 à la séparation de l'Église et de l'État. Elle a atteint un niveau élevé et stable à partir des années 1930.

TABLEAU 10
Corrélations entre pratique religieuse (messalisants) et scores de la droite aux élections législatives (au niveau départemental)

Année	Corrélations
1893	+0,366
1898	+0,529
1902	+0,508
1906	+0,564
1910	+0,364
1924	+0,484
1928	+0,474
1932	+0,556
1936	+0,610

Source : François Goguel, *Géographie des élections françaises de 1870 à 1951*, Paris, Presses de Sciences Po, 1951.

Sous la IVe République, l'opposition entre l'Église et la gauche s'est radicalisée à cause de l'importance du vote communiste, qui a ravivé le vieil affrontement entre l'Église et la Révolution. Aux législatives de 1946 et de 1956, la corrélation entre suffrages du PC et pratique religieuse a atteint la valeur négative élevée de -0,63, puis elle a décliné au rythme de la baisse du vote communiste. C'est alors la fin du conflit qu'illustrait en Italie, de manière plus consciente et plus détendue, la bagarre permanente entre le curé Don Camillo et le maire communiste Peppone.

La fin du communisme d'État en URSS et en Europe de l'Est a joué un rôle mais cette évolution vient de plus loin, comme le montre la baisse de la corrélation dès 1981. On a abondamment glosé sur la petite église que Mitterrand fit figurer sur son affiche de campagne en 1981, et qui semblait vouloir réconcilier la gauche et l'Église. La vérité est que le futur président de la République accompagnait un mouvement de sécularisation, mais ne l'impulsait pas.

Le « catholicisme zombie » et le référendum de 2005

La France serait-elle donc devenue un pays réunifié dans la laïcité, ainsi que le suggèrent les enquêtes sur la pratique religieuse qui enregistrent désormais moins de 5 % de personnes se rendant à la messe régulièrement ? Le croire serait réduire l'emprise de la religion à ses rites. Nous avons vu dans les chapitres précédents à quel point un « catholicisme zombie », certes mort en tant que croyance mais vivant en tant que force sociale, avait dynamisé l'éducation entre 1985 et 1995, et facilité l'adaptation économique des populations dans les régions autrefois pratiquantes. La politique ne fait pas exception. Les référendums de 1992 et de 2005 sur l'Europe nous offrent deux exemples remarquables d'action politique du « catholicisme zombie » dans un domaine essentiel, la crise économique et monétaire.

Durant la campagne pour le référendum du 25 mai 2005 sur la constitution européenne, la gauche était divisée, et la droite opposée à l'extrême droite. Mais la confusion des partis ne semble guère avoir troublé les électeurs. Elle les a peut-être même libérés. Les régions autrefois pratiquantes catholiques ont nettement plus voté pour la constitution européenne que les régions laïques (carte 9.8), sans d'ailleurs que le « oui » l'emporte forcément en terre chrétienne. Les seules exceptions à l'association du catholicisme et du « oui » concernent certaines villes favorables au « oui » en zone « noniste », comme Reims, Orléans et Dijon et, bien sûr, la très massive région parisienne, toutes anciennement déchristianisées mais favorables à la constitution européenne. La carte réalisée au niveau communal nous permet ici de discerner directement la

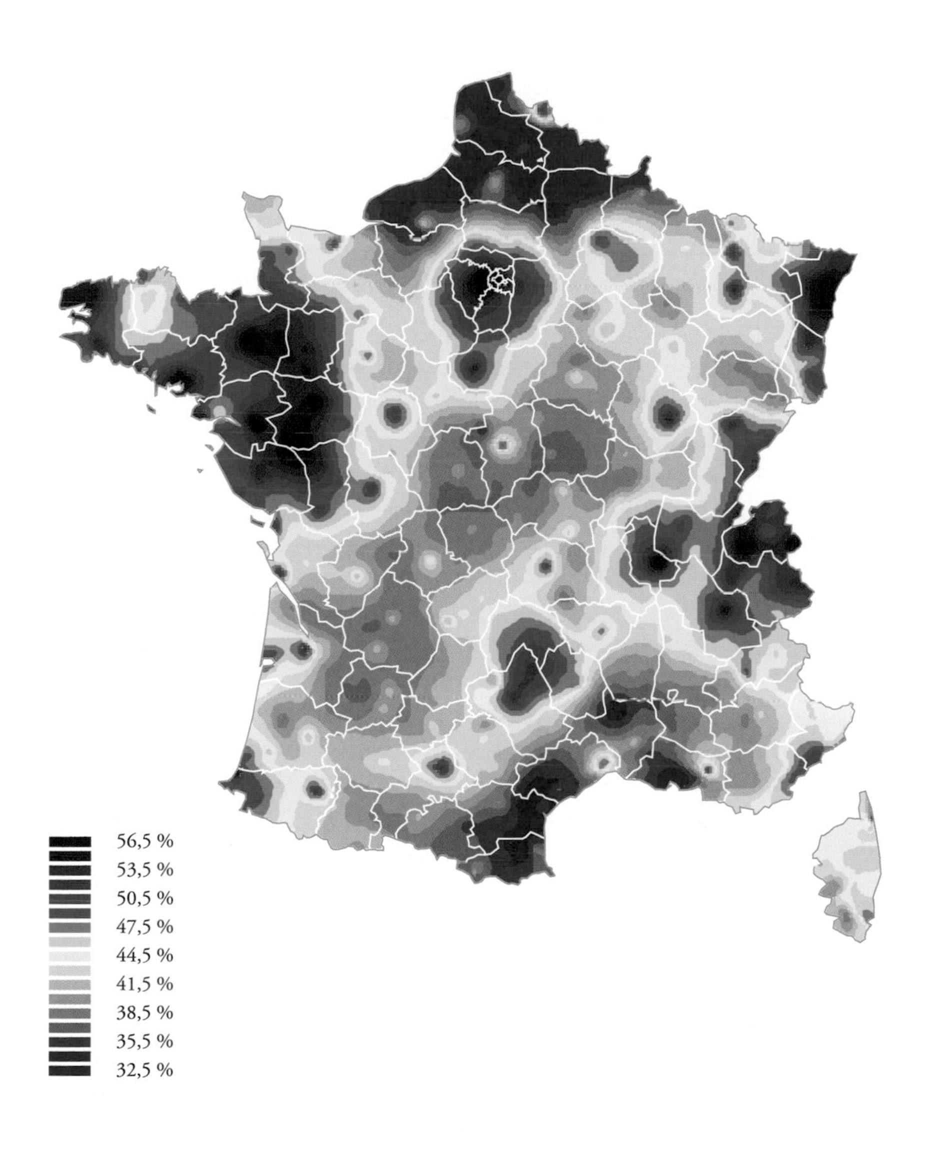

9-8 Votes « oui » au référendum de 2005

En pourcentage

dimension éducative et socio-économique du vote, le « oui » des grandes villes universitaires, le « non » extrêmement puissant des zones de détresse économique du Nord et de la partie ouest du Languedoc-Roussillon, régions de chômage, de faibles revenus et de fortes inégalités.

La géographie catholique du vote « oui » ne résulte pas d'une coïncidence ou d'un sursaut mais bien plutôt d'une constante : lors de chaque référendum – en 1969 sur les pouvoirs du Sénat et la décentralisation, en 1972 sur l'élargissement de la Communauté économique européenne, en 1992 sur le traité de Maastricht –, le même contraste géographique s'est manifesté : toujours les régions catholiques votent plus facilement « oui » que les autres, toujours les laïques plus facilement « non » (carte 9.9). S'agit-il de soumission chrétienne à l'autorité ? On pourrait se contenter de cette interprétation pour comprendre les référendums de 1992 et 2005, qui ont mis en scène l'opposition des élites et du peuple, et rappelé la capacité des zones centrales, anciennement déchristianisées, autrefois révolutionnaires, à rejeter l'autorité de leurs dirigeants. Mais cette explication ne suffit pas pour les référendums de 1969 et 1972, tenus à une époque où personne ne discutait la capacité des élites à gouverner.

Le véritable trait commun de tous les référendums depuis 1969 a été de proposer de retirer à l'État certaines attributions et de les confier, selon les circonstances, soit aux régions et aux départements, soit à l'Europe. Voter « oui » revenait à affaiblir le niveau national. Ces référendums ont donc aussi révélé, non plus une résistance de l'Église à l'État, mais une résistance autonome des régions anciennement catholiques à l'État jacobin.

On peut trouver des racines non religieuses à ces attitudes. Les régions de tradition catholique, on l'a noté à plusieurs reprises, sont pour la plupart périphériques. Elles avaient conservé jusqu'à la Révolution des prérogatives particulières, comme des parlements votant l'impôt en Bretagne, en Languedoc, en Dauphiné et dans les petits « États » pyrénéens. La Franche-Comté, l'Alsace et la

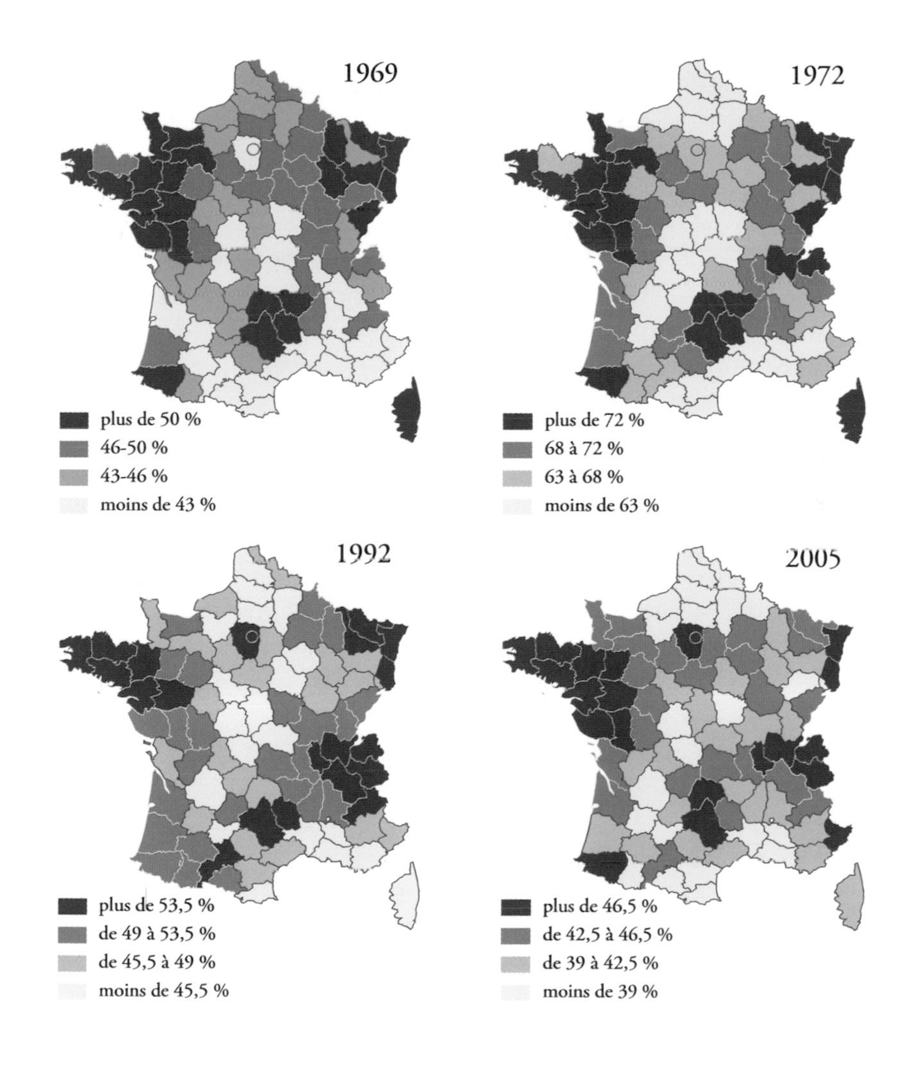

9-9 Pourcentage de votes « oui » aux référendums de 1969, 1972, 1992 (Maastricht), 2005

Les départements ont été classés par rang d'importance du vote « oui » et rangés en 4 catégories comprenant un nombre à peu près égal de départements. Les pourcentages correspondant à ces catégories sont indiqués pour chaque Référendum

Lorraine faisaient encore théoriquement partie du Saint Empire romain germanique, et les Flandres ou l'Artois étaient « réputées étrangères », dans la langue de l'Ancien Régime. La France centrale, au contraire, groupée dans les « cinq grandes fermes », ainsi que la Provence, la Normandie, la Guyenne et la Gascogne, dépendaient directement du pouvoir de Versailles. Les référendums depuis 1969 permettent de constater la survie d'un complexe « religieux-périphérique » qui associe acceptation de la hiérarchie sociale et refus de la centralisation parisienne. L'effet politique global le plus récent est paradoxal : face à la tentative de construction d'un État européen, les provinces autrefois décentralisatrices se rangent du côté d'une centralisation continentale.

N'exagérons toutefois pas la constance des attitudes et n'oublions pas une histoire qui est aussi d'échelle nationale : si le traité de Maastricht avait été validé par 51,04 % des suffrages exprimés, la Constitution européenne de 2005 a, elle, été rejetée à 54,87 %. Les départements de tradition catholique ont certes plus voté « oui » que les autres mais une telle formulation masque le fait que, dans plus de la moitié d'entre eux, c'est le « non » qui l'a emporté. En vérité, le « oui » n'a été majoritaire que dans 13 départements métropolitains : Paris, les Hauts-de-Seine, les Yvelines, le Rhône, le Bas-Rhin, la Haute-Savoie, l'Ille-et-Vilaine, le Finistère, le Morbihan, la Mayenne, la Loire-Atlantique, le Maine-et-Loire, la Vendée. Les bastions du « oui » sont, soit riches soit, c'est vrai, « zombies-catholiques ». Mais l'unique grande région entièrement fidèle au « oui » et à l'Europe fut, dans la France de 2005, l'Ouest, où seul le département des Côtes-d'Armor a voté « non », trace de déchristianisation ancienne, de communisme et de famille communautaire. Conformément à la prédiction d'André Siegfried, l'Ouest intérieur fut particulièrement ferme dans son acceptation de l'autorité sociale des élites. Malgré tout, la cartographie dévoile ici une plaisanterie non dépourvue de sens : la seule culture régionale globalement fidèle à l'Europe fut, proche de l'Atlantique, la plus éloignée du cœur du continent.

La rétraction spatiale du « oui » s'est accompagnée d'une montée socio-économique du « non » : en 1992, lors du vote sur le traité de Maastricht, le « non » avait été majoritaire chez les ouvriers (61 %) et les employés (53 %), le « oui » majoritaire dans les autres catégories sociales. Au-delà d'un renforcement du « non » dans ces catégories populaires (79 % chez les ouvriers, 67 % chez les employés), le fait sociologique marquant du vote de 2005 a été le basculement vers le « non » des professions intermédiaires, passées d'un vote « oui » à 62 % à un vote « non » à 53 %. N'ont voté « oui » en 2005 que les cadres supérieurs, de peu, et les gens âgés, largement.

Le catholicisme ayant depuis le XIXe siècle partie liée avec les classes supérieures, on ne peut guère considérer que les deux biais, populaire et laïque, du vote « non » sont contradictoires. Si nous oublions le discours progressiste sur l'Europe pour nous concentrer sur les paramètres classiques de l'analyse électorale, le choix « oui » apparaît comme un classique vote de droite. Le passage du « oui » majoritaire de 1992 au « non » majoritaire de 2005 devrait donc s'interpréter comme un glissement vers la gauche, mouvement contradictoire en apparence avec le glissement à droite généralisé que nous observons au niveau des partis. La France est décidément un pays mystérieux.

Classe, âge et région dans la détermination du vote

Nous avons analysé l'élection présidentielle de 2012 sans tenir compte d'aucune détermination socio-économique ou sociodémographique des votes. Pourtant, les enquêtes d'opinion montrent que la répartition des suffrages varie selon l'âge et selon la catégorie sociale, ainsi qu'on vient de le voir pour le référendum de 2005. Le vote Hollande est proche de sa moyenne chez les cadres supérieurs, plus élevé chez les ouvriers, les employés et dans les professions intermédiaires, nettement plus bas chez les artisans et les commerçants et, ce qui est plus important en termes de masses électorales, plus bas chez les retraités. La distribution par âge est congruente : les plus de 60 ans votent majoritairement à droite, tout comme les retraités (ce sont assez largement les mêmes personnes), tandis que les 18-24 ans, et encore plus nettement les 25-34 ans, sont orientés à gauche.

Tableau 11
Le vote des catégories socio-économiques et des groupes d'âges

catégorie sociale	% votes Hollande
Artisans-commerçants	30 %
Cadres et prof. lib.	52 %
Professions intermédiaires	61 %
Employés	57 %
Ouvriers	58 %
Retraités	43 %
âge	**% votes Hollande**
18-24 ans	57 %
25-34 ans	62 %
35-49 ans	53 %
50-59 ans	55 %
60 ans et plus	41 %

Source : sondage Ipsos.

La répartition des votes en faveur de Hollande, dont la carte 9.1 révèle les forts contrastes régionaux, reflète-t-elle la distribution des ouvriers, des employés et des professions intermédiaires dans l'espace français ? Pas du tout, mais nous allons voir que rien n'est finalement plus révélateur qu'une contradiction apparente.

La composition par âge de la population et sa répartition par catégorie sociale étant connues pour les 36 600 communes françaises, on peut calculer ce qu'aurait dû être le résultat de l'élection dans chaque commune si les électeurs avaient voté en fonction seulement de leur âge, ou seulement de leur catégorie sociale, en appliquant partout le même vote national moyen des diverses tranches d'âge ou catégories socioprofessionnelles. Si ce calcul conduisait à des résultats proches de ceux qui ont été observés dans les faits, nous en déduirions que le vote fut effectivement déterminé par la situation socio-économique ou d'âge des électeurs. Or ce calcul livre un résultat surprenant, tant pour le rôle de l'âge que pour celui de la structure socio-économique. Selon les proportions définies par les sondages, les régions jeunes et populaires du Nord et de l'Est auraient dû voter à gauche, alors qu'elles ont voté à droite. Le Sud-Ouest – très âgé, fort peu ouvrier, richement doté en artisans et en petits commerçants – aurait dû voter très à droite alors qu'à l'inverse, Hollande y a obtenu ses meilleurs scores. Le vote de gauche n'apparaît socio-économiquement « rationnel » que dans le Nord extrême. Les sondages seraient-ils gravement inexacts ? Le comptage des votes serait-il faussé ? Absolument pas. Les deux ensembles de faits sont exacts. Si l'on admet qu'il peut exister deux types de cause de variation du vote, la cause sociale et démographique d'une part, la cause régionale de l'autre, le paradoxe peut être levé.

En effet, la variabilité sociale ou par âge modifie peu le résultat régional du vote. Un exemple simple mais assez proche des chiffres réels peut aider à le comprendre. Supposons que les personnes âgées votent à 60 % à droite et le reste des électeurs à 40 %. Dans une région vieillie où les personnes âgées constituent 60 % de la population, le vote à droite sera de 0,6 × 60 % + 0,4 × 40 % = 52 %. Inversement, dans une région jeune où l'on compte seulement 40 % d'électeurs âgés, le vote de droite sera de 0,4 × 60 % + 0,6 × 40 % = 48 %. La différence de vote ainsi obtenue entre les deux régions est beaucoup plus faible que la différence selon l'âge des votants. La déviation due à leur structure sociale ou à leur structure d'âge comptera donc peu face à des déterminants culturels territoriaux qui peuvent mener à des écarts beaucoup plus massifs, produisant dans telle région un vote de droite de 60 %, et dans telle autre de 40 %. La résolution du paradoxe nous permet donc de saisir la puissance de détermination des cultures régionales, que nous allons expliquer au chapitre suivant.

CHAPITRE 10

Socialisme et sarkozysme

La consolidation du vote socialiste évoque à elle seule l'émergence d'une détermination régionale anthropologique venue des profondeurs. La répartition géographique des votes socialistes au second tour des élections présidentielles fut rigoureusement la même en 2007 et 2012 (cartes 10.1c et 10.1d). De plus, la même répartition caractérise le vote pour le candidat socialiste par rapport au vote pour Sarkozy au premier tour de ces deux élections (cartes 10.1a et 10.1b). Les corrélations départementales entre ces quatre cartes oscillent entre 0,97 et 0,98, valeurs excessivement rares en sciences politiques, tellement élevées qu'elles évoquent un monde arrêté. Le plus étonnant n'est pas tant la stabilité des résultats du second tour que la corrélation entre le score des candidats socialistes au premier tour, relativement au candidat de droite, et leur score au second tour, comme si le résultat du second tour était encapsulé dans le vote du premier tour. Les électeurs qui n'avaient d'abord voté ni pour Hollande ni pour Sarkozy se sont distribués au second tour exactement comme ceux qui avaient voté Hollande ou Sarkozy au premier. Voilà de quoi ramener à de justes proportions les spéculations des commentateurs sur le report des voix bayrouistes, écologistes, souverainistes ou trotskistes. Tout cela prouve que nous

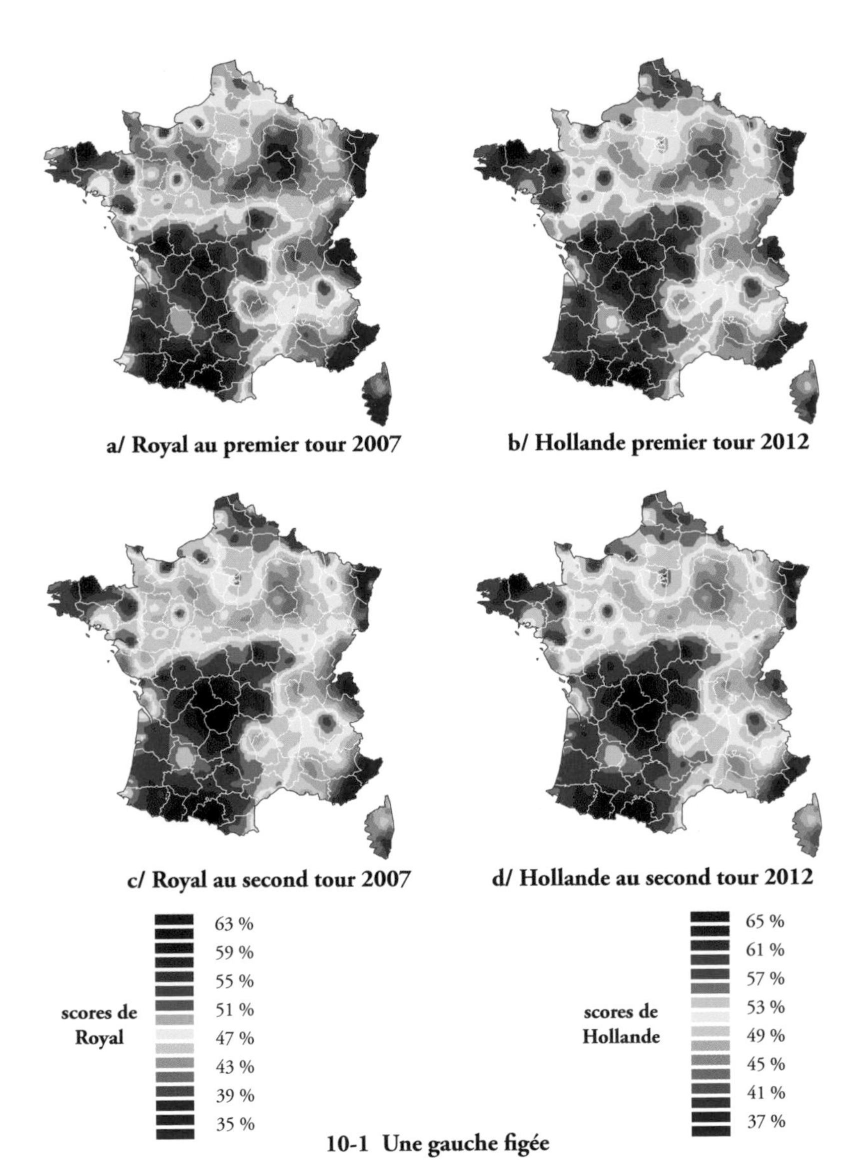

10-1 Une gauche figée

Pourcentage de suffrages exprimés pour Royal en 2007
et Hollande en 2012 aux premiers et seconds tours de l'élection présidentielle
par rapport à la somme de leurs voix et de celles obtenues par Sarkozy

sommes en présence d'une détermination profonde des électorats régionaux.

Émergence de la famille

La prédominance du vote en faveur de Hollande dans le Sud-Ouest, la Bretagne et le Nord doit donc être expliquée par d'autres causes que celles habituellement mises en avant par les sondages. À ce stade, deux facteurs sautent aux yeux : la structure familiale et, dans le cas de la Bretagne et du Sud-Ouest, un phénomène de rattrapage régional qui concerne l'éducation aussi bien que l'abandon de l'agriculture traditionnelle.

Si nous laissons de côté la question des villes, que nous traiterons plus loin, la répartition des votes en faveur de Hollande apparaît incluse dans la carte des types familiaux complexes, famille souche du Sud-Ouest, famille communautaire du nord-ouest du Massif central, ou formes étendues mal définies qui occupaient la Bretagne et le Nord (voir la carte-synthèse 1.4). Le phénomène d'ajustement du vote socialiste à ce fond anthropologique est récent et remonte au plus tôt à la candidature de Ségolène Royal en 2007. En effet, la corrélation entre le score de la gauche au second tour des élections présidentielles et le degré de complexité familiale a augmenté brusquement en 2007. C'est l'érosion de l'antagonisme entre régions laïques et catholiques qui a permis l'émergence de cette cause de variation plus profonde, jusqu'alors masquée ou plutôt inactivée par une couche supérieure religieuse.

TABLEAU 12
Coefficients de corrélation entre le vote pour le candidat de gauche au second tour des élections présidentielles et l'indice de complexité familiale (par départements)

Année	Corrélation
1965	0,29
1974	-0,19
1981	0,27
1988	0,06
1995	0,12
2007	0,45
2012	0,46

Source : ministère de l'Intérieur, recensement de 1999.

Pourquoi la diversité de ces types familiaux régionaux, que nous croyions disparus, prend-elle une telle importance maintenant, en ce début de IIIe millénaire, dans un pays préoccupé par la mondialisation, dans toutes ses dimensions et dans tous ses effets : concurrence économique, écrasement des salaires, chômage, immigration, islam ? La réponse est simple mais elle contredit l'axiomatique aujourd'hui dominante d'une convergence des sociétés développées : la famille ancienne prend de l'importance, non pas malgré la crise, mais à cause de la crise. Une société qui va mal, qu'elle soit nationale ou locale, cherche dans ses profondeurs anthropologiques des forces de résistance à l'adversité. Dans le cas de la France, ce mécanisme opère au moment même où les élites dirigeantes s'efforcent au contraire de trouver une solution dans un ajustement mimétique à la modernité des autres.

L'anthropologie de la famille et de la communauté locale pourrait bien devenir une discipline reine pour analyser les réactions à la crise économique, car c'est désormais une question de survie pour beaucoup d'individus que de savoir s'ils pourront ou non compter sur leurs proches en cas de licenciement ou de faillite. Leur aide sauve de la rue, leur abandon y condamne. Or la capacité de soutien des systèmes familiaux complexes est sans commune mesure avec ce que peuvent assurer les systèmes nucléaires. La famille étendue, qu'il s'agisse de la forme souche du Sud-Ouest, communautaire du Limousin, ou mal définie de Bretagne, favorise l'aide pratique aux individus. Il ne semble pas que les formes familiales du Nord, travaillées par des mécanismes de décomposition comme la monoparentalité, soient d'une telle efficacité dans le soutien à leurs membres.

Les familles complexes toulousaines ou bretonnes, actives dans l'assistance aux individus, voient leurs conceptions holistes réactivées par la crise, phénomène qui influence puissamment l'orientation politique des régions concernées.

La famille complexe réémerge donc simultanément dans la vie quotidienne *et* dans l'idéologie. À un niveau pratique, elle encourage l'entraide entre couples, souvent sous la forme de ce que les économistes nomment transferts intergénérationnels. La famille souche du Sud-Ouest avait été inventée, à partir du XIIIe siècle, précisément pour ce type d'échange. À un niveau idéologique et politique, la famille souche (ou communautaire) voit dans le socialisme l'extension à la Nation entière de ses propres pratiques de redistribution. Dans le cas du Sud-Ouest, l'affection pour l'État est une vieille tradition que nous avons retrouvée bien vivante dans la puissance régionale de la fonction publique (carte 6.9).

En pays de famille nucléaire au contraire, c'est-à-dire dans un vaste Bassin parisien allant de Nancy à Laval, qu'il s'agisse du type égalitaire de l'Est ou du type hypernucléaire de l'Ouest, aucune couche protectrice équivalente n'existe. À l'opposé, l'individualisme familial peut nourrir l'individualisme économique. La concurrence entre individus et entre générations trouve donc sa contrepartie idéologique dans une certaine acceptation du néolibéralisme, attitude peu compatible avec un programme socialiste de défense de l'État et de respect de la fonction publique. Nous commençons à comprendre l'alignement à droite de ces régions dont certaines sont pourtant dévastées par la désindustrialisation. Si Hollande l'a emporté en pays de famille complexe, Sarkozy a gagné en pays de famille nucléaire, en dépit, ou à cause, de sa thématique ultra-individualiste.

Le décalage temporel est/ouest : ruralité socialiste et désindustrialisation sarkozyste

Malgré la prédominance générale du vote Sarkozy dans le Bassin parisien et du vote Hollande au cœur de l'Occitanie, le lien entre vote socialiste et famille complexe d'une part, entre famille nucléaire et vote de droite d'autre part est imparfait, surtout à l'Est : ni l'Alsace, pays de famille souche germanique, ni la région Rhône-Alpes où prédominent des types souche imparfaits, n'ont voté socialiste. Le type nucléaire à proximité patrilocale de Provence ne semble quant à lui n'avoir aucun effet socialisant.

Si nous voulons comprendre l'inflexion à droite que nous percevons à l'est de l'Hexagone, nous devons inclure dans la mémoire de ces lieux le passé culturel et industriel des deux derniers siècles. Il n'est pas le même pour les parties Est et Ouest du système national.

Dans les chapitres qui précèdent, nous avons saisi à l'Est un complexe historique associant habitat groupé, alphabétisation précoce et, à leur suite, une industrialisation rapide et complète. Le complexe Ouest s'oppose terme à terme : habitat dispersé, décollage tardif de l'éducation, maintien jusqu'au lendemain de la Seconde Guerre mondiale d'une agriculture de subsistance importante. La mémoire de ces régions renvoie à un passé très proche, en termes générationnels surtout, de sous-développement et de pauvreté. S'ils veulent sonder la misère du passé, les électeurs des pays de l'ouest n'ont qu'à penser à leurs grands-parents. En revanche, si les électeurs de la partie est de l'Hexagone évoquent leurs grands-parents, ils sont confrontés au souvenir d'un monde qui, certes, n'était pas riche, mais était à sa manière moderne et vivait la notion de progrès, malgré la saleté et la dureté de l'usine. C'est la mort de ce monde qu'ils vivent quotidiennement.

En Aquitaine, en Bretagne, en Anjou, en pays de famille complexe comme en pays de famille hypernucléaire, tout a bougé dans un sens positif depuis la guerre : éducation, passage du métier d'agriculteur à celui d'ouvrier, d'employé, d'enseignant ou de cadre. Dans ces régions, l'ascension sociale et l'avancée culturelle sont une réalité de mémoire immédiate qui donne encore au présent un sens optimiste, malgré la crise. Dans le contexte de la grande récession, nous pouvons au contraire supposer un pessimisme social à l'Est, où se délite le progrès ancien. L'optimisme dirige assez naturellement vers le parti socialiste, qui garde une conception positive de l'homme et une vision coopérative de la vie en société. Que cette option soit réaliste ou non n'est pas ici la question. Le pessimisme mène vers cette droite qui accepte ou prône la concurrence entre individus et l'abandon des faibles. Que cette option soit réaliste ou non n'est pas non plus ici la question.

Parties est et ouest de l'Hexagone sont hétérogènes sur le plan des structures familiales, dont le dessin général oppose un Nord majoritairement nucléaire à un Sud presque uniformément complexe, quoique à des degrés divers. Le facteur des migrations, analysé au chapitre 8, crée des mécanismes d'uniformisation internes aux espaces ouest et est. Nous avions mis en évidence deux champs migratoires distincts, l'un à l'ouest de la région parisienne et du Massif central, l'autre à l'est. Nous devons supposer que les mouvements intérieurs à chacune de ces deux zones favorisent, sans la garantir, l'émergence d'attitudes communes. Dans chacune, le système anthropologique le plus fort lutte pour atteindre l'hégémonie. Combinant masse des systèmes familiaux, dynamisme éducatif, puissance du réseau urbain et intensité des migrations, nous pouvons prédire une pesée des valeurs de la famille complexe à l'Ouest, en pratique sur la zone hypernucléaire de l'Ouest intérieur, et une pesée des valeurs de la famille nucléaire à l'Est, en pratique sur la région Rhône-Alpes. Dans ce dernier cas, le caractère inachevé de la famille souche facilite le mécanisme adaptatif et la séparation, déjà réalisée, d'avec les valeurs socialistes. Le cas de l'Ouest intérieur est encore plus intéressant.

Nous avons noté sa singularité, que nos catégories d'analyse mettent en discordance. Sa structure familiale individualiste le pousse vers la droite, son proche passé de décollage social vers la gauche. Nous le sentons travaillé politiquement par ces tendances contradictoires. Sa partie ouest, la Bretagne gallo, a déjà été entraînée vers la gauche. Ses éléments centraux et orientaux restent de droite, mais nous sentons que cet alignement est fragile. N'oublions pas que l'habitat dispersé de ce pays silencieux recèle un potentiel intrinsèque de coopération locale, institutionnalisé par une école privée catholique particulièrement dynamique. La chute du catholicisme s'y est produite comme ailleurs et la question d'un éventuel basculement à gauche de la région doit être posée. Les villes, notamment Angers, Laval et Le Mans, sont déjà des îles de gauche, bastions avancés de cette possible conquête. Ce serait alors la prise de cette ligne Siegfried qui faisait de l'Ouest intérieur l'âme de la contre-révolution.

Villes de gauche

L'ajustement de la gauche à la carte des structures familiales et de la ruralité proche ne sera pas la fin de l'histoire, malgré la fixité des géographies observées en 2007 et en 2012. Il s'agit d'un moment, que la dynamique urbaine de la gauche a déjà commencé à dépasser. C'est ce que montre la comparaison des cartes politiques réalisées séparément pour les communes de diverses tailles. Les cartes 10.2a, 10.2b et 10.2c dessinent les espaces de gauche et de droite, respectivement pour les communes de moins de 1 000 électeurs, de 1 000 à 5 000 et de plus de 5 000. Les formes définies dans l'Hexagone sont les mêmes mais, d'une carte à l'autre, lorsque la taille de la commune augmente, le niveau du parti socialiste monte, au point que le jaune, point d'équilibre entre les deux forces, remplace, au-dessus de 5 000 électeurs, le violet de la droite un peu partout là où il dominait, sauf sur la frontière Est. Le cœur du Bassin parisien est pénétré par le vote Hollande. Nous retrouvons ici, inachevé et sous une forme urbaine diffuse, le phénomène beaucoup plus net et massif de la domination de la capitale par la gauche.

Au contraire de beaucoup de phénomènes analysés dans ce livre, la montée en puissance de la gauche dans les villes semble expliquée par les variables classiques de la politologie. Le monde urbain est le plus souvent jeune, éduqué et en cours d'appauvrissement, combinaison qui, dans le contexte français, mène généralement à gauche. Mais cette orientation à gauche ne va pas de soi. On a vu ailleurs des jeunesses éduquées et appauvries se tourner vers l'extrême droite, en Allemagne dans les années 1930, notamment. En France même, le vote Front national est certes ancré dans la moitié la moins éduquée de la population, mais une moitié qui a bénéficié de progrès considérables depuis les années 1970. C'est le refus de s'identifier aux 12 % d'en bas, en difficulté scolaire, qui mène à droite cet électorat.

Les villes du Bassin parisien, la capitale en particulier, malgré la diversité provinciale et nationale de ses habitants, ne peuvent en aucune manière être dominées par les valeurs de la famille complexe. Le type nucléaire, matrice originelle du lieu, y broie depuis le Moyen Âge les systèmes immigrés complexes, tout comme la matrice anglo-saxonne nucléaire broie en Amérique les systèmes familiaux complexes des immigrants. Parce que la gauche domine aujourd'hui la région parisienne, qui pèse à elle seule plus lourd démographiquement que les régions Aquitaine, Bretagne et Midi-Pyrénées réunies, nous pouvons affirmer que la gauche

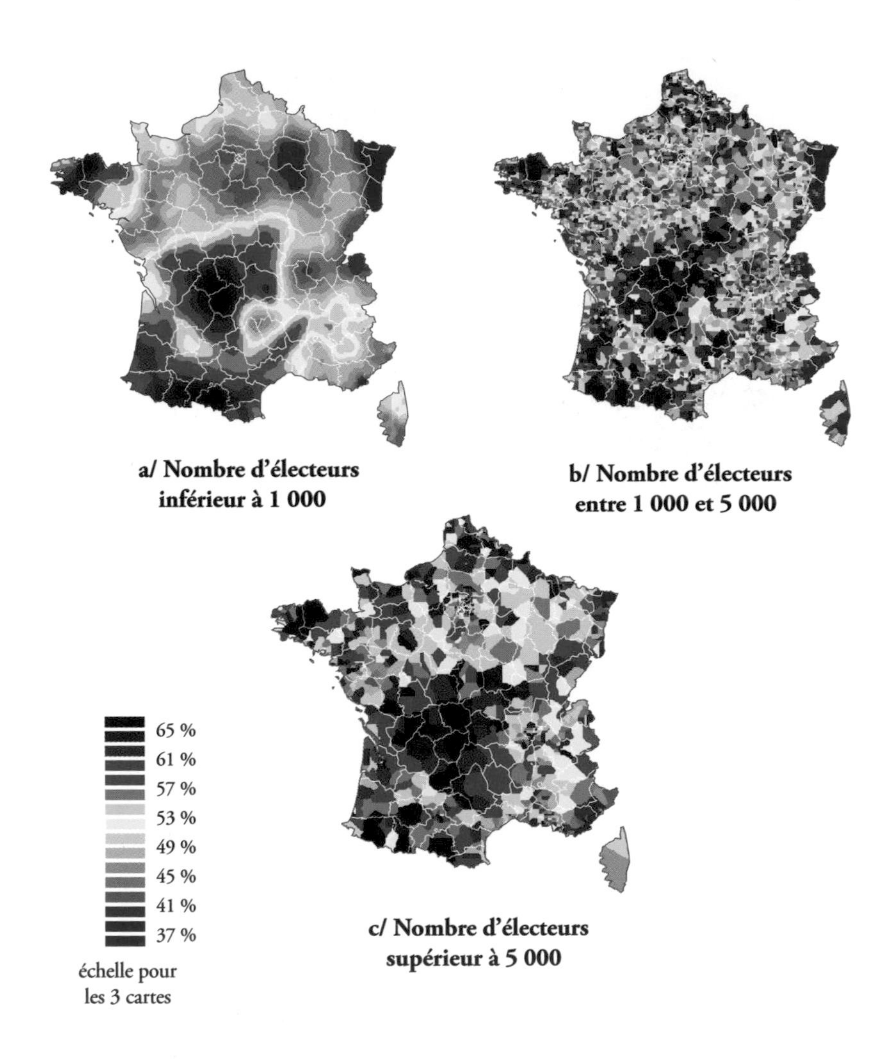

10-2 La gauche des villes

Pourcentages de suffrages exprimés pour Hollande au second tour de l'élection présidentielle de 2012 selon la taille des communes (nombre d'électeurs < 1 000, compris entre 1 000 et 5 000, >5 000)

française continue d'être diverse par ses valeurs anthropologiques souterraines. La disparition de la dualité partisane PC/PS laisse subsister, à l'intérieur même du PS, une pluralité des valeurs anthropologiques. Nous y constatons d'ailleurs un affrontement qui n'en finit pas entre conceptions étatistes et libérales de la vie économique et sociale, phénomène que nous pouvons recoder, en langage anthropologique, comme « affrontement entre valeurs de la famille souche et valeurs de la famille nucléaire ». L'opposition ne concerne pas seulement le couple étatisme/libéralisme ou autorité/liberté. La famille nucléaire parisienne est égalitaire autant que libérale, comme la famille souche du Sud-Ouest est inégalitaire autant qu'autoritaire.

Frontière de droite

La cartographie politique réalisée au niveau communal permet de distinguer, à l'Est extrême de l'Hexagone, un phénomène de frontière tout à fait surprenant. Du nord de l'Alsace jusqu'à la Méditerranée, avec une unique interruption sur la frontière d'ailleurs presque vide du département des Hautes-Alpes, le vote Sarkozy atteint des niveaux nulle part égalés. Les frontières belge et espagnole ne sont pas concernées par le phénomène. Nous comprenons ici que l'alignement à droite de la région Alsace, la seule qui ait sur le continent échappé à la gauche durant l'ère Sarkozy, n'est pas de nature « germanique » mais frontalière, ce qui est somme toute rassurant pour l'intégrité du territoire national. S'il avait existé des régions autonomes « Savoie » et « Côte d'Azur », elles auraient aussi, malgré la déroute électorale du sarkozysme, échappé à la gauche.

Nous pouvons, dans un premier temps, voir dans cet alignement frontalier de droite un phénomène économique, étrange mais logique. Nos cartes de la richesse et des inégalités de revenu avaient mis en évidence la prospérité de cette longue frange, qui résulte, simultanément, du travail frontalier des Français et de la résidence de minis Depardieu et Johnny étrangers réfugiés dans l'Hexagone. Reste qu'aucune autre zone aussi à droite et d'une telle ampleur n'existe en France, malgré les poches de richesse en région parisienne, à Bordeaux, Toulouse, Lyon ou Aix. Nous devons donc, dans un second temps, admettre l'existence d'un phénomène idéologique spécifiquement associé à la frontière. Les riches y semblent capables d'entraîner l'ensemble de la population vers la droite avec une force jamais vue depuis l'époque où les hobereaux de l'Ouest contrôlaient le vote de leurs paysans.

La frontière Est, à l'exception de l'environnement niçois, est plutôt européenne d'esprit, mais sans excès, ayant voté de justesse « oui » en 2005. Rien de comparable avec son enthousiasme de droite. Du Jura jusqu'à la Haute-Provence, elle n'apprécie pas particulièrement le Front national, ainsi qu'on le verra au chapitre suivant. La seule spécificité d'ensemble de cette zone est donc bien un fort alignement à droite, qui exclut tout extrémisme de droite et tout extrémisme européiste. Il s'agit d'une attitude stable, puisque le vote de 2007 pour Sarkozy faisait apparaître le même résultat. Nous n'avons pas d'explication définitive à un phénomène dont l'étude exigerait un examen détaillé de l'évolution politique au-delà de la frontière, en Bade-Wurtemberg, Suisse romande, Piémont et Ligurie. Supposons toutefois que ces régions européennes particulièrement riches portent et diffusent des attitudes de droite, avec quelques hésitations dans le cas de l'Italie du Nord frontalière.

Admettons qu'il serait urgent de cartographier l'Europe des riches afin d'examiner l'hypothèse d'une sphère idéologique de droite transfrontalière. Cette question nous semble d'ailleurs échapper aux problématiques dominantes de la mondialisation, même si cet hypersarkozysme des frontières colle *a priori* assez bien au stéréotype d'une droite tellement associée à l'argent qu'elle en est devenue antinationale. Toutefois, les mythes de la mondialisation, qu'ils soient favorables ou hostiles au pouvoir des puissants, nous proposent en général l'image d'une richesse délocalisée, insaisissable, courant d'ordinateur à ordinateur à la poursuite du soleil, de la Bourse de Londres à celle de New York, puis de New York à Tokyo, pour revenir vers nous au petit matin avec l'astre du jour. Oui, l'argent circule, absolument. Mais les gens de chair et d'os qui le possèdent semblent, sur notre carte, cloués au sol, et pas toujours dans les métropoles les plus spectaculaires. Nous croyons les sentir, fragiles, sur la frontière, prêts à la fuite dans une direction ou dans l'autre.

La gauche, la droite et l'égalité

Si l'on excepte le Nord, les régions où le vote Hollande l'a emporté sont situées dans la moitié ouest et sud-ouest de la France où, traditionnellement, la population vivait dispersée en exploitations isolées dans le bocage.

La corrélation du score socialiste avec le groupement de la population a évolué de manière analogue à celle observée pour la complexité familiale[1] : on observe une brusque rupture en 2007. L'absence de relation fait place à une corrélation négative, le vote socialiste apparaissant d'autant plus faible que l'habitat est plus groupé.

1. La régression multiple du % de voix de Hollande au second tour de 2012 en fonction de l'indicateur de complexité familiale (F) et celui de groupement de la population (A) illustre bien leur influence : % Hollande = 51,45 + 2F-2A (r = 0,55). La différence des deux indicateurs correspond donc d'assez près à la distribution des votes socialistes.

TABLEAU 13
Coefficients de corrélation entre le vote pour le candidat de gauche au second tour des élections présidentielles et l'indice de groupement de la population (% population agglomérée par départements)

Année	Corrélation
1965	-0,05
1974	-0,14
1981	0,18
1988	0,06
1995	0,08
2007	-0,43
2012	-0,43

Source : ministère de l'Intérieur, SGF.

Nous sommes ici confrontés à un problème capital : nous avons souligné, au premier chapitre consacré à l'étude des fondements anthropologiques et religieux, le lien entre habitat groupé et égalitarisme, familial ou de voisinage. Ce qu'évoque cette corrélation qui devient négative, c'est donc une mise en opposition partielle, dans l'Hexagone, de la gauche et des valeurs égalitaires. Nous parlons ici d'égalité rêvée, non d'égalité réelle. Nous avons souligné la discordance, en France et en Europe, entre égalitarisme idéologique et égalité des revenus. Le parti socialiste trouve ses bastions les plus stables dans des régions, comme le Midi-Pyrénées et la Bretagne – où Hollande a recueilli respectivement 57,94 et 56,35 % des voix –, dont les structures anthropologiques profondes ne favorisent pas une croyance en l'égalité des frères et des hommes. Mais ces régions peuvent être égalitaires en termes de revenus.

Si nous étions seulement des pragmatiques optimistes, nous nous réjouirions de voir la gauche l'emporter dans cet Ouest où les pauvres ne sont pas trop pauvres et les riches pas trop riches. Mais nous pensons que l'idéologie aussi est importante, indispensable à la définition du futur et à une action collective d'échelle nationale. Nous devons donc nous inquiéter de voir François Hollande élu avec ses plus belles majorités dans des régions qui ne croient pas tellement en l'égalité métaphysique des hommes et des classes. La force de la gauche en zone idéologique non égalitaire et de la droite en zone égalitaire est un phénomène paradoxal, et peut-être pathologique.

Car nous pouvons symétriquement nous étonner de voir Sarkozy (et au chapitre suivant le Front national) prospérer dans des zones attachées depuis le bas Moyen Âge à la notion d'égalité des frères et des hommes. Dans ce cœur champenois du Bassin parisien, qui porta la Révolution, les majorités de Sarkozy sont fortes au niveau départemental : 55,4 % dans l'Aube, 55,3 % dans la Marne, 54,5 % en Haute-Marne. Ces chiffres révèlent un rejet de la gauche, y compris dans les milieux populaires. Jérôme Fourquet, directeur des études politiques de l'IFOP, nous a aimablement communiqué les estimations d'intentions de vote dans les catégories populaires pour chacune des 21 régions de l'Hexagone (les données corses étant insuffisantes). Le cumul de sondages réalisés aux diverses dates de la campagne conduit à des tailles d'échantillon qui permettent d'estimer ce que fut le score d'un candidat dans le monde populaire de telle ou telle région.

Au second tour de l'élection présidentielle, à l'échelle nationale, ouvriers et employés ensemble ont voté pour François Hollande à 56 %, et donc à 44 % pour Nicolas Sarkozy. En Bretagne, le vote socialiste des ouvriers et des employés a atteint son maximum, 72 %, et l'on peut évoquer dans le cas de cette province un monde populaire vraiment de gauche. En Alsace, le vote Hollande a été minoritaire dans les milieux populaires, avec 43 % des suffrages, à peine une surprise dans la région française la plus à droite, et en Provence-Alpes-Côte d'Azur, avec 49 %, dans la région socialement la plus déstructurée. Mais le candidat socialiste est aussi minoritaire

Tableau 14
Vote estimé des classes populaires pour François Hollande (%)

Alsace	43
Aquitaine	62
Auvergne	55
Bourgogne	61
Bretagne	72
Centre	54
Champagne-Ardenne	48
Corse	0
Franche-Comté	56
Île-de-France	58
Languedoc-Roussillon	53
Limousin	66
Lorraine	55
Midi-Pyrénées	64
Nord-Pas-de-Calais	60
Basse-Normandie	69
Haute-Normandie	54
Pays de la Loire	58
Picardie	49
Poitou-Charentes	54
Provence-Alpes-Côte d'Azur	48
Rhône-Alpes	50

Source : IFOP.

dans les milieux populaires de Champagne-Ardenne, avec 48 % des voix seulement, et de Picardie, avec 49 %.

Attention, ne prenons pas la partie pour le tout, et surtout pas une partie minoritaire pour le tout. Ainsi qu'on l'a vu dès l'introduction de ce livre, l'agglomération parisienne condense

60 % de la population du cœur égalitaire du Bassin parisien[1]. Du point de vue anthropologique et religieux, ses valeurs sont les mêmes que celle de la Champagne et de la Picardie, libérales et égalitaires. Or, en Île-de-France, l'ensemble de la population a voté Hollande, à 53,32 %, et les milieux populaires, souvent d'origine étrangère, à 58 %, moins qu'en Midi-Pyrénées et qu'en Bretagne, mais quand même à une majorité assez nette. Ce que nous saisissons ici est l'interaction entre classes sociales et espace. Dans le centre de la zone anthropologique individualiste égalitaire, des milieux populaires mélangés quant à l'origine, placés au contact de masses de jeunes éduqués appauvris, sont de gauche ; sur la périphérie de l'agglomération que constitue en fait l'ensemble du Bassin parisien, vaste zone suburbaine où sont relégués, coupés des strates éduquées, ouvriers et employés d'origine française plus lointaine, ceux-ci ont basculé à droite.

Si l'on est un optimiste de gauche, on constatera que François Hollande l'a emporté dans l'ensemble d'un Bassin parisien qui inclut l'Île-de-France, avec 51,54 % des voix. Si l'on est un optimiste de droite, on insistera sur le fait que Nicolas Sarkozy l'a emporté dans le Bassin parisien si on en exclut l'Île-de-France, avec 51,99 % des voix.

Cette gauche rejetée par les milieux populaires périphériques des vieilles terres égalitaires qui firent la Révolution, cette droite agitée qui y prospère suggèrent une sorte de pathologie politique. Le moment est venu d'aborder la question du Front national et de sa récente métamorphose.

1. Régions Île-de-France, Haute-Normandie, Picardie, Champagne-Ardenne, plus départements de l'Yonne, du Loiret, du Loir-et-Cher, de l'Eure-et-Loir, de la Côte-d'Or et de la Meuse.

CHAPITRE 11

La métamorphose du FN

Pour montrer comment s'est effectué le glissement à droite du corps électoral, nous avons confronté, dans les deux chapitres qui précèdent, les partis politiques classiques aux structures profondes qui guident en France les comportements, c'est-à-dire la religion et la famille. Le changement ressemblait à celui qui s'effectue quand on secoue un kaléidoscope et que les morceaux de verre colorés se recombinent. Les pièces elles-mêmes, pour l'essentiel, ne se modifient pas. Pourtant, peu de temps après la première élection de François Mitterrand en 1981, une nouvelle pièce est apparue, soudainement : le Front national, révélateur de la droitisation et son principal agent politique. Son irruption et son développement permettent d'observer comment les pièces apparaissent, évoluent et se stabilisent. Incapable d'échapper au kaléidoscope, le FN, après tant d'autres, a suivi un chemin ancien et balisé. Après tant de cartes examinées, la géographie des résultats de Marine Le Pen à l'élection présidentielle de 2012 (carte 11.1) nous donne au premier coup d'œil le sentiment de quelque chose de familier. Tel n'était pas le cas lorsque Jean-Marie Le Pen a émergé, brusquement sorti du néant statistique traditionnel de l'extrême droite française. Du père à la fille, il y a eu beaucoup de changement. Le FN est en train de muter, dans deux dimensions.

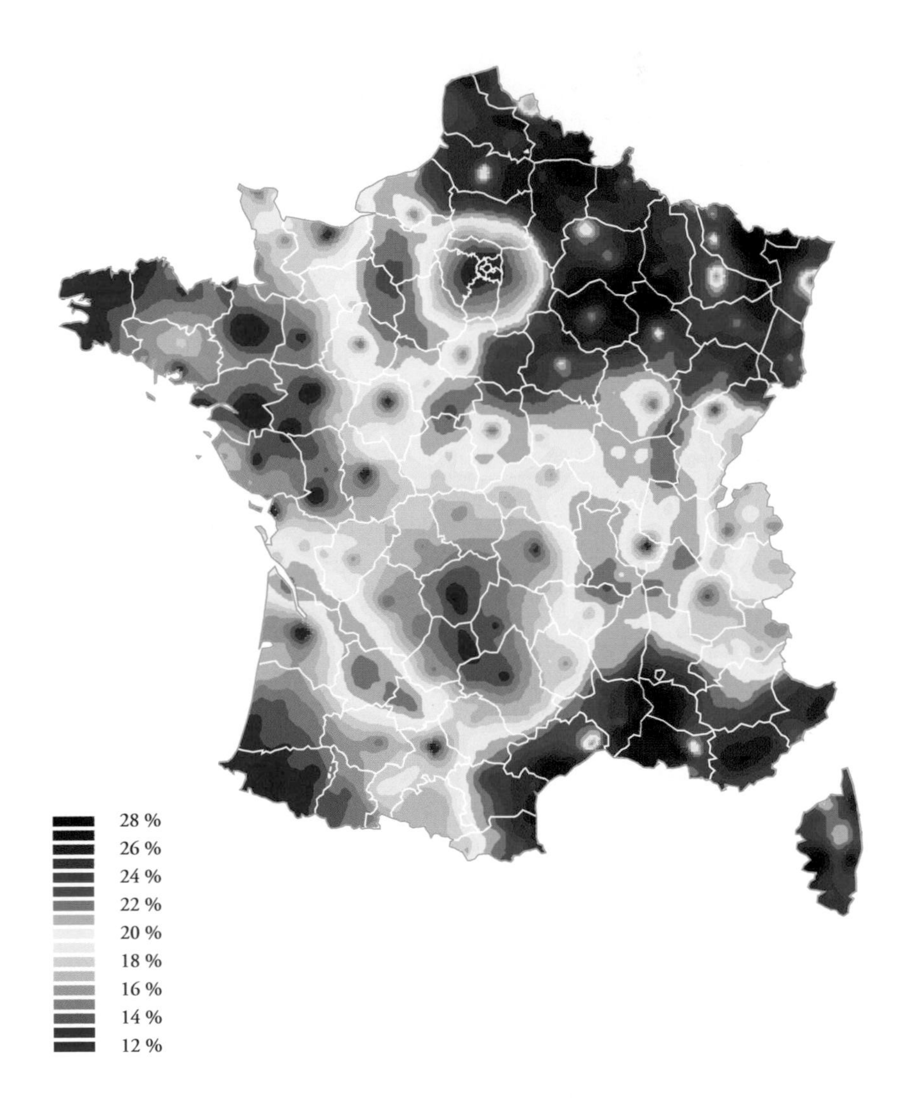

11-1 Marine Le Pen en 2012

Pourcentage de suffrages obtenus par Marine Le Pen au premier tour de l'élection présidentielle de 2012

L'une, moderne, oppose les grands centres urbains à leur périphérie rurale, proche ou lointaine ; l'autre, ancienne, va nous ramener une fois de plus à la géographie religieuse de la France.

Une apparition surprise

Fondé par Le Pen au début des années 1960 pour faire le deuil du poujadisme et de l'OAS, le FN végétait. Son score de 0,2 % aux législatives de 1978 ne laissait pas prévoir son surgissement aux élections européennes de 1984 avec 8,5 % des suffrages. Après coup, on a identifié des signes précurseurs, dont l'élection municipale de Dreux un an auparavant, à l'occasion de laquelle Jean-Paul Stirbois, un lieutenant de Le Pen, en pactisant avec la droite, avait fait battre la socialiste Françoise Gaspard. Cet événement semblait lui-même inexplicable. Dans l'histoire politique, Dreux n'était connue que comme la capitale du violettisme, composante la plus à gauche du parti radical fondée par Maurice Violette. Faute d'explication, et comme l'apparition du FN coïncidait dans le temps avec le recul du PC, beaucoup en avaient conclu que les électeurs de l'un étaient passés à l'autre. Les extrêmes se touchent, avait-on coutume de dire. L'explication est inexacte ainsi qu'on peut le voir sur la carte 11.2 qui compare les zones d'apparition du FN en 1984 aux zones de force du PC à la veille de sa chute en 1978, aux élections législatives auxquelles il avait recueilli 18 % des suffrages. Deux zones communes exceptées, le rivage méditerranéen et une partie de la région parisienne incluant Paris *intra muros*, les implantations des deux partis, pour l'essentiel, ne coïncident alors pas. Le PC était fort dans le Nord de la France et le nord-ouest du Massif central, le FN s'installe dans l'extrême Est et dans la région lyonnaise[1].

Le terrain sur lequel l'extrême droite a tout d'abord prospéré

1. Le coefficient de corrélation entre le vote FN de 1984 et le vote PC de 1978 est de 0,16, ce qui indique une absence de relation entre les deux distributions (au niveau des départements).

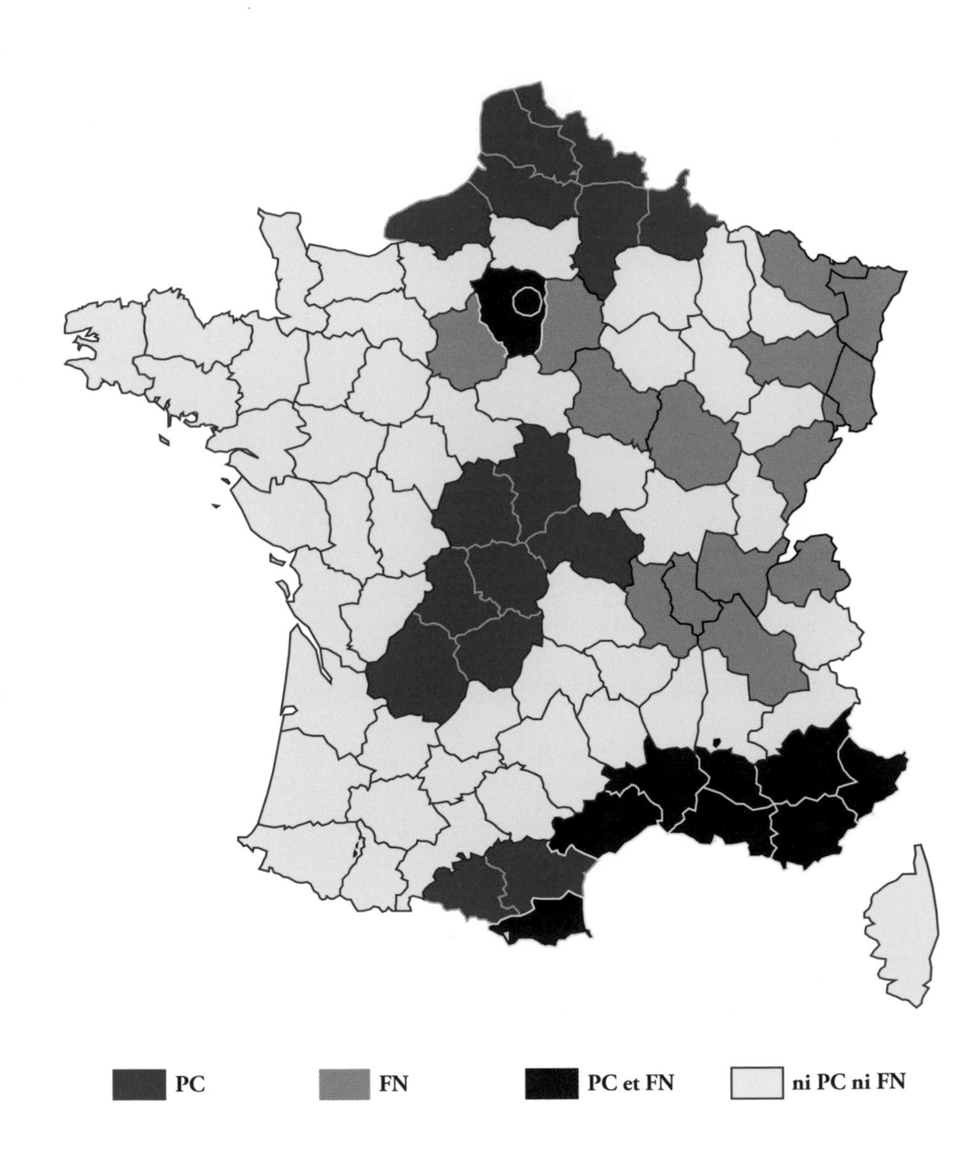

11-2 Places fortes du PC en 1978 et du FN en 1984

est facile à identifier. Il correspond, très logiquement, à ses deux thèmes dominants, l'immigration et l'insécurité. Effectivement, la répartition du vote FN de 1984 (carte 11.3a) est très semblable à celle des plaintes pour coups et blessures par habitant à la même époque (carte 11.3b)[1]. La coïncidence avec la répartition des Maghrébins au recensement de 1982 est encore plus frappante (carte 11.3c)[2]. Tout serait enfin simple au royaume de la politique : les Français menacés par des malfaiteurs et par des immigrés auraient voté pour le parti qui leur promettait de les débarrasser de ces deux nuisances. L'insécurité pourtant ne date pas de 1984, ni l'immigration étrangère de 1982. L'une et l'autre existaient depuis des dizaines d'années dans les mêmes lieux sans y avoir suscité de vote FN. En 1978, ses deux thèmes favoris avaient rapporté 0,2 % des suffrages à Le Pen. Pour comprendre le processus qui a engendré le vote FN, il faut faire entrer dans l'équation un cofacteur, très proche mais non identique aux précédents, et qui établit un premier pont avec l'anthropologie profonde du pays : la population « agglomérée », dont l'ancienneté rurale va paradoxalement nous permettre de comprendre une mutation très récente du mode de vie urbain.

Du village à la banlieue pavillonnaire

Quel rapport peut-il bien exister entre l'irruption d'un parti d'extrême droite à la fin du XXe siècle et un découpage du territoire et des mœurs antérieur, selon Marc Bloch, « aux peuples historiquement attestés : Celtes, Romains, Germains, Slaves[3] ».

1. Le coefficient de corrélation entre le vote FN de 1984 et les plaintes pour coups et blessures en 1982 est de 0,65.
2. Le coefficient de corrélation entre le pourcentage d'étrangers du Maghreb en 1982 et le vote FN en 1984 est de 0,85.
3. Marc Bloch, *Les Caractères originaux de l'histoire rurale française*, Paris, Armand Colin, 1934.

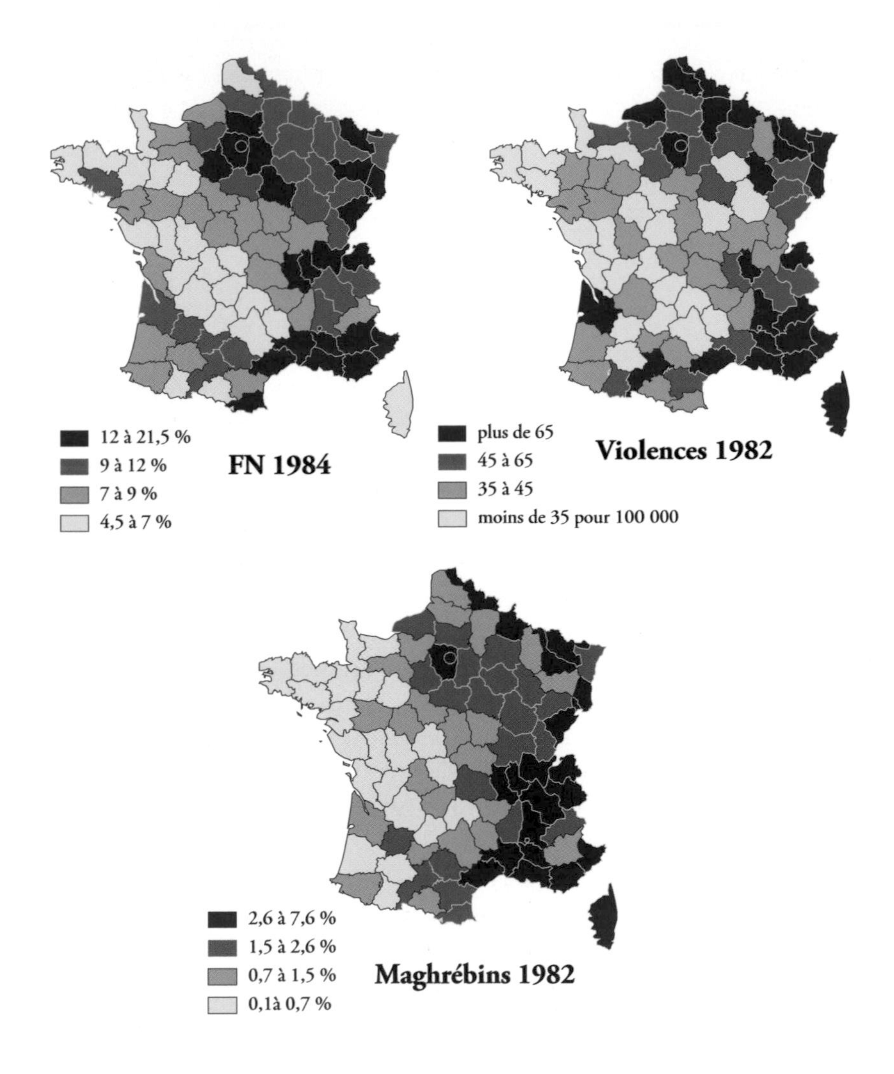

11-3 Immigration, insécurité et extrême droite au début des années 1980

Pourcentage de votes pour le FN en 1984, nombre de plaintes pour coups et blessures en 1982 pour 100 000 h. et pourcentage de ressortissants d'Algérie, Maroc et Tunisie en 1982

Selon lui, « c'est bien plus haut, jusqu'aux populations anonymes de la préhistoire, créatrices de nos terroirs, qu'il faudrait pouvoir remonter » pour expliquer cette division de l'espace national. Notre critique de l'explication du vote d'extrême droite par l'insécurité ou par l'immigration maghrébine serait donc ici encore plus justifiée : depuis la préhistoire, le FN avait tout le temps d'apparaître. Pourquoi se manifeste-t-il seulement en 1984 ? Parce que la modernité urbaine la plus récente a agi différemment sur les mœurs en pays d'habitat groupé et en pays d'habitat dispersé.

L'habitat groupé et les champs ouverts du Nord exigent selon Bloch une « grande cohésion sociale, une mentalité facilement communautaire », tandis que, dans le bocage, « la maison isolée suppose un autre régime social et d'autres habitudes, la possibilité et le goût d'échapper à la vie collective, au coude à coude ». Ces réalités sociales opposées passaient dans le premier cas par la discipline de l'assolement triennal et par la vaine pâture commune, dans le second par la liberté de culture et l'appropriation privée des prairies et jachères. C'est la rupture du tissu social en région d'habitat groupé qui a permis le FN.

À partir des années 1975, le paysage social français a été bouleversé par le desserrement puis par l'étalement urbain, qui ont eu, selon le lieu, des conséquences très différentes. Partout, les ménages français se sont motorisés et ont changé de mode de vie. Ils ont délaissé le petit commerce du coin de la rue et ont pris l'habitude d'acheter dans des centres commerciaux. Ils travaillent et prennent leurs loisirs, désormais, de plus en plus loin de leur domicile. En pays d'habitat groupé, la vie collective a été vidée de son contenu ; la sociabilité et les rapports de voisinage ont été dévastés. En pays d'habitat dispersé, en revanche, la rencontre des autres, jusque-là difficile, a été facilitée par la mutation du mode de vie ; l'automobile et les magasins à grande surface y permettent une sociabilité nouvelle.

Le vote FN exprime l'angoisse des pays de population groupée : le voisin est devenu un étranger, perçu comme une menace pour la sécurité. Les deux grands thèmes du FN proposent de soigner cette peur du vide en désignant des coupables.

Diffusion et solidification

Les champs ouverts des pays d'habitat groupé facilitent une circulation qui explique la rapidité avec laquelle des thèmes du Front national se sont propagés, dans les vastes plaines du Nord et de l'Est d'abord, mais aussi le long des grands fleuves et du rivage méditerranéen. C'est ainsi que l'alphabétisation avait progressé, à partir du XVIIe siècle, grâce à la possibilité pour chacun de fréquenter une école à proximité de son habitation. C'est aussi dans ces régions que la criminalité fut la plus forte. Les criminologues Gabriel de Tarde, Alphonse Bertillon et Cesare Lombroso l'avaient souligné dès la fin du XIXe siècle : l'agglomération de population favorise les délits en multipliant les contacts et les occasions. Enfin, parce que la vie en collectivité s'accompagne d'une division plus poussée du travail, l'installation des immigrants fut plus facile en pays d'habitat groupé. Ils trouvaient dans les villages des emplois, en général en bas de l'échelle sociale, que les fermes isolées du bocage ne pouvaient offrir. Une première immigration en entraînant d'autres, comme on l'a vu au chapitre 8, il est naturel de retrouver aujourd'hui les immigrés dans les régions d'habitat groupé, et plus encore dans les villes et dans leurs communes suburbaines.

Prouver l'existence d'une telle diffusion des opinions politiques est difficile car il faudrait pouvoir surprendre les conversations au comptoir des cafés, à la table des familles et sur les lieux de travail. Cependant, la carte du vote FN au niveau communal en 1995 (carte 11.4) révèle une forme épidémique caractéristique. On distingue quatre pôles. Le plus important est en Alsace et en Lorraine. Les deux suivants sont les régions parisienne et lyonnaise, dont les centres semblent toutefois déjà évidés, comme si le vote s'était propagé à la manière d'une onde de choc. Le quatrième pôle

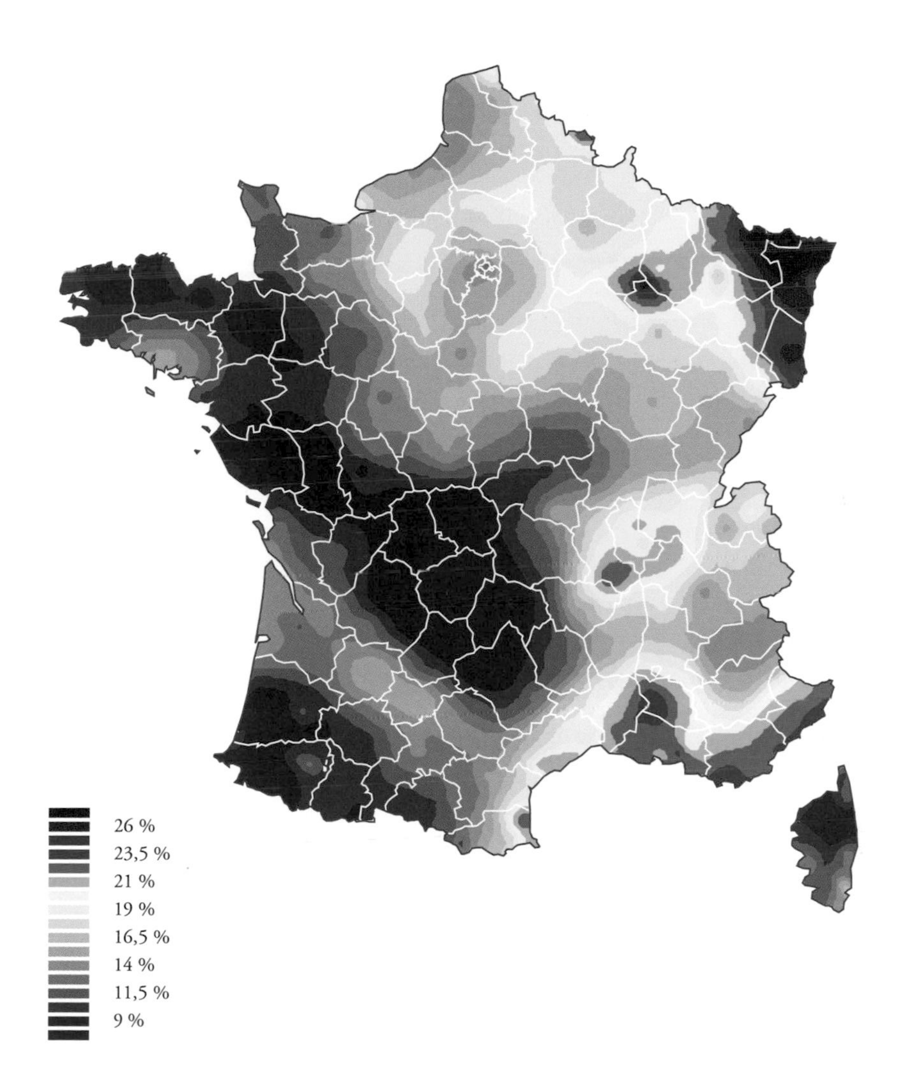

11-4 Jean-Marie Le Pen en 1995

Pourcentage de suffrages au premier tour
de l'élection présidentielle de 1995

est la basse vallée du Rhône, qui a déjà rayonné sur l'ensemble de la côte méditerranéenne. À partir de ces points nodaux, des filaments suivent les axes de circulation, en général des vallées majeures : la Garonne, l'Allier, la Seine entre Paris et Rouen ainsi que ses affluents, l'Oise, l'Aube, l'Yonne, la Marne. La liste des zones qui ne sont pas touchées semble pasticher celle des pays de bocage donnée par Marc Bloch :

« Toute la Bretagne, le Cotentin avec les régions de colline qui à l'est et au sud entourent la plaine de Caen, le Maine, le Perche, les bocages vendéens et poitevins, la plus grande partie du Massif central – à l'exclusion des plaines limoneuses qui y forment autant d'oasis sans barrières –, le Bugey et le pays de Gex, dans l'extrême Sud-Ouest, le Pays basque… Voilà la carte des pays d'enclos[1]. »

Compte tenu du lien examiné au premier chapitre entre habitat groupé et héritage égalitaire – hors d'Alsace –, cette coïncidence suggère un rapport initial, quoique pervers, du vote Front national à l'idéal d'égalité.

Si l'on est attentif, ce n'est pas absolument toute la Bretagne qui est immune au vote d'extrême droite, car une petite zone du Morbihan est séduite par Le Pen, autour de La Trinité, sa ville natale. L'effet « enfant du pays » est caractéristique de toutes les élections présidentielles.

Entre les quatre pôles du vote FN et les pays « d'enclos », on observe un dégradé comme si des particules, projetées par l'explosion initiale, rencontraient une résistance de plus en plus vive. Dans un seul cas, celui des départements qui forment la région actuelle du Centre, la résistance est plus faible. C'est, on l'a vu au premier chapitre, une région aux caractéristiques anthropologiques et religieuses mélangées, où l'on observe souvent des comportements hésitants.

1. *Ibid.*

Le Pen père s'immobilise

L'immigration et l'insécurité n'étaient que des arguments électoraux, des écrans, dissimulant un malaise plus profond dirait la psychanalyse. Pour faire progresser le FN au-delà de cette fonction tranquillisante, il aurait fallu à Le Pen père présenter un programme économique et social ayant un rapport avec la crise. Mégret et ses amis du Club de l'Horloge le comprirent, mais se heurtèrent à un vieux chef comblé par sa potion magique. Le Pen s'accrocha à ses deux thèmes fétiches.

La progression un temps fulgurante du FN s'arrêta donc. Les élections présidentielles de 1988, 1995 et 2002 révèlent que la croissance a continué mais sur un rythme lent : 14,4 %, 15 %, 16,9 % des suffrages exprimés. Et surtout, même si le score global de Le Pen a progressé encore un peu à chacune de ces élections, la géographie de son électorat semblait comme vitrifiée, ainsi que le montrent les quatre cartes de la figure 11.5, qui décrivent la répartition des suffrages FN aux élections européennes de 1984 et aux présidentielles de 1988, 1995 et 2002[1].

L'immobilisme de tranchée ne peut pas payer pour un mouvement nouveau. La qualification de Le Pen au second tour de 2002, perçue comme une avancée majeure par la majorité des commentateurs, représenta en réalité une immobilisation. Entre les deux tours, Le Pen ne progressa pratiquement pas.

1. Les 45 coefficients de corrélation entre les pourcentages de suffrages FN aux dix élections générales de 1984 à 2002 sont toujours supérieurs à 0,8, à une exception près – à 0,76.

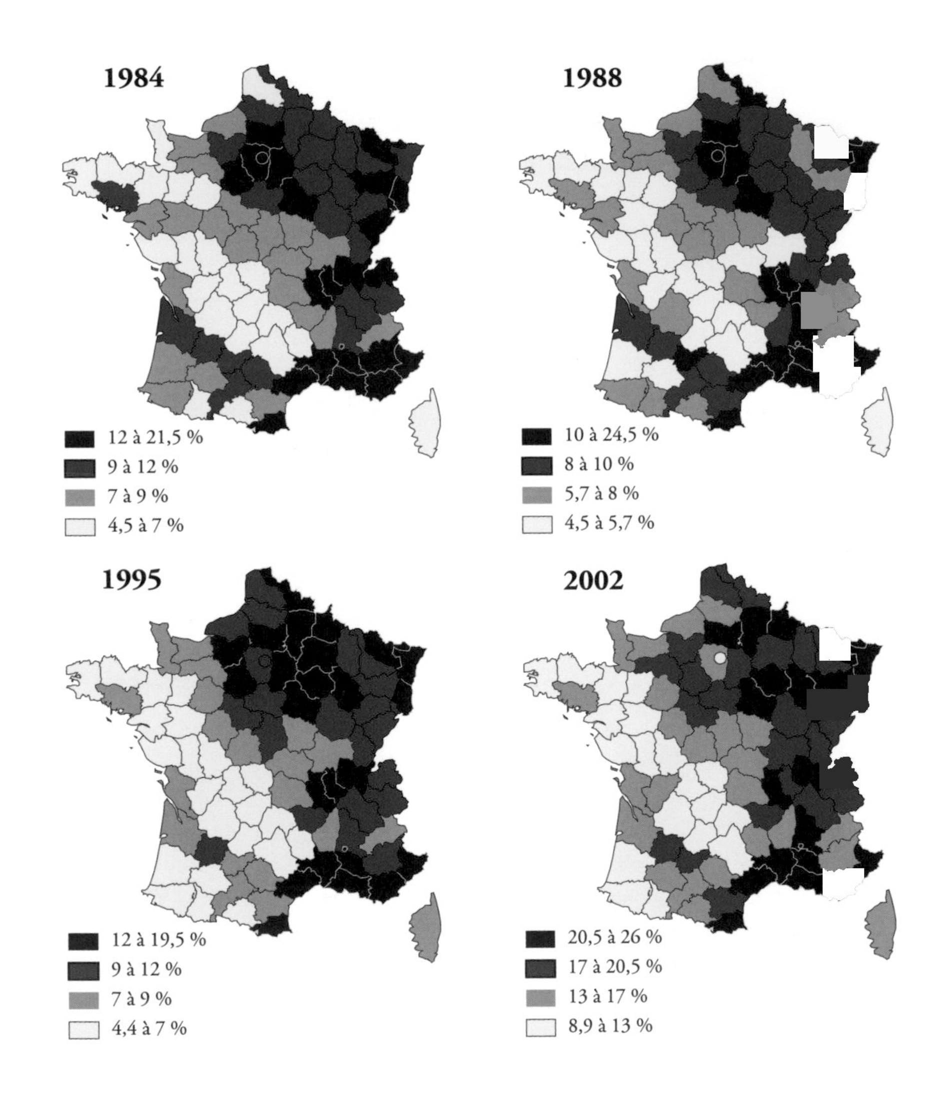

11-5 Le Front national en 1984, 1988, 1995 et 2002

Pourcentage de suffrages exprimés (européenne en 1984, présidentielles ensuite)

Sarkozy relance l'extrême droite

Le Pen ne représentait plus à ce stade une menace, mais un obstacle pour la droite. Pour l'écarter, Sarkozy reprit ses deux arguments de la sécurité et de l'immigration. Cette stratégie fut gagnante à court terme, en 2007, puisqu'elle réussit à détourner au premier tour près du tiers des voix frontistes. À moyen terme, elle tira le Front national de son immobilité. Apprenti sorcier s'il en fut, Sarkozy avait remis la machine en mouvement. Une carte plus sophistiquée montre de quelle manière : plutôt que la carte des pertes absolues de Le Pen entre 2002 et 2007, nous avons tracé la carte de ses pertes relatives, c'est-à-dire de quelle proportion il avait reculé entre les deux premiers tours (carte 11.6). L'immobilité de la structure géographique (carte 11.5) est brisée. Les pertes relatives du FN sont d'autant plus sérieuses (en jaune) que l'agglomération est plus importante : plus de 60 % de pertes à Paris, 50 % à Lyon, Lille, Strasbourg, 45 % à Bordeaux, Toulouse, Reims, Rennes. Le recul amorcé timidement entre 1984 et 1995 dans les agglomérations parisienne et lyonnaise est accentué et généralisé. La base du FN, plutôt urbaine à l'origine, devient rurale, ou du moins territorialement diffuse. C'est l'ouverture d'une nouvelle perspective politique. Le FN peut devenir, une fois pour toutes, le parti des pauvres, des laissés-pour-compte, un parti qui ne se définit plus seulement comme xénophobe mais comme porteur d'un message social[1]. Le virage anticipé par Mégret peut commencer. La propagation du FN peut reprendre.

Avec ce long Bassin parisien orienté nord-est/sud-ouest, où la résistance du vote Le Pen est meilleure (en marron), nous voyons aussi s'approcher le fantôme de la France déchristianisée.

1. Le vieux FN était ultralibéral, posture qui ne pouvait séduire au-delà des petits commerçants et des patrons.

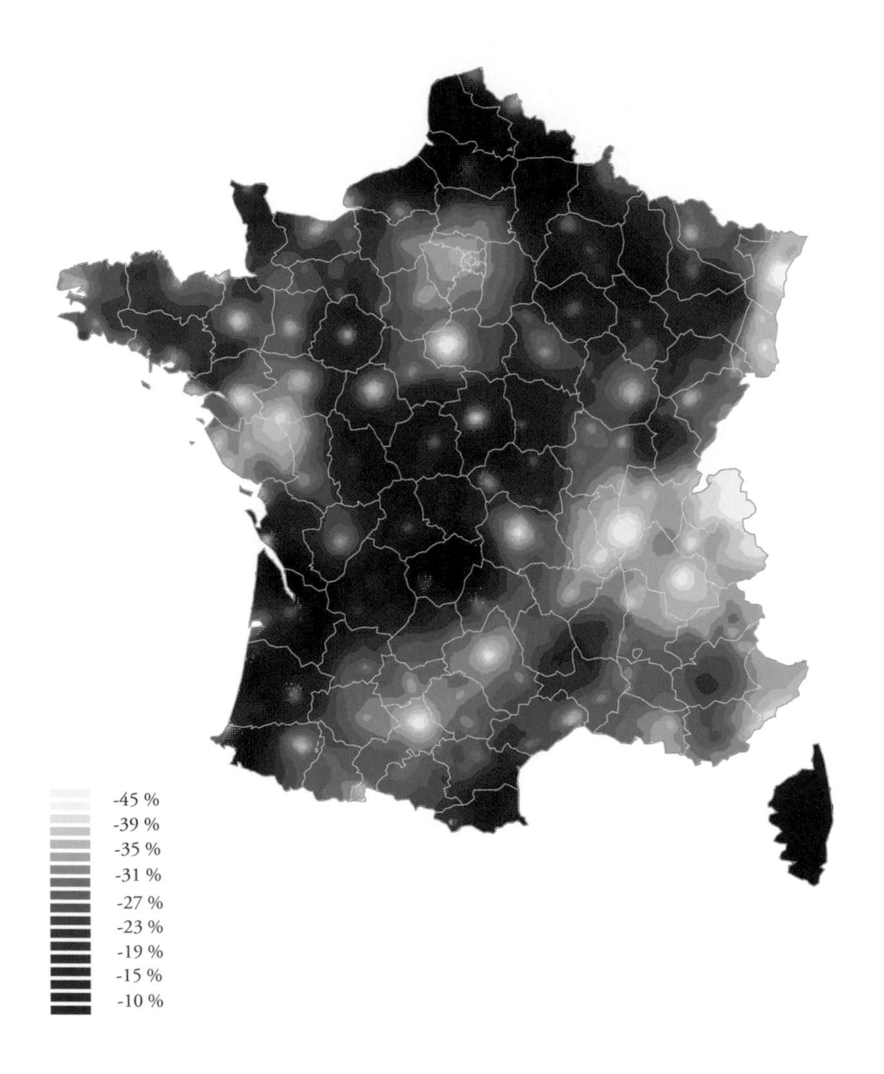

11-6 Pertes de Le Pen en 2007

En pourcentage de son score et de celui de Mégret au premier tour de 2002
(les pertes les plus fortes sont dans les teintes les plus claires)

Le Pen fille et les milieux populaires

Marine Le Pen a bien compris cette dynamique. Elle veut exploiter ces nouvelles tendances anticapitalistes. Au tout début de la campagne de 2012, elle avait même amorcé un virage sur l'immigration, affirmant dans un discours à Strasbourg qu'on ne devait plus différencier les Français selon leur origine. Son père, lui, parlait de dénaturaliser des individus issus de l'immigration. Ce changement de cap a tourné court, moins à cause des réticences des apparatchiks frontistes que de l'offensive xénophobe aussitôt lancée par Sarkozy, persuadé que sa rivale venait de commettre une erreur tactique. La droite dite républicaine devient alors le fer de lance des thématiques identitaires et sécuritaires.

Ni Nicolas Sarkozy ni Patrick Buisson n'avaient compris que l'électorat frontiste était en train de muter. Marine Le Pen se contente en apparence de récupérer en 2012, à un point près, la somme des voix de son père et de Mégret en 2002. Mais le plus important est que la géographie du vote se remet à bouger. La carte 11.7 représente la différence entre le score de Marine Le Pen au premier tour de la présidentielle 2012 et la somme des voix de Le Pen et de Mégret en 2002. Dans les quatre pôles d'origine du Front national – l'Alsace-Lorraine, régions parisienne et lyonnaise, rivage méditerranéen –, les pertes, en bleu, sont considérables.

On peut saisir de manière synthétique la mutation du FN en inscrivant sur la même carte les 25 départements qui lui avaient donné la plus forte proportion de leur suffrage en 1995 et en 2012 (carte 11.8). Un mouvement régional de grande ampleur est amorcé. Seuls les départements méditerranéens et lorrains sont encore en tête, au contraire des régions parisienne et lyonnaise. Sont passés au premier rang pratiquement tous les départements au nord de la ligne Le Havre-Belfort. Font exception les sièges des grandes villes comme Rouen, Lille, Nancy et Strasbourg. Le mécanisme

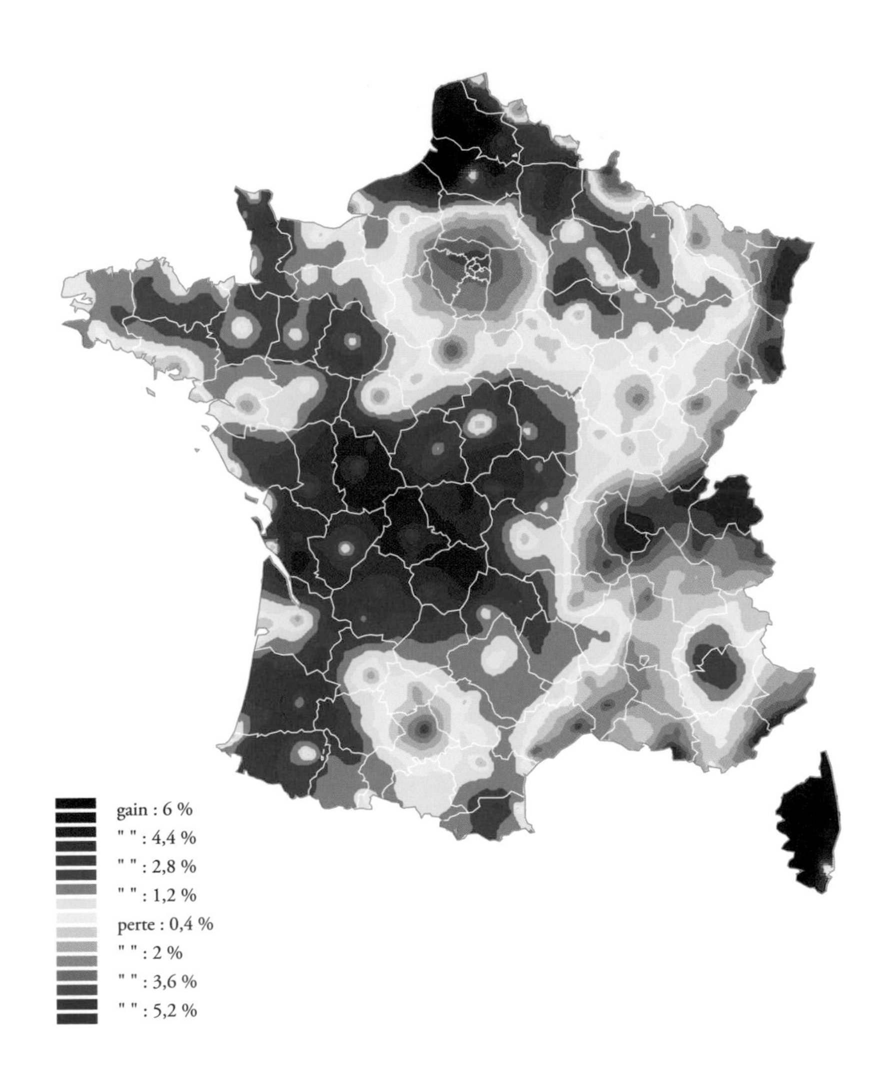

11-7 Gains et pertes de Marine Le Pen en 2012

Par rapport à la somme des scores de son père et de Mégret en 2002
(différence des pourcentages aux deux élections)

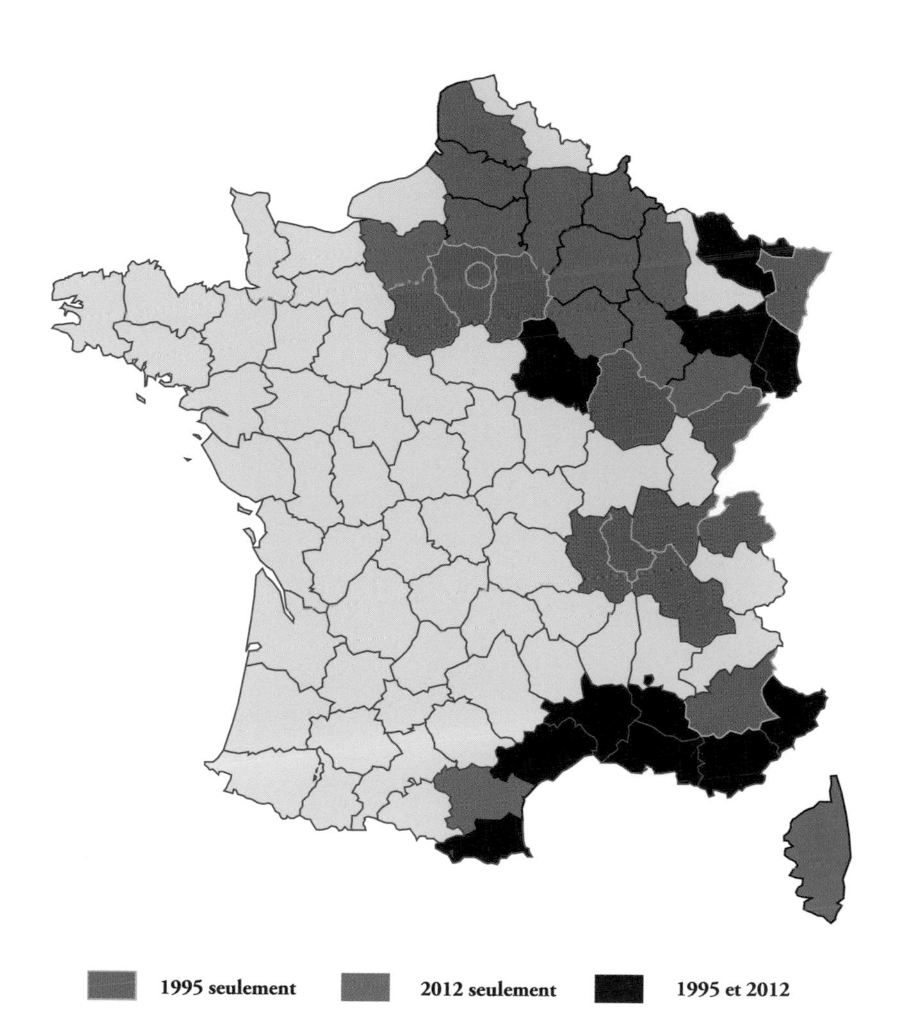

11-8 Les nouveaux bastions de l'extrême droite

25 départements avec les plus forts votes FN en 1995 et en 2012 : en brun ceux qui figurent aux deux dates, en gris ceux qui figurent seulement en 1995, en magenta, seulement en 2012

d'évidement de ces pôles, dont nous avions saisi l'amorce dès 1995 à Paris et à Lyon, se développe dans toute son ampleur.

Partout ailleurs, et plus particulièrement dans la France qui était restée jusque-là sourde aux sirènes frontistes, les gains sont importants, dépassant parfois 5 % dans le Poitou, les Charentes, le Limousin et surtout le Nord-Pas-de-Calais et la Somme. Le choix de Hénin-Beaumont comme circonscription gagnable ne fut pas fait au hasard : le sillon minier était le seul endroit où les voix frontistes avaient résisté en 2007, ainsi qu'on peut le vérifier sur la carte 11.6 des pertes relatives entre 2002 et 2007. Les ouvriers furent globalement la seule catégorie fidèle au Front national en 2007, alors massivement abandonné par ses petits commerçants.

Le Front national est devenu, économiquement et territorialement, le parti des dominés, de ces faibles qui ont été éloignés, par l'éducation autant que par le métier, des centres urbains de pouvoir et de privilèges, et relégués vers les zones périurbaines et rurales. La localisation fréquente de ces électeurs à la jonction de plusieurs départements, sans rattachement territorial fort, les place en état d'anomie géographique. À la suite de Pascal Perrineau[1], les politologues ont parlé de « gaucho-lepénisme » pour décrire cette clientèle. Ils n'ont pas tort puisque les ouvriers sont effectivement plus nombreux dans les zones périurbaines ou à la frontière des départements. Mais leur position d'exilés de l'intérieur pèse vraisemblablement plus dans leur sentiment d'abandon que leur condition d'ouvriers. Plus que leur définition socio-économique, leur condition non urbaine (pour paraphraser le titre d'un livre d'Olivier Mongin[2]) façonne leur attitude politique. On peut même se demander si ce ne sont pas ces « mis à l'écart » géographiques qui se déclarent ouvriers dans les sondages, les ouvriers des centres-ville et de leur première couronne préférant se définir comme techniciens.

1. *Atlas électoral*, Paris, Presses de Sciences Po, 2007.
2. *La Condition urbaine*, Paris, Seuil, 2005.

TABLEAU 15
Le vote des ouvriers pour Marine Le Pen en 2012 (%)

Région	%
Alsace	46
Aquitaine	23
Auvergne	35
Bourgogne	34
Bretagne	25
Centre	44
Champagne-Ardenne	38
Corse	-
Franche-Comté	57
Île-de-France	27
Languedoc-Roussillon	36
Limousin	29
Lorraine	38
Midi-Pyrénées	15
Nord-Pas-de-Calais	43
Basse Normandie	29
Haute-Normandie	41
Pays de la Loire	25
Picardie	32
Poitou-Charentes	38
Provence-Alpes-Côte d'Azur	29
Rhône-Alpes	35

Source : IFOP.

Le modèle centre-périphérie fonctionne peut-être simultanément à plusieurs niveaux géographiques. Les données communiquées par Jérôme Fourquet[1] confirment, à une échelle spatiale supérieure, le mécanisme de propagation concentrique du vote FN.

1. Sur ces données, voir *supra*, p. 269.

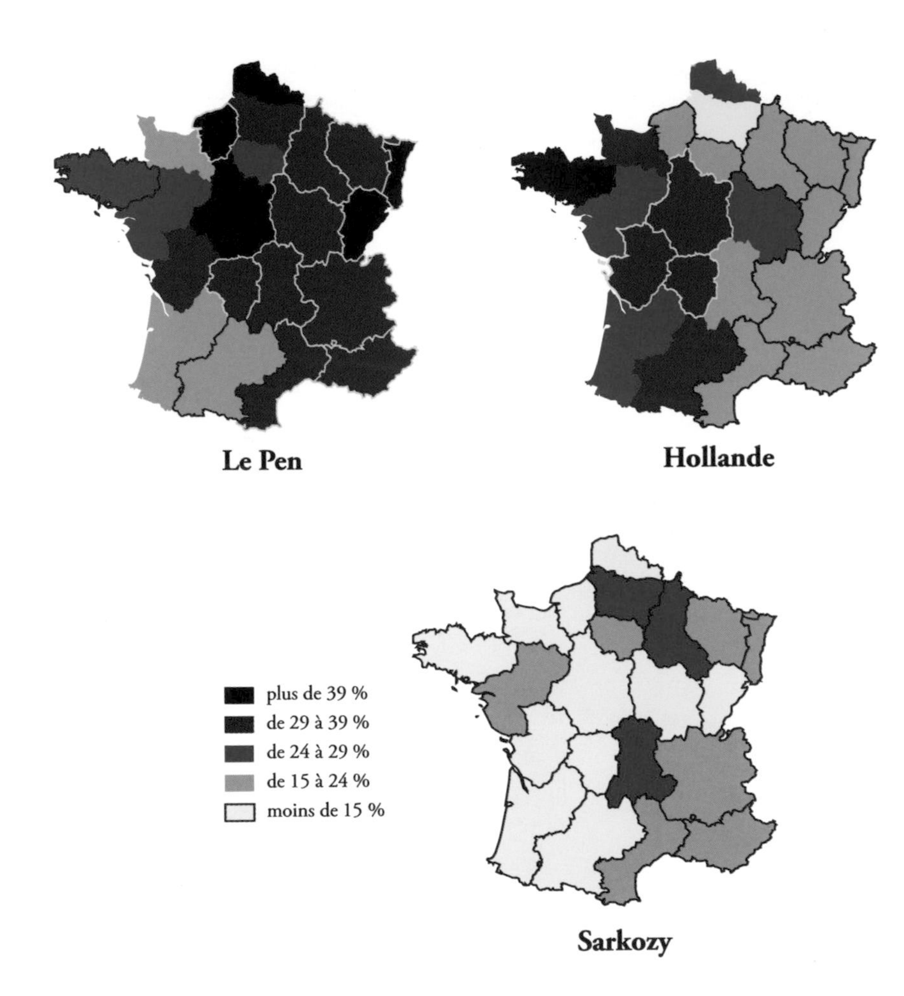

11-9 Le vote des ouvriers en 2012

Pourcentage d'ouvriers ayant déclaré vouloir voter pour Le Pen, pour Hollande et pour Sarkozy au premier tour de la présidentielle de 2012

La carte 11.9 ne saisit que les grandes régions mais elle évoque quand même une explosion. À partir d'un point focal situé vers la Champagne et la Lorraine, le vote FN des ouvriers semble se propager en cercles concentriques atteignant les régions voisines. Leur vote d'extrême droite, de l'ordre de 30 % à l'échelle nationale, atteint 46 % en Alsace, 43 % dans le Nord-Pas-de-Calais, 41 % en Haute-Normandie, 57 % en Franche-Comté… chiffres qui contiennent toutefois un élément de fluctuation aléatoire.

L'adieu aux immigrés

En partant à la rencontre du monde populaire périurbain, le Front national s'est éloigné de son fonds de commerce initial. Les hésitations de ses dirigeants sur la question du primat de l'immigration n'ont pas empêché son électorat de se détacher de la problématique. Le commentaire politique se trouve souvent aveugle aux votes et aux motivations des électeurs, surestimant les prises de position des dirigeants politiques (parfois mises en scène par les médias).

Les sondages d'opinion montrent depuis longtemps que, dans les préoccupations des Français, l'immigration vient désormais loin derrière des thèmes économiques comme les salaires ou le chômage. Nous savons aussi, par les résultats électoraux des cinq dernières années, que les Arabes, les « Maghrébins » ou les musulmans, ne sont pas des éléments structurants décisifs de la vie électorale française. Les flops de ses campagnes identitaires à répétition ont conduit l'UMP à la perte du contrôle de la Présidence, de l'Assemblée, du Sénat et de presque toutes les régions de l'Hexagone. Mais notre cartographie permet de connaître les déterminations des électeurs encore plus directement et profondément.

Nous pouvons mesurer comment le vote Front national se situe dans l'espace par rapport à la présence maghrébine. Nous ne cherchons pas ici une réponse mécanique trop simple : l'histoire

TABLEAU 16
Vote Front national et présence maghrébine

Année du recensement	Année de l'élection	corrélation entre vote FN et % de Maghrébins
1982	1984 1986 1988	0,85 0,79 0,79
1990	1989 1992 1993	0,75 0,67 0,67
1999	1997 1998 2002 2004	0,55 0,60 0,46 (0,38 avec % des voix pour Mégret) 0,45
2008	2004 2007 2010 2012	0,46 0,19 0,15 0,10

Sources : ministère de l'Intérieur, journal *Le Monde* (cahiers élections) et INSEE.

est, nous le savons, remplie de poussées xénophobes détachées de la présence physique réelle du groupe désigné comme bouc émissaire. Les Juifs étaient beaucoup plus nombreux en Pologne qu'en Allemagne et c'est bien pourtant en Allemagne que l'antisémitisme a fini par structurer l'ensemble du champ idéologique et politique. Nous devons quand même admettre que la localisation dans l'espace français du vote d'extrême droite par rapport à la présence maghrébine et, encore plus, son évolution sont des éléments essentiels à toute compréhension du vote Front national.

Chaque recensement nous indique la proportion des diverses nationalités par département, et il est possible de comparer le vote FN, élection après élection, à la répartition des Maghrébins au recensement le plus proche. Le tableau qui suit montre de façon spectaculaire que la corrélation, extrêmement élevée au départ en 1984 (+ 0,85), a constamment diminué depuis pour devenir aujourd'hui pratiquement nulle.

Le fait que la corrélation soit déjà un peu plus faible en 2002 si l'on intègre le vote Mégret au vote Le Pen suggère que l'analyse du premier anticipait cette évolution. La décroissance de la corrélation entre vote FN et proportion de Maghrébins fut d'abord continue mais relativement lente. L'année 2007 a bien marqué une rupture, ce qui confirme l'analyse : l'électorat du FN a changé de nature à partir de cette date. Le progrès du FN dans les milieux populaires l'éloigne des immigrés. La déconnection entre présence maghrébine et vote d'extrême droite est congruente au retrait du FN des centres et des banlieues où résident les immigrés.

La chute de l'intérêt pour l'immigration ne concerne que les milieux populaires périurbains. L'apparition d'un nouveau type de xénophobie dans des secteurs plus centraux et dans des strates plus élevées de la société française ne nous échappe pas. Refluant des milieux populaires, mais montant d'un cran sur une échelle d'abstraction idéologique, l'hostilité aux Maghrébins est devenue durant les cinq dernières années une fixation sur l'islam. L'islamophobie de très nombreux producteurs de textes, si bien relayée par une partie de la presse, définit un fait social nouveau qui, sans être majoritaire, constitue un élément important de la vie politique française. Cette production idéologique a contribué, non seulement à l'aveuglement de Sarkozy et de son conseiller Patrick Buisson, mais plus en profondeur à la dérive droitière de l'UMP, manifeste lors de l'affrontement entre François Fillon et Jean-François Copé pour sa direction. Ce phénomène traduit une montée d'anxiété dans les classes moyennes. La plus grande centralité urbaine des immigrés, notée au chapitre 8, contribue à une explication du phénomène. *Intelligentsia* islamophobe et immigrés, sans être réellement voisins, vivent dans un même univers urbain.

Une évolution possible

Plus que toute autre force contemporaine, le Front national demande une analyse en termes de mouvement. Nous pouvons discerner dans le passé la façon dont les grandes tendances religieuses ou politiques, nées d'une crise dans un lieu d'innovation – situé dans l'Hexagone ou au-delà de ses frontières –, ont voyagé dans l'espace national pour finalement trouver leur espace d'accueil terminal, stable ensuite durant des décennies. Prenons un exemple relativement récent, l'histoire du socialisme et du communisme français, d'abord confuse avec ses démocrates socialistes de 1849, puis ses guesdistes, allemanistes, vaillantistes et réformistes d'avant l'unification de 1905, sa scission de Tours en 1920... Le temps a pourtant fini par accoucher, au lendemain de la Seconde Guerre mondiale, et par la grâce d'un suffrage universel stabilisé, d'une répartition géographique assez harmonieuse : un espace communiste central et méditerranéen, une implantation socialiste périphérique dans le Sud-Ouest, le Languedoc, la Provence occidentale et le Nord. En réalité, le communisme a fini par trouver son assise au cœur de la zone déchristianisé et le socialisme dans la partie la plus faiblement christianisée de la périphérie, avec, dans les deux cas, une affinité complémentaire avec les types familiaux denses[1].

1. Les cartes fournies par Claude Willard, dans *Socialisme et Communisme français* (Paris, Armand Colin, 1978), permettent de suivre ce mécanisme en partant des démocrates socialistes de 1849.

Le Front national nous offre l'exemple, en accéléré, d'un tel mécanisme, homogénéisé et systématisé par les moyens de communication modernes. Il naît d'une rupture des liens sociaux traditionnels, dans un environnement fragile d'habitat groupé, d'insécurité et d'immigration. Il semble un moment se figer, puis imploser. Mais c'est sa chance. Tandis qu'il s'affaiblit à son point d'origine, il s'apprête à marcher à la conquête de nouveaux territoires. Notre cartographie au niveau communal permet presque de lire directement son mouvement sur la carte de 2012.

La sociologie de l'électorat, définie par des sondages, nous a déjà indiqué que le vote pour le Front national trouve désormais un large écho chez les ouvriers et qu'il est fortement associé à un niveau éducatif moyen ou faible. Les cartes présentées dans les divers chapitres de cet ouvrage précisent que le lien principal concerne le niveau éducatif. Le vote Front national ne semble pas attiré fondamentalement par la carte 6.1, qui donne la distribution des ouvriers dans l'espace français, même s'il n'est pas en contradiction absolue avec elle. Il nous apparaît en revanche aimanté par la carte 2.5, qui décrit la localisation des sans-diplômes de 25 à 34 ans dans l'espace français. Une fois encore, attention : une telle correspondance n'indique pas que seuls les sans-diplômes sont attirés par le Front national. Nous avons souligné à plusieurs reprises que la peur de la chute sociale était génératrice d'anxiété dans toute la moitié inférieure de la pyramide éducative.

Exception capitale, la région parisienne, où les sans-diplômes sont certes nombreux, mais se trouvent encadrés par une masse de diplômés du supérieur. Les strates moyennes techniques sont nettement sous-représentées. Moins de peur, moins d'aliénation : la carte du FN doit contourner l'Île-de-France par le sud, avançant un pseudopode jusqu'à l'Eure-et-Loir, et des pousses secondaires vers le Midi. Nous ne voyons pas encore sa destination finale, mais nous la pressentons. Signature du lien entre les difficultés éducatives et le vote FN, la basse vallée de la Garonne est touchée, même si elle est pour l'instant encore isolée des masses principales nordique et méditerranéenne, qui apparaissent sur les cartes du vote d'extrême droite comme sur celles du déficit de diplômes.

La puissance de détermination du niveau d'éducation produit d'autres coïncidences, puisqu'elle entraîne avec elle chômage (carte 7.5) et inégalités (carte 7.4).

Nous ne sommes pas tout à fait au bout du voyage explicatif. Nous avons montré au chapitre 2 que la plus récente poussée éducative avait été favorisée par le « catholicisme zombie », couche protectrice davantage capable d'encadrer les jeunes en cette phase ultime du développement culturel que le vide des régions plus anciennement déchristianisées de l'Hexagone. C'est la raison ultime pour laquelle les variables qui décrivent les difficultés éducatives et leurs conséquences sociales – l'inégalité et le chômage – semblent tendanciellement toutes vouloir rentrer dans le vaste espace central et méditerranéen de la déchristianisation. Le processus n'est pas achevé. Une fois de plus, la cartographie communale lissée nous permet presque de lire ce lent mouvement sur la carte : la flaque majeure du Bassin parisien semble vouloir rejoindre, par le seuil de Poitiers, la basse vallée de la Garonne, et l'espace méditerranéen se rapproche, par le seuil du Lauragais, de cette même vallée de la Garonne. Le mouvement, très avancé sur les cartes des sans-diplômes, du chômage des jeunes et du rapport entre déciles supérieur et inférieur, l'est un peu moins pour le vote FN, vraiment parti de l'Est. Mais les verrous des seuils de Poitiers et du Lauragais pourraient sauter pour toutes les variables. Dans le cas du vote FN, il faudrait qu'il brise enfin complètement son obstacle traditionnel : l'habitat dispersé. Une baisse supplémentaire de l'extrême droite dans l'Est, détachant l'Alsace, achèverait le processus. Si ce mouvement arrivait à terme, le Front national retrouverait presque, après un long et patient voyage, et comme le communisme, le lit de la déchristianisation. L'hypothèse d'un glissement du communisme à l'extrême droite, fausse vers 1985, ne le serait plus tout à fait vers 2020. Mais la coïncidence géographique PC/FN de 2020 ne serait jamais, justement, qu'une coïncidence, résultant de l'action d'une troisième variable, le vide religieux ancien.

Une telle évolution placerait la direction du FN, toujours proche, selon nous, de son vieux fond culturel d'extrême droite – antiégalitaire, anticommuniste, antisémite et antiarabe – en réelle contradiction avec le tempérament de son électorat populaire, guère éloigné quant à lui du vieux fond révolutionnaire français. Le FN pourrait donc connaître une chute plus rapide que celle du PCF, dont l'idéologie n'était pas, elle, en complète contradiction avec l'histoire de France.

CONCLUSION

Dans ses profondeurs, la France ne va pas si mal. Niveau éducatif, fécondité, espérance de vie, taux de suicide donnent l'image d'une société qui a atteint un palier, dont les franges inférieures et supérieures s'effilochent mais dont le centre – 90 % de la population – tient le coup. La France, si elle n'a pas échappé à la libéralisation financière et au déclin industriel, a, mieux que d'autres grandes nations développées, résisté à l'accroissement des inégalités matérielles.

La poussée des extrêmes politiques semble un démenti à ce bulletin de santé rassurant. C'est oublier la quasi-disparition de l'électorat trotskiste, tombé en dix ans de plus de 10 % à moins de 2 %. C'est aussi dramatiser une droitisation que l'on observe dans la plupart des pays développés. L'électorat glisse vers la droite parce que prédomine l'égoïsme de la richesse acquise et parce que la peur de tomber dans les 10 % du bas s'étend, particulièrement chez les 40 % dotés d'une éducation technique que menace la désindustrialisation. L'absurdité d'une gestion économique qui a produit des destructions industrielles et des taux de chômage excessifs a radicalisé l'électorat populaire en mouvement vers la droite, surtout, paradoxalement, dans les vieilles régions individualistes égalitaires et laïques du Bassin parisien, prédisposées par leur fond anthropologique à la contestation. Le mouvement n'est pas achevé, mais il est vraisemblable que le Front national se dirige vers le vieil espace central déchristianisé de l'Hexagone, tout en se détachant de ses « bases antimaghrébines » originelles situées plus à l'Est. Le phénomène FN est navrant mais nullement terrifiant, puisque clairement limité dans sa capacité d'expansion. La radicalisation de l'UMP est plus préoccupante. L'anxiété monte dans les classes moyennes.

L'effondrement du secteur secondaire évoque certes une déroute, mais son accélération pathologique est récente. La relance d'une base industrielle et technologique n'apparaît pas un objectif insurmontable lorsque l'on considère les capacités humaines du pays, et en particulier le potentiel considérable que représentent ses grandes écoles scientifiques, pourvu qu'elles abandonnent l'idée de ne former que des « traders » incapables d'exercer une activité productrice et, pis, prêts à spéculer contre le pays qui les a éduqués.

La vision transmise par les médias est pourtant celle d'une France moribonde et ingouvernable. Ses difficultés ne devraient être que les difficultés normales d'une société très développée contrainte de s'adapter à la globalisation économique. Sa situation est cependant aggravée, nous l'avions dit dès l'introduction, par l'ignorance dans laquelle se trouvent les classes dirigeantes de son mode de fonctionnement profond, des structures anthropologiques et religieuses qui guident son évolution. Le logiciel économique et monétaire simpliste de nos dirigeants les rend aveugles à l'existence d'une dynamique historique et sociale française spécifique, mouvement que l'on peut optimiser et adapter, mais non contredire et briser. Le règne de la « finance » ultralibérale n'exprime pas seulement la domination de l'argent, mais aussi celle d'une vision abstraite des hommes, qu'ont intériorisée aussi bien les politiques que les banquiers et les dirigeants des grands groupes. Quelques signes monétaires, imprimés, transférés, échangés, seraient la vie. L'anthropologie, dans ce cas, est le contraire de la finance.

Constater que « tout ne va pas si mal » contredit aussi le catastrophisme antilibéral. La France est éduquée, riche encore de l'acquis des soixante dernières années – Trente Glorieuses économiques et Trente Glorieuses culturelles –, et son État social n'est nullement désintégré. On y conteste la globalisation, mais la rébellion idéologique n'y débouche sur aucune révolte sérieuse. C'est une société molle qui refuse dans les sondages la globalisation tout en y étant engagée par son commerce extérieur, qui avait voté « non » lorsqu'on lui avait demandé en 2005 de valider le néolibéralisme européen mais pour se révéler deux ans plus tard incapable de la moindre réaction lorsque ses parlementaires ont entériné par le traité de Lisbonne ce que le corps électoral avait refusé par référendum. L'incapacité des contestataires à prendre le pouvoir pour diriger la société sur une voie antilibérale est aussi remarquable que l'impuissance de leurs adversaires à imposer un libéralisme sans frein.

Le double catastrophisme, celui des libéraux qui s'en servent pour serrer toujours plus la vis et celui des antilibéraux qui se contentent d'imprécations, est le résultat d'un méli-mélo politique au cours duquel la droite et la gauche ont en partie échangé leurs bases anthropologiques. On se moque souvent d'une gauche incapable d'appliquer l'idéal d'égalité. On pourrait tout aussi bien souligner la faiblesse d'une droite si peu convaincue de la légitimité de l'inégalité qu'elle n'arrive pas à remettre en question l'État-providence. Sur ce point précis, une comparaison avec les conservateurs britanniques ou les républicains américains ferait apparaître l'UMP, y compris la droite « forte », comme un parti de centre gauche. Terrorisée par des électeurs qui croient en l'égalité, la droite dite « républicaine » semble sur le point de faire des étrangers, des Maghrébins, des musulmans, à la suite du Front national, les boucs émissaires de sa propre impuissance. Si nous décrivions l'affrontement de l'égalité et de l'inégalité dans l'espace social français comme un tournoi d'échecs, nous devrions constater une sorte de « pat » permanent. Les marchés financiers sont libéralisés, mais le poids du prélèvement fiscal continue d'augmenter. Les banques s'empiffrent, mais la Sécurité sociale tient le coup. Le bras de fer n'en finit pas. On aurait tort de croire qu'il oppose, à l'ancienne, la gauche et la droite. Étudier l'insertion de la gauche et de la droite dans leurs espaces anthropologiques respectifs nous a permis de comprendre pourquoi elles peinent à définir deux attitudes cohérentes face à l'inégalité et à la globalisation. Sur le plan idéologique, le parti socialiste est travaillé, à son insu, par une composante inégalitaire et l'UMP minée par un égalitarisme rampant. D'ailleurs, en pratique, la résistance à l'inégalité matérielle a été plus efficace sur la périphérie la plus religieuse de l'Hexagone, où elle doit sans doute plus à la méfiance traditionnelle de l'Église vis-à-vis de l'argent qu'à une lutte de type marxiste contre le capital.

Identifier les problèmes de la France, ce n'est pas, pour nous, affirmer qu'elle va particulièrement mal, c'est chercher ce qui est spécifique dans sa condition. Lorsqu'on la compare à ses voisins, elle apparaît anthropologiquement plus compliquée. Cette constatation n'est nullement un effet d'optique, une sous-estimation par deux chercheurs français de la diversité des autres nations. Le Royaume-Uni, hors des régions de famille souche écossaises, est solidement nucléaire sur le plan familial et ne connaît pas les coutumes d'héritage égalitaires. Ce fond anthropologique a autorisé la montée rapide des inégalités. L'Allemagne est, avec des nuances, toujours dominée par des structures familiales de type souche, qui y assurent ordre, hiérarchie et continuité d'action – mais non continuité démographique. Rien de semblable, dans ces deux pays, à la fragmentation anthropologique de la France et à la polarité famille souche/famille nucléaire égalitaire qui structure l'Hexagone.

Sur le plan religieux, il serait en revanche imprudent d'affirmer une plus grande hétérogénéité de la France. L'espace germanique est traversé par l'opposition entre catholicisme et protestantisme. Si nous identifions en France un « catholicisme zombie », nous devons être capables de lui imaginer un frère en Allemagne, face d'ailleurs à un « protestantisme zombie » qui vient de prendre le pouvoir. L'équilibre religieux de la République fédérale – autrefois mi-catholique, mi-protestante mais plutôt contrôlée par les catholiques du Sud et de l'Ouest – a été brisé par la réunification qui, en ramenant au bercail une République démocratique luthérienne, a rétabli l'Allemagne dans son statut de pays majoritairement protestant. Le phénomène apparaît capital dans le contexte de la globalisation lorsqu'on sait le lien étroit entre protestantisme et nationalisme. Le Royaume-Uni est en apparence uniformément protestant, mais les spécialistes de son histoire religieuse savent bien que l'opposition entre l'anglicanisme, proche du catholicisme par son respect de la hiérarchie et dominant en Angleterre du Sud, s'y oppose au protestantisme des sectes ou de l'Église écossaise. Ce clivage est structurant depuis le XVIIIe siècle. La division politique du pays en une Angleterre du Sud conservatrice et une périphérie travailliste ou libérale-démocrate montre que le clivage continue d'agir dans la vie politique et sociale.

Montrer que la fragmentation anthropologique de l'Hexagone persiste, ce n'est pas suggérer que la France est fragile, mais au contraire révéler qu'elle existe toujours et qu'elle doit rechercher en elle-même, plutôt que dans des comportements mimétiques, les forces de l'adaptation. Le véritable problème est en effet de définir une politique économique et monétaire qui articule la diversité anthropologique et les spécialisations à moyen terme rendues nécessaires par le marché mondial. Aucun ajustement automatique entre mentalités et économie n'est plus garanti, comme aux beaux jours de l'autonomie productive. Nous pouvons concevoir une bonne comme une mauvaise adaptation. Les dirigeants de la France doivent gérer une puissance moyenne qui bénéficie, si on la compare aux autres nations développées, d'une bonne balance démographique à long terme mais de performances éducatives essentiellement moyennes et fortement polarisées en niveaux élevés et bas. Le discours des élites privilégie depuis des décennies « l'adaptation à la contrainte extérieure », une réforme permanente procédant par imitation de modèles étrangers, et qui oscille sans cesse dans ses prescriptions entre la flexibilité anglo-saxonne, la discipline allemande, et son hybride, la flexisécurité scandinave. Tenir compte du monde tel qu'il existe nous semble une évidente et impérieuse nécessité. Mais le monde tel qu'il existe inclut les Français tels qu'ils sont, dans leur diversité et leur désordre. Jamais les élites de ce pays ne semblent conscientes de l'autonomie et de l'inertie des mentalités qui constituent le cœur de la vie sociale et définissent l'axe de l'histoire.

La politique du franc fort, par exemple, avait pour but de contraindre l'industrie française à une adaptation de type allemand ou japonais : obliger, par le refus de la dévaluation, l'industrie à une montée en gamme, la libérer de force du souci du coût du travail. L'Allemagne et le Japon sont des pays de famille souche, où développement éducatif et industrie sont territorialement associés, humainement soudés. Dans de tels pays, la rigueur monétaire peut agir comme un stimulant. Une telle coïncidence n'existe en France qu'en Alsace, en région Rhône-Alpes, et autour de Toulouse depuis l'implantation par l'État de l'aéronautique pour des raisons stratégiques. On constate dans ces trois cas régionaux les effets positifs habituels de l'association famille souche/éducation/industrie. Mais le gros de l'industrie française se trouve dans la France du Nord, en région de famille nucléaire et de potentiel éducatif moyen. L'industrie qui existe réellement ne peut s'y appuyer sur une poussée éducative maximale, associée par la mémoire du lieu à des traditions artisanales et technologiques. On voit le résultat de la politique du franc fort : la destruction du secteur.

Nous sommes français, nous devons faire avec ce que nous avons, avec ce que nous sommes, vivre avec nos qualités et nos défauts. Seule l'intervention de l'État peut assurer en France la jonction entre des forces vives dispersées par l'anthropologie sur le territoire national.

La préférence pour le modèle allemand n'est cependant pas sans lien avec l'anthropologie de la France. Nous l'avons dit dans l'introduction et étudié tout au long de ce livre : notre pays souffre d'un affaiblissement majeur de sa composante centrale libérale et égalitaire, et d'un déséquilibre nouveau entre les forces anthropologiques et religieuses qui le constituent. À chaque pas, nous avons observé la montée en puissance éducative et l'avantage économique des sociétés périphériques « holistes », fortement intégratrices de l'individu, que sa prise en main par son environnement social résulte d'un fond familial complexe ou d'une empreinte religieuse plus solide. Le Midi occitan, puis la constellation des provinces catholiques ont été successivement, vers 1970 puis vers 1990, à la pointe du développement éducatif. Réciproquement, les difficultés économiques et sociales se sont accumulées dans la partie anciennement déchristianisée, centrale et méditerranéenne de l'Hexagone, déprimée par sa faiblesse éducative relative, phénomène aggravé par la mort sans doute trop brutale de l'idéologie communiste, qui constitua une couche protectrice pour les individus.

Nous avons vu la politique s'ajuster à cette nouvelle situation, avec un parti socialiste devenant hégémonique dans les régions holistes – dans la partie ouest du territoire principalement – et une droite restant dominante (région parisienne en 2012 mise à part) dans la partie individualiste égalitaire du territoire. Nous évoquons ici la masse des électorats : dans ses couches politiques et sociales supérieures, la droite fut et reste fortement associée par le catholicisme à la tradition holiste.

Dans les années les plus récentes, la France périphérique, holiste, de tradition catholique ou socialiste ancienne, a pris le contrôle du système national, non pas à la suite d'un complot, mais par l'effet inconscient, temporaire sans doute, d'un plus grand dynamisme culturel. Cette France-là peut admirer l'Allemagne parce que, sans lui être semblable, elle lui ressemble un peu, par son respect de la hiérarchie et par sa relative efficacité, plus en tout cas que le cœur individualiste égalitaire, souvent anarchiste et rebelle.

La difficulté de la France réside dans la nécessité permanente où elle se trouve d'une mise en phase de ses composantes anthropologiques et religieuses. Nous pouvons saisir dans son histoire des temps d'harmonie et d'autres de discordance. La synthèse républicaine fut un moment positif : un centre individualiste égalitaire dominant avait appris à respecter la résistance de sa périphérie. L'état actuel du pays, travaillé par une tendance centrifuge, malgré la masse de la région parisienne, ne peut en aucun cas être considéré comme optimal.

La globalisation économique encourage mécaniquement les tendances centrifuges, surtout là où elle est associée à une idéologie du déclin de l'État. Elle ne pose pas de problèmes particuliers à un pays homogène comme l'Allemagne, dont la diversité fédérale ne reflète pas une réelle hétérogénéité anthropologique. Elle disloque l'Espagne et l'Italie, où les provinces les plus riches – la Catalogne dans un cas, le Nord dans l'autre – tentent d'échapper à la contrainte nationale pour profiter seules de leur avantage compétitif. Le cas de la France est très original : c'est son cœur historique, anciennement plus développé, qui souffre particulièrement de la multiplication des contraintes extérieures.

Fixer dans l'abstrait un objectif économique à la France n'aboutit donc souvent en pratique qu'à déclarer l'inutilité d'une fraction de la population, qu'à marginaliser certains groupes au sein de leur propre société. Une partie des jeunes, des ouvriers, des enfants d'immigrés deviennent des pièces inutiles, que l'on veut bien à la rigueur éduquer et soigner – il y a plus d'incompétence que de cruauté dans la classe dirigeante française –, mais dont la machine économique croit ne pas avoir l'usage. Ce qu'on appelle réforme tend finalement à n'être qu'un élagage de ce qui « ne sert à rien » pour cette politique économique mimétique.

Comprendre la France est évidemment important en cette époque de débâcle industrielle, d'anxiété des citoyens et de désarroi des dirigeants. Notre enquête cartographique autorise cependant une conclusion générale qui dépasse largement le cas français. Nous avons vu, tout au long de ce livre, l'activité souterraine mais puissante de facteurs sociaux oubliés. Des structures familiales et des croyances métaphysiques que l'on croyait en voie de disparition guident toujours le changement social et économique, ancrées dans des territoires, perpétuées par une mémoire des lieux. Nous avons même senti un renforcement du rôle des fonds anthropologiques et religieux dans un contexte de crise et de doute. Mais si les provinces de France continuent de chercher dans leur passé les forces nécessaires à la vie sociale et économique, alors même que l'espace national est unifié sur le plan linguistique, que pouvons-nous dire des autres nations, souvent plus homogènes que la France, qui participent au jeu de la globalisation ? N'est-il pas évident que les effets anthropologiques et religieux doivent y être plus puissants encore ? Partout dans le monde, les démographes s'interrogent sur la pertinence des modèles de convergence des économistes, convergence qu'ils ne sentent nullement dans les indicateurs de fécondité des sociétés les plus avancées.

Une telle conclusion ne pose pas de problème théorique ou pratique aux dirigeants d'entités nationales autonomes, aux États-Unis et au Japon par exemple. Elle place en revanche les dirigeants français et européens devant une difficulté redoutable. Les premiers doivent maintenir l'unité du pays en s'appuyant sur sa diversité territoriale, les seconds, engagés dans un projet d'unification, doivent aujourd'hui faire face aux tendances historiques profondes de sociétés qui ont cessé de converger.

DONNÉES UTILISÉES POUR ÉTABLIR LES CARTES

INTRODUCTION

0.1 **Personnes âgées :** recensement de 2008

0.2 **Jeunes** : recensement de 2008

0.3 **Les grandes agglomérations** : INSEE

0.4 **Croissance de la population entre 1982 et 1990** : recensements de 1982 et 1990

0.5 **Croissance de la population entre 1990 et 1999** : recensements de 1990 et 1999

0.6 **Croissance de la population entre 1999 et 2008** : recensements de 1999 et 2008

CHAPITRE PREMIER

1.1 **Familles complexes 1** : recensement de 1999

1.2 **Familles complexes 2** : recensement de 1999

1.3 **L'habitat groupé** : SGF, recensement de 1876

1.4 **Les structures familiales, synthèse** : Emmanuel Todd, *L'Origine des systèmes familiaux*, Paris, Gallimard, 2010

1.5 **La pratique religieuse au début des années 1960** : François-André Isambert et Jean-Paul Terrenoire, *Atlas de la pratique religieuse des catholiques en France*, Paris, Presses de Science Po, 1980

1.6 **Le choix des prêtres en 1791** : Timothy Tackett *La Révolution, l'Église, la France*, Paris, Éditions du Cerf, 1986

1.7 **Niveau d'intégration sociale** : combinaison de 1.4, 1.3 et 1.5

1.8 **Le parti communiste et l'Église catholique** : François-André Isambert et Jean-Paul Terrenoire, *Atlas de la pratique religieuse des catholiques en France*, *op. cit.*, et cahier élections du *Monde*, 1978

1.9 **Les derniers communistes** : ministère de l'Intérieur

CHAPITRE 2

2.1 **Lire et écrire en 1901** : François Furet et Jacques Ozouf, *L'Alphabétisation des Français de Calvin à Jules Ferry*, Paris, Éditions de Minuit, 1977

2.2 **Avoir le bac vers 1970** : recensement de 2008

2.3 **Avoir le bac vers 1995** : recensement de 2008

2.4 **Au-delà du bac** : recensement de 2008

2.5 **Sans-diplômes** : recensement de 2008

2.6 **Difficultés de lecture** : ministère de la Défense, DSN, MEN-MESR-DEPP, 2011

2.7 **De la lecture au diplôme** : combinaison de 2.5 et 2.6

2.8 **Maghrébins** : recensement de 2008

2.9 **Une classe moyenne technique** : recensement de 2008

CHAPITRE 3

3.1 **L'avance des femmes dans l'éducation** : recensement de 2008

3.2 **La résistance des hommes dans le technique** : recensement de 2008

3.3 **Hommes sans diplômes** : recensement de 2008

3.4 **Femmes actives en 1968** : recensement de 1968

3.5 **Femmes actives en 2008** : recensement de 2008

3.6 **Femmes à temps partiel** : recensement de 2008

CHAPITRE 4

4.1 **Fécondité** : application de la formule d'estimation de Princeton aux naissances du fichier détail des naissances en 2006, INSEE

4.2 **Homosexualité masculine vers 1985** : *Bulletin épidémiologique hebdomadaire (BEH)* 23/1990, 11 juin 1990

4.3 **Fécondité rurale** : application de la formule d'estimation de Princeton aux naissances du fichier détail des naissances en 2006, INSEE

4.4 **Fécondité des villes moyennes** : application de la formule d'estimation de Princeton aux naissances du fichier détail des naissances en 2006, INSEE

4.5a **Âge au mariage en 1968** : état civil en 1968, INSEE

4.5b **Âge au mariage en 2009** : état civil en 2009, INSEE

4.6a **Naissances hors mariage en 1990** : état civil en 1990, INSEE

4.6b **Naissances hors mariage en 2008** : état civil en 2008, INSEE

CHAPITRE 5

5.1 **L'industrie en 1968** : recensement de 1968

5.2 **L'industrie en 2008** : recensement de 2008

5.3 **Le dernier exode rural** : recensements de la SGF et de l'INSEE depuis 1851

5.4 **Exporter** : *Stratégies et performances exportatrices des régions françaises en Europe,* Direction générale du Trésor et de la politique économique (MINEFI) et Assemblée des chambres françaises de commerce et d'industrie, 2006

CHAPITRE 6

6.1 **Les ouvriers en 2009** : recensement de 2009

6.2 **Les artisans et les commerçants en 2009** : recensement de 2009

8.6 **Les Le Bihan** : site internet des noms de famille : *www.geopatronyme.com*

8.7 **Les Müller** : site internet des noms de famille : *www.geopatronyme.com*

8.8 **Les Fabre** : site internet des noms de famille : *www.geopatronyme.com*

8.9 **Étrangers** : recensements de 1851, 1891, 1936 (SGF) et 1982 (INSEE)

8.10a **Les Algériens en 1982** : recensement de 1982

8.10b **Les Algériens en 2008** : recensement de 2008

8.11a **Étrangers d'origine subsaharienne en 2009** : recensement de 2009

8.11b **Européens mais non latins** : recensement de 2009

8.12 **Pourcentage d'étrangers dans la population immigrée** : recensement de 2008

8.13 **Jeunes étrangers** : recensement de 2008

CHAPITRE 9

9.1 **Hollande au second tour de 2012** : ministère de l'Intérieur

9.2a **De Mitterrand à Hollande** : ministère de l'Intérieur et cahier de l'élection présidentielle de 1981 du *Monde*

9.2b **Religion, Front national et vote de gauche** : François-André Isambert et Jean-Paul Terrenoire, *Atlas de la pratique religieuse des catholiques en France*, *op. cit.*, et ministère de l'Intérieur

9.3 **De Jospin à Hollande** : ministère de l'Intérieur

9.4 **La chute du trotskisme** : ministère de l'Intérieur

9.5a **Mélenchon au premier tour** : ministère de l'Intérieur

9.5b **Hollande au premier tour** : ministère de l'Intérieur

9.6a **Gains de Sarkozy en 2007 sur la droite en 2002** : ministère de l'Intérieur

9.6b **Gains de Bayrou entre 2002 et 2007** : ministère de l'Intérieur

9.7a **Pertes de Sarkozy entre les deux premiers tours des deux élections présidentielles de 2007 et 2012** : ministère de l'Intérieur

9.7b **Pertes de Bayrou entre les deux premiers tours des deux élections présidentielles de 2007 et 2012** : ministère de l'Intérieur

9.8 **Votes « oui » au référendum de 2005** : ministère de l'Intérieur

9.9 **Votes « oui » aux référendums de 1969, 1972 et 1992** : cahiers de résultats électoraux du *Monde*

CHAPITRE 10

10.1a, b, c, d **Une gauche figée** : ministère de l'Intérieur

10.2a, b, c **La gauche des villes** : ministère de l'Intérieur

CHAPITRE 11

11.1 **Marine Le Pen en 2012** : ministère de l'Intérieur

11.2 **Places fortes du PC en 1978 et du FN en 1984** : cahiers des résultats électoraux du *Monde*

11.3a, b, c **Immigration, insécurité et extrême droite au début des années 1980** : cahier des résultats électoraux de l'élection européenne de 1984 (*Le Monde*), bulletin de statistique du ministère de la Justice, 1982, et recensement de 1982

11.4 **Jean-Marie Le Pen en 1995** : ministère de l'Intérieur

11.5 **Le Front national en 1984, 1988, 1995 et 2002** : cahiers des résultats électoraux du *Monde*

11.6 **Pertes de Le Pen en 2007** : ministère de l'Intérieur

11.7 **Gains et pertes de Marine Le Pen en 2012** : ministère de l'Intérieur

11.8 **Les nouveaux bastions de l'extrême droite** : ministère de l'Intérieur

11.9 **Le vote des ouvriers en 2012** : données aimablement communiquées par Jérôme Fourquet, directeur des études politiques à l'IFOP

Table

CHAPITRE 10

CHAPITRE 11

RÉALISATION : PAO ÉDITIONS DU SEUIL
IMPRESSION : IME À BAUME-LES-DAMES
DÉPÔT LÉGAL : MARS 2013. N° 110216
IMPRIMÉ EN FRANCE

Dans la même collection

Éric MAURIN
L'Égalité des possibles
(2002)

Thérèse DELPECH
Politique du chaos
(2002)

Olivier ROY
Les Illusions du 11 septembre
(2002)

Jean-Paul FITOUSSI
La Règle et le Choix
(2002)

Michael IGNATIEFF
Kaboul-Sarajevo
(2002)

Daniel LINDENBERG
Le Rappel à l'ordre
(2002)

Pierre-Michel MENGER
Portrait de l'artiste en travailleur
(2003)

Hugues LAGRANGE
Demandes de sécurité
(2003)

Xavier Gaullier
Le Temps des retraites
(2003)

Suzanne Berger
Notre première mondialisation
(2003)

Robert Castel
L'Insécurité sociale
(2003)

Bruno Tertrais
La Guerre sans fin
(2004)

Thierry Pech, Marc-Olivier Padis
Les Multinationales du cœur
(2004)

Pascal Lamy
La Démocratie-monde
(2004)

Philippe Askenazy
Les Désordres du travail
(2004)

François Dubet
L'École des chances
(2004)

Éric Maurin
Le Ghetto français
(2004)

Julie ALLARD, Antoine GARAPON
Les Juges dans la mondialisation
(2005)

François DUPUY
La Fatigue des élites
(2005)

Patrick WEIL
La République et sa diversité
(2005)

Jean PEYRELEVADE
Le Capitalisme total
(2005)

Patrick HAENNI
L'Islam de marché
(2005)

Marie DURU-BELLAT
L'Inflation scolaire
(2006)

Jean-Louis MISSIKA
La Fin de la télévision
(2006)

Daniel COHEN
Trois Leçons sur la société postindustrielle
(2006)

Louis CHAUVEL
Les Classes moyennes à la dérive
(2006)

François HÉRAN
Le Temps des immigrés
(2007)

Dominique MÉDA, Hélène PÉRIVIER
Le Deuxième Âge de l'émancipation
(2007)

Thomas PHILIPPON
Le Capitalisme d'héritiers
(2007)

Youssef COURBAGE, Emmanuel TODD
Le Rendez-vous des civilisations
(2007)

Robert CASTEL
La Discrimination négative
(2007)

Laurent DAVEZIES
La République et ses territoires
(2008)

Gösta ESPING ANDERSEN
(avec Bruno Palier)
Trois Leçons sur l'État-providence
(2008)

Loïc BLONDIAUX
Le Nouvel Esprit de la démocratie
(2008)

Jean-Paul FITOUSSI, Éloi LAURENT
La Nouvelle Écologie politique
(2008)

Christian Baudelot, Roger Establet
L'Élitisme républicain
(2009)

Éric Maurin
La Peur du déclassement
(2009)

Patrick Peretti-Wattel, Jean-Paul Moatti
Le Principe de prévention
(2009)

Esther Duflo
Le Développement humain
Lutter contre la pauvreté (I)
(2010)

Esther Duflo
La Politique de l'autonomie
Lutter contre la pauvreté (II)
(2010)

François Dubet
Les Places et les Chances
Repenser la justice sociale
(2010)

Dominique Cardon
La Démocratie Internet
Promesses et limites
(2010)

Dominique Bourg, Kerry Whiteside
Vers une démocratie écologique
Le citoyen, le savant et le politique
(2010)

Patrice FLICHY
Le Sacre de l'amateur
(2010)

Camille LANDAIS, Thomas PIKETTY, Emmanuel SAEZ
Pour une révolution fiscale
Un impôt sur le revenu pour le XXIe *siècle*
(2011)

Pierre LASCOUMES
Une démocratie corruptible
(2011)

Philippe AGHION, Alexandra ROULET
Repenser l'État
Pour une social-démocratie de l'innovation
(2011)

COLLECTIF
Refaire société
(2011)

Dominique GOUX, Éric MAURIN
Les Nouvelles Classes moyennes
(2012)

Blanche SEGRESTIN, Armand HATCHUEL
Refonder l'entreprise
(2012)

Nicolas DUVOUX
Le Nouvel Âge de la solidarité
Pauvreté, précarité et politiques publiques
(2012)

François BOURGUIGNON
La Mondialisation de l'inégalité
(2012)

Laurent DAVEZIES
La crise qui vient
La nouvelle fracture territoriale
(2012)

Michel KOKOREFF, Didier LAPEYRONNIE
Refaire la cité
L'avenir des banlieues
(2013)

Camille PEUGNY
Le Destin au berceau
Inégalités et reproduction sociale
(2013)